S.S.F. Public Library
Grand Ave.
306 Walnut Ave.
South San Francisco, CA 94080

Cómo HABLAR con los ADOLESCENTES de los TEMAS REALMENTE IMPORTANTES

Charles E. Schaefer, Ph. D.
Theresa Foy DiGeronimo, M. Ed.

Cómo HABLAR con los ADOLESCENTES de los TEMAS REALMENTE IMPORTANTES

EDITORIAL DIANA
MEXICO

1a. Edición, Mayo de 2001
3a. Impresión, Diciembre de 2003

La lista de razones positivas para practicar atletismo, tomada de *Myth Busting: GAT Every Female Athlete Should Know!*, se ha reimpreso con permiso de la Women's Sports Foundation, © 1997 por la Women's Sports Foundation.

La lista de características comunes del reclutador de cultos, tomada de *How Can Young People Protect Themselves Against Cults?*, se ha reimpreso con permiso de la American Family Foundation.

Portada: Ana Lilia Barajas.

ISBN 968 – 13 – 3333 – 0

Título original: *How To Talk To Teens
About Really Important Things,*
publicado por contrato con Jossey-Bass Inc.,
Publishers, San Francisco, Cal.
Traducción: Francisco Perea.

EDITORIAL DIANA S.A. DE C.V.
Arenal 24 – Edificio Norte
Col. Ex Hacienda Guadalupe Chimalistac
México, D.F,. 01050.
Tel. 50 89 12 20.
www.editorialdiana.com.mx

DIANA

IMPRESO EN MÉXICO – PRINTED IN MEXICO

A mis hijos Karina y Eric,
quienes durante su adolescencia hicieron que
nuestras conversaciones familiares
fueran un placentero desafío.
C. E. S.

A mis hijos Matt, Joe y Colleen,
que siempre se hicieron presentes
para obligarme a hacer lo que predicaba.
T.F.D.

Reconocimientos

Queremos dar las gracias a nuestro director editorial, Alan Rinzler, por haber reconocido la necesidad de un libro como éste. Su perspicacia editorial y su experiencia personal han contribuido en alto grado a la calidad del libro.

Por su valioso criterio en materia de ética, valores morales y religión, expresamos nuestra gratitud a Fred Mercadante (Chatham, Nueva Jersey) y a Glen McCall (Pompton Lakes, Nueva Jersey), ambos ministros juveniles.

Por su ayuda en la preparación de "Competencia", damos las gracias a David Feigley, director de investigación deportiva juvenil de la Universidad de Rutgers, en New Brunswick, Nueva Jersey.

Por compartir con nosotros su experiencia y sus conocimientos sobre sectas, agradecemos a Michael Langone, Ph. D., director editorial de *Cultic Studies Journal* ("Revista de estudios sobre las sectas") y director ejecutivo de la *American Family Foundation* ("Fundación para la Familia Estadounidense").

Por habernos proporcionado investigación e información sobre sectas, damos las gracias a Nelson Baez (South Plainfield, Nueva Jersey).

Por su caudal de conocimientos y su buena disposición para ayudar, damos las gracias a Lorraine Powell, coordinadora de actividades de toma de conciencia sobre las sustancias químicas de la *Hawthorne High School*, de Hawthorne, Nueva Jersey.

Contenido

Introducción XI

Primera parte: Las grandes crisis 1

El divorcio 3
La muerte de un ser querido 23
La violación en la cita 33

Segunda parte: Las señales de alerta 41

El consumo de alcohol y conducir en estado de ebriedad 43
Los peligros en la Red electrónica mundial 59
El abuso de drogas 67
El VIH y el SIDA 85
Sexo, anticoncepción y embarazo 97
Las enfermedades de transmisión sexual 113
Los tatuajes y perforaciones del cuerpo 127

Tercera parte: Las preocupaciones de los adolescentes 145

La competencia 147
Las sectas 169
La depresión 187
La ética, los valores morales y la religión 201
Las pandillas 221
La homosexualidad 237
La pornografía 257
Los prejuicios 265
La pubertad 287
La violencia 301

Referencias bibliográficas por temas *329*
Acerca de los autores *339*

Introducción

¿Cuán a menudo conversa usted y escucha realmente a su hijo adolescente? Una encuesta del *USA Weekend* de 1998, hecha a 272,400 estudiantes, les preguntaba con qué frecuencia habían tenido una conversación con alguno de sus padres, que durara más de quince minutos. Sólo un tercio de los encuestados dijo que a diario. Más o menos uno de cada cinco (el 17 por ciento) dijo que casi nunca hablaba con sus padres durante más de quince minutos. Una tercera parte dijo que los adultos, en general, no dan valor a su opinión. Otra encuesta nacional de 1998, emprendida por el *New York Times* y CBS News, averiguó que el 55 por ciento de los adolescentes convenía que en ocasiones habían querido hablar con sus padres, pero no lo habían hecho. De ellos, cuatro de cada cinco dijeron que la razón era que los padres "no entienden"; y la mayoría de los restantes opinó que sencillamente sus padres estaban demasiado ocupados.

¿Qué diría el adolescente de usted, amable lector? ¿Con qué frecuencia habla usted con sus hijos adolescentes? ¿Cuán a menudo acuden a usted para hacerle preguntas o plantearle problemas importantes? Hemos escrito este libro para contribuir a salvar la brecha que existe en la comunicación entre los padres y los hijos adolescentes. En cada capítulo hemos recopilado una colección única de consejos, información y muestras de diálogo que se basan en años de práctica clínica, de experiencia paterna y materna, y de investigación experta. Esperamos que este libro sea un recurso valioso en años venideros, cuando usted hable con sus hijos adolescentes sobre sus experiencias y los ayude a superar sus crisis.

No pretendemos decir que haya respuestas fáciles a los difíciles problemas de la adolescencia, pero sí creemos que hablar de ellos puede ser de provecho. Tampoco pretendemos que un libro pueda plantear a los padres exactamente lo que deben decir en cada situación, ni tampoco que los jóvenes presten atención a todo lo que sus padres les digan. Sin embargo, es importante darles información sobre las realidades y los ideales que contribuyen a una vida mejor. Ya sea que lo acepten o lo rechacen, a los adolescentes les gusta oír lo que sus padres esperan de ellos. Quieren saber que existe el suficiente interés en ellos para hacer el intento, y que sus padres los aman lo suficiente para seguir hablándoles aun cuando parezca que sus hijos les cerraron la puerta.

Por supuesto, nos damos cuenta de que cada situación familiar es única. (Sabemos que, además de los llamados padres tradicionales, los hay también homosexuales, padrastros y madrastras, padres adoptivos, abuelos, padres y madres que trabajan, y custodios legales.) Por eso, queremos decir desde el principio que nada de lo que hay en este libro debe tomarse como el Evangelio, ni como "el único camino óptimo". Pero sí estamos seguros de que las directrices que proponemos pueden adaptarse al sistema de creencias de su familia y a su estilo de vida, y pueden dar a los padres una base sólida sobre la cual edificar una comunicación abierta y franca.

¿POR QUÉ LOS PADRES DEBEN HABLAR CON SUS HIJOS?

Los adolescentes acabarán por encontrar la respuesta a todas sus preguntas... pero, ¿con quién? Si usted desea ser su primera fuente de información, demuéstreselo desde el principio, hablándoles abiertamente, con la mayor naturalidad y con toda franqueza, de los muchos asuntos que tienen importancia en su vida.

Esfuércese por ser un padre o madre "interrogable"; es decir, alguien que sus hijos adolescentes consideren que no va a juzgarlos, a ridiculizarlos ni a castigarlos por hacer preguntas sobre temas de verdadera importancia. Un padre o madre "interrogable" responde a preguntas con palabras y actos que dicen claramente: "Me da mucho gusto que lo hayas preguntado".

Los adolescentes sienten, por intuición, lo receptivos que son los padres en cuanto a hablar de determinados temas. Si usted evita hablar de asuntos emocionalmente sensibles, como la muerte, los prejuicios o el divorcio, ellos aprenden a guardar para sí sus preocupaciones. Si usted soslaya temas "embarazosos" como la pornografía, la homosexualidad y las enfermedades venéreas, sus hijos obtendrán la información (genuina o deformada) de alguna otra persona. Si resta importancia a experiencias de la vida como los tatuajes, las perforaciones del cuerpo, la violación durante una cita o la violencia escolar, ellos supondrán que usted simplemente no entiende sus preocupaciones y sus temores.

La comunicación abierta es una herramienta sumamente poderosa para el ejercicio de la patria potestad; la información contenida en este libro le ayudará a usarla con frecuencia y acierto.

CÓMO HABLAR CON SUS HIJOS

El modo de hablar a los adolescentes es tan importante como lo que se les dice. Cada capítulo sugiere lineamientos específicos adecuados al tema en cuestión. Sin embargo, tenga siempre presentes estas reglas básicas:

Domine el tema del que habla. Para que la guía o el consejo que se da sea efectivo, usted necesita aparecer ante la mirada de su hijo como alguien que está bien informado. Por eso, antes de aconsejar acerca de temas como sexo o alcoholismo, lea buena literatura al respecto. Al final de la mayoría de los capítulos encontrará una lista de lecturas para los padres y los jóvenes. Lea con atención algunos de estos libros *antes* de afrontar el tema con sus hijos. Su opinión será más creíble si usted ofrece pruebas que la apoyen, en vez de simplemente presentar su punto de vista.

Actúe como una persona digna de confianza. Sea directo y claro en lo que sabe y honrado en lo que ignora. Evite exagerar la verdad para impresionar, o deformarla para evitar una incomodidad para usted o para el joven. Sus hijos deben convencerse de que pueden confiar en lo que usted les diga.

Sea breve. Hable sin rodeos. Vaya directamente al tema. Mantendrá la atención y el respeto de sus hijos si logra evitar la tendencia a dar una clase o a entablar una larga y compleja discusión.

Sea claro. Use un lenguaje sencillo y concreto, que corresponda al grado de desarrollo de su interlocutor.

Respete el punto de vista de sus hijos. Pregunte a sus hijos adolescentes lo que piensan sobre ciertos temas más que decirles lo que deben hacer o pensar. Acuérdese de escuchar y de respetar sus opiniones, para que lo que usted haga sea hablar *con* ellos, no hablarles *a* ellos. El respeto implica también dar a los adolescentes razones para conducirse de determinada manera. Estas razones ayudan a que se desarrolle la capacidad de reflexión del joven y su independencia de juicio.

Por qué debe usted hablar con sus adolescentes, *cuándo* y *cómo* debe hacerlo, es el tema de este libro. No intentamos emprender una argumentación ni discutir o dar una lección sobre las numerosas teorías y métodos prácticos controvertibles inherentes a algunos de estos temas. Nos esforzaremos únicamente en dar a nuestros lectores las palabras que necesitan para hablar con sus hijos sobre temas de verdadera importancia: temas que nuestros abuelos y aun nuestros padres consideraban demasiado privados, insignificantes o tabú para hablar de ellos.

Como equipo, hemos escrito ya ocho libros sobre el ejercicio de la paternidad (algunos se han traducido a otras lenguas y publicado internacionalmente). Ahora nos complace ofrecerles el noveno. Sabemos por propia experiencia que hablar a los hijos puede a veces ser difícil, incómodo y hasta frustrante, pero también sabemos que el resultado final bien vale la pena. Si los padres hablan con sus hijos a menudo y abiertamente sobre cualquier tema, ellos no tardarán en aprender que pueden confiarle sus secretos y temores. A medida que crecen, su confianza enriquecerá la relación mutua y los alentará a ir en busca de ustedes, no de las calles, para conseguir la información que necesitan a fin de mantenerse seguros y sanos. Con esta meta en mente, esperamos que el presente libro les resulte un recurso confiable al que puedan acudir, a lo largo de la vida, cuando necesiten encontrar las palabras exactas con las cuales hablar a sus hijos sobre asuntos de verdadera importancia.

Si se sienten frustrados en sus esfuerzos por entablar estos diálogos, tengan presente que es muy normal que los adolescentes piensen que ya lo saben todo. Mark Twain fue quien observó que cuando tenía diecisiete años, pensaba que su padre era el hombre más tonto del mundo. Cuando tenía veintiún años, le sorprendió comprobar cuánto había aprendido aquel hombre en sólo cuatro años. Tengan paciencia y sigan haciendo el esfuerzo.

Diciembre de 1998

CHARLES E. SCHAEFER
Hackensack, Nueva Jersey

THERESA FOY DIGERONIMO
Hawthorne, Nueva Jersey

PRIMERA PARTE

Las grandes crisis

El divorcio

Durante mucho tiempo no se había escuchado una risa en el hogar del quinceañero Mike. Él no podía recordar la última vez que vio sonreír a su madre. Sin embargo, tampoco podía creer que sus padres fueran a divorciarse realmente. Quizá se trataba de una disputa más, a la que acabarían por sobreponerse. También era posible que su padre regresara el siguiente fin de semana. Pero tal vez no lo vería en toda esa semana; más aún, era probable que no volvería a verlo nunca. Quizá su madre quisiera mudarse de casa. Quizá en esas circunstancias no podrían pagarle la universidad. "Los odio a ambos –pensaba Mike–. ¿Cómo pudieron hacerme esto?"

El divorcio no fue lo que sus padres "le habían hecho". Mike sabe que el divorcio sucede en muchas familias; cada año, otro millón de niños son testigos de la separación de sus padres. Lo que los padres de Mike hicieron y lo hiere tanto, fue dejarlo con tantas preguntas sin respuesta.

Los padres son, en general, muy sensibles a los efectos que el divorcio produce en niños pequeños. Sin embargo, a menudo se soslaya el efecto de esta crisis familiar en los adolescentes. Se supone erróneamente que ellos se encuentran tan ocupados con su propia vida, y están tan poco tiempo en casa, que el divorcio de sus padres no les afecta mucho.

La verdad es que los adolescentes tienen tanta necesidad de guía en lo emocional y en su conducta durante este tiempo de crisis, como un niño en cualquier otra etapa de su desarrollo. Creemos que la necesidad de ayuda para ellos reviste una urgencia especial, por dos razones: 1) están apenas empezando a crearse su propia imagen de la relación hombre-mujer, que puede verse sacudida con un divorcio en la familia, y 2) sus métodos de desahogar el enojo y la tristeza son opciones peligrosas (el alcohol, las drogas, el sexo, la deserción escolar), que pueden cambiar toda su vida.

No cabe la menor duda de que los adolescentes tienen muchas preguntas que hacer y el corazón lleno de sentimientos cuando descubren que sus padres van a separarse. Necesitan hablar con alguien que pueda captar su perspectiva, que pueda escucharlos con serenidad y sin juzgar, que pueda fomentar diálogos ulteriores. Nuestra esperanza es que ese alguien sea usted.

POR QUÉ HABLAR DEL DIVORCIO A LOS ADOLESCENTES

Hay mil razones para que los padres hablen de su divorcio con los hijos adolescentes. Las que siguen son sólo algunas de las más comunes:

- *El nivel de madurez del adolescente*. La actitud recién adoptada de independencia del adolescente engaña a muchos padres, haciéndoles creer que el joven puede afrontar un divorcio mejor que un niño pequeño. Sin embargo, lo que sucede a menudo es lo contrario. Precisamente porque los adolescentes son maduros, sus emociones no pueden cambiarse por promesas de paletitas de dulce. Tampoco los engañará la sonrisa de uno de sus progenitores. Son muy conscientes de todo lo que pasa y necesitan participar en discusiones familiares que demuestren respeto al papel que ellos desempeñan en la dinámica familiar.

• *Ansiedades normales*. Los años de la adolescencia están llenos de inseguridades, preocupaciones y ansiedades, aun en las mejores circunstancias. Todos estos sentimientos se intensifican ante la perspectiva de un divorcio, y hay que hablar de ellos para que no se vuelvan avasalladores.

• *Expectativas que se desmoronan*. Los adolescentes están experimentando la formación de las primeras aficiones intensas hacia el sexo opuesto, y empiezan a imaginarse lo que será una vida de felicidad ininterrumpida con su propia pareja. En estas circunstancias, el divorcio de sus propios padres resulta especialmente catastrófico si no se entabla el diálogo que presente una perspectiva serena y comprensiva de la situación.

• *Sentimientos ocultos*. Hay adolescentes que se ponen una máscara de aislamiento indiferente, tratando de ocultar sus verdaderos sentimientos acerca de todas las cosas. No hacen preguntas, aunque estén muriéndose de ganas por saber la respuesta. No hablarán de nada que según ellos sea un tema sensible para sus padres. Tienden a permanecer muy taciturnos. En ese momento de crisis, tal actitud resulta bastante difícil de sostener durante mucho tiempo. Los sentimientos ocultos pueden desencadenar problemas en el trabajo escolar o en las relaciones con hermanos y hermanas, y pueden impulsar al adolescente a adoptar peligrosas formas de conducta, como el abuso en el consumo de sustancias químicas o la promiscuidad. Hablar abierta y sinceramente con ellos los ayuda a quitarse la máscara y a dar salida a las emociones que producen tanto dolor cuando se mantienen reprimidas.

• *Sentimientos encontrados*. Muchos adolescentes son muy conscientes de las razones por las que sus padres se divorcian. Han vivido en la misma casa, han oído todas sus disputas y han tenido que soportar la atmósfera de hielo que se forma. Es posible que respondan a la noticia del divorcio con un sentimiento inicial de alivio. Pero que esta reacción no engañe a los padres haciéndoles pensar que no hay más que decir. Aun los adolescentes que pueden entender la necesidad del divorcio, van a tener que enfrentarse a sentimientos ocasionales de traición, enojo, decepción y tristeza.

- *Bienestar emocional.* Hay adolescentes que se protegen del dolor desconectándose de sus sentimientos. No sienten el sufrimiento por el divorcio de sus padres, pero tampoco la alegría y la felicidad de la vida. Se vuelven autómatas emocionales. Si no tienen la oportunidad de hablar de sus sentimientos, el daño psicológico puede ser duradero e influir en la calidad de su vida aun mucho después de haber pasado la crisis.

CUÁNDO COMPARTIR CON LOS HIJOS SU DECISIÓN DE DIVORCIARSE

A los hijos hay que hablarles de la decisión de separarse y de entablar un divorcio cuando se ha tomado ya la decisión irrevocable y definitiva. Una vez que usted esté seguro (o segura) de que el matrimonio se ha terminado, seguir estas directrices lo ayudará a elegir el momento apropiado para hablar a los hijos de su decisión:

Hablen cuando ambos progenitores puedan estar presentes. Cuando el padre y la madre están presentes y conversan con los hijos, dándoles la noticia, es más probable que éstos acepten el carácter definitivo de esa decisión. Si uno solo de los progenitores da la noticia, los adolescentes pueden pensar que ha habido una disputa y que el otro no tardará en regresar para reconciliarse. El hecho de que ambos padres hablen con los hijos del divorcio también reduce la posibilidad de que éstos oigan dos historias completamente distintas, o una serie de confusas contradicciones entre uno y otro progenitor.

Si su pareja no puede estar presente cuando usted les dé la noticia por vez primera, convenga con ella en que les llame por teléfono o escriba inmediatamente después de la comunicación de usted. Siempre que sea posible, los hijos necesitan recibir esta información de sus dos progenitores. Sin embargo, si uno de ellos es materialmente inaccesible por haber desaparecido, porque sufre de alguna enfermedad mental, por su actitud hostil o de alejamiento, u otro motivo parecido, usted tendrá que entablar solo el diálogo con los hijos. En este caso, puede explicar (sin enojo y sin juzgar) el silencio de su cónyuge diciendo algo como esto: "Su papá [o su mamá] no puede hablar de esto con ustedes en este momento, pero yo estoy a su disposición cuantas veces quieran hablarme de ello".

Hablen cuando estén en casa. No den esta clase de noticias en público: en un parque, un restorán u otro sitio parecido. Tampoco se lo digan a sus hijos en el momento en que ustedes o ellos están a punto de salir rumbo al trabajo o a la escuela. Denles tiempo de asimilar la noticia, de hacer preguntas, de llorar si quieren hacerlo y de buscar refugio en los brazos de ustedes.

Hablen cuando hayan alcanzado ya un estado de serenidad. Por más enojados o molestos que ustedes puedan estar a causa de la ruptura de su matrimonio, no dejen caer su carga emocional sobre los hijos. Por supuesto, pueden compartir con ellos sus sentimientos de tristeza y congoja, pero procuren conservar la calma.

Hablen en presencia de todos los hermanos y hermanas. La presencia de todos ellos puede amortiguar el golpe y dar cierta sensación de continuidad familiar. Además, permite a los hijos dirigirse el uno al otro en busca de apoyo mutuo. Es posible que ustedes quieran hablar a solas con los mayores, para darles una explicación más detallada, pero la noticia inicial debe darse con toda la familia presente.

Continúen hablando a medida que pasa el tiempo. La reacción inicial de su hijo adolescente a los planes de divorcio necesita una respuesta particular; sin embargo, con el paso del tiempo usted puede esperar que esa reacción cambie, y deberá mantener vivo el diálogo en cada etapa. No es raro, después de la separación, ver a los hijos pasar por las mismas etapas de aflicción que se esperarían después de la muerte de un ser querido. Los padres deben estar pendientes de las siguientes etapas (basadas en el trabajo sobre la aflicción de Elisabeth Kübler-Ross), y prestar atención a los sentimientos de su joven adolescente en todas y cada una de ellas:

Negación (volverán a reunirse).
Enojo (me han arruinado la vida).
Pactos (te prometo que no volveré a pelear contigo si tú y papá [o mamá] hacen la prueba una vez más).
Depresión (la vida es una porquería).
Aceptación (supongo que más vale que sea así).

Estos sentimientos no suele producirse siguiendo un programa; ni siquiera se presentan en ese orden. Su hijo adolescente puede saltar hacia adelante o hacia atrás, de uno a otro. Es posible que pasen años para que llegue a la etapa de aceptación (por lo común, a fines de la adolescencia). Es difícil seguir la pista a los sentimientos cambiantes de los jóvenes (sobre todo cuando usted mismo está sometido a un vaivén emocional). Sin embargo, es de suma importancia estar pendiente de esos cambios y mostrar comprensión y comunión de sentimientos. Cuando su hijo adolescente le dice a gritos "¡Te odio!", usted puede conjeturar que está en la etapa del "enojo", y eso le facilitará responderle con amor.

DE QUÉ PUEDEN HABLAR LOS PADRES

La decisión que usted tome en cuanto a las palabras que ha de usar para dar la noticia dependerá de todos los factores que intervengan en su inminente divorcio. Muchos padres de familia se limitan a decir:

"Estoy seguro [o segura] de que se han dado cuenta de que su mamá (papá) y yo no somos felices viviendo juntos. Hemos decidido que lo mejor es que nos divorciemos y vivamos separados. Quisimos decírselo ahora para que, cuando estemos haciendo los trámites y las cosas empiecen a cambiar en la casa, ustedes sepan lo que está sucediendo. Procuraremos mantenerlos informados de nuestras decisiones sobre ciertas cosas, como quién va a mudarse, adónde y cuándo, pero si tienen preguntas a las que no estemos dando una respuesta, no duden en hacérnoslas."

Después de dar la noticia inicial, su hijo puede quedarse muy callado y necesitar tiempo a solas para aclarar sus sentimientos; también es posible que tenga inmediatamente un centenar de preguntas, o que sucumba en ese momento a un arrebato de indignación. Cualquiera que sea la reacción, es preciso que los padres mantengan la calma y una actitud de aceptación. No es el momento de enseñar buenos modales o de esperar cortesía.

Información

Durante el divorcio, es muy fácil enclaustrarse en el propio mundo hasta el grado de olvidar que los hijos deben estar informados. Aunque esta distracción es comprensible, también lo es el que su hijo adolescente afronta mejor el divorcio si está al corriente de lo que acontece. Cuando ustedes le den la noticia por vez primera, sean directos. Los jóvenes deben recibir la noticia de la separación inminente de una manera franca y directa: nada de mentiras, ni excusas, ni falsas promesas. Exponer la situación con firmeza y sin titubeos servirá para transmitir el tono definitivo de la decisión. Los hijos adolescentes esperan que sus padres resuelvan problemas y sean adultos responsables. Si los padres no son claros y directos, los chicos abrigarán la esperanza de que volverán a reunirse, o quizá les indigne la idea de que sus padres no han hecho el esfuerzo suficiente. Digan a sus hijos:

"Hemos considerado todas las posibilidades razonables, pero no hay otra solución."

Los jóvenes tienen verdadera pasión por conocer la verdad y un olfato muy fino para captarla. Los padres no podrán engañarlos mucho tiempo. Es posible que el adolescente sepa ya las razones del divorcio, o que los padres tengan que explicarle los motivos de su decisión. En uno u otro caso, no hay necesidad de revelar los detalles sórdidos de los acontecimientos, como la infidelidad, el abuso en el consumo de sustancias químicas y la enajenación. Si sus hijos los apremian a que ofrezcan una explicación más detallada de lo que ustedes consideran apropiado, pueden decirles:

"Esta información es personal y privada, exclusivamente entre tu padre (o madre) y yo."

Lleven el meollo de la discusión lejos del divorcio y diríjanlo a los hijos, diciéndoles:

"La decisión de separarnos producirá efectos en ustedes, por eso quisimos hablarles ahora de lo que va a suceder."

Después de todo, esto es lo que más interesa al joven. Los adolescentes entienden conceptos como patria potestad, sostén de los hijos y división de las propiedades. Es preciso que los padres sean muy francos en cuanto al modo como estos arreglos van a afectar a sus hijos. Éstos querrán saber cosas como las siguientes:

¿Con quién de ustedes voy a vivir?
Son demasiados los padres de familia que piensan que sus jóvenes hijos tienen la edad suficiente para decidir con cuál de sus progenitores quieren vivir, y les dejan la responsabilidad de escoger. Esto pone a los hijos en un predicamento. A menos que el joven necesite escapar de una situación de abuso personal, a ningún adolescente debe pedírsele jamás que elija. Cualquiera que sea su decisión, vivirá con un terrible sentimiento de culpa por no haber elegido al otro progenitor. Muy a menudo ocurre esto aun cuando el joven tenga una preferencia bien definida. Si los padres no pueden tomar la decisión (teniendo en cuenta la preferencia del adolescente), quien puede decidir es un mediador o un juez. Siempre que sea posible, debe respetarse la preferencia del joven, pero no debe ser él quien haga la elección definitiva.

¿Podré ver a mi otro progenitor? ¿Cuándo? ¿Quién definirá el horario?
No den por supuesto que el adolescente sabe que podrá ver al progenitor que no es el principal encargado de su cuida-

do. Díganselo y denle los detalles necesarios. Garantícenle que seguirá habiendo un contacto continuo. Tengan buen cuidado de que el joven tome parte en precisar los detalles. La vida de los adolescentes es muy activa, y reunirse con sus amigos y amigas la tarde del sábado puede ser mucho más importante que visitar al progenitor que no los tiene a su cuidado. Soliciten la opinión del adolescente antes de definir el horario.

¿Tendré que mudarme de casa o cambiar de escuela?
Éste es un asunto muy delicado para los adolescentes. Si debe mudarse, adelántense a decírselo tan pronto como se tome la decisión. Desde luego, es posible que no le guste la idea, pero no la presenten como una sorpresa de último momento. Todos necesitamos tiempo para adaptarnos a los grandes cambios en la vida. Sin embargo, procuren también no crearles preocupaciones con planes de cambio de domicilio que todavía no están bien definidos. Es un grave trastorno emocional verse "embromado" con planes que cambian de un día para otro.

¿Vamos a tener el dinero necesario?
Los adolescentes tienen la suficiente perspicacia para saber que con frecuencia un divorcio influye en el flujo monetario del hogar. Sean honrados con sus hijos sobre el modo como las cosas van o no a cambiar. Si durante un tiempo se ven precisados a moderar su presupuesto, díganselo y pidan su ayuda y comprensión. Pero después de eso, no toquen más el tema; procuren que los problemas financieros no sean el centro de todas sus conversaciones a la hora de cenar. Muchos adolescentes tienen propensión al melodrama y empezarán a imaginarse a sí mismos sin hogar ni alimento, si sus padres se quejan demasiado de los problemas pecuniarios.

Estas preguntas y sus respuestas se enfocan a la forma en que el divorcio afectará directamente a sus adolescentes. Es lo que ellos quieren y necesitan saber. No hay por qué gravar sus emociones con los detalles financieros y legales del divorcio, así que tenga cuidado de no darles más información que la que pueden (o deben) manejar.

Estabilidad emocional

Además de la información, el adolescente necesita conocer su posición en los nuevos arreglos familiares. Una pregunta que lo acosará es el problema de cambiar de papeles. Con demasiada frecuencia, los padres que se divorcian recurren a los hijos adolescentes para enfrentar situaciones que por sí solos no son capaces de hacerlo. De pronto se les pide que actúen como mediadores, como confidentes, como mensajeros, o simplemente como oyentes cuando uno de los cónyuges necesita oírse a sí mismo hablando del problema. Los padres pueden dar a su hijo adolescente estabilidad emocional si hacen un esfuerzo por mantener su relación después del divorcio en el nivel en que estaba antes de éste. No deben obligarlo a desempeñar funciones que no le corresponden. No le pidan que escuche sus problemas ni que transmita mensajes al otro cónyuge. Limítense a decirle:

"Tú eres mi hija [o mi hijo], y eso es lo único que espero que sigas siendo durante este difícil trance."

Evite criticar al otro cónyuge en presencia de su hijo. Si usted y su pareja están manejando un divorcio especialmente hostil, diga a sus hijos que ustedes dos sienten mucho enojo y molestia recíprocos, y que las cosas no van a ser tan agradables en la casa durante un tiempo. Dígales:

"Tu padre [o madre] me hace enojar. Pero mi enojo no

tiene nada que ver contigo. Es posible que me veas a menudo de muy mal humor, pero a ti te amo y tu padre [o madre] te ama también. Este problema es sólo entre él [o ella] y yo."

Asegure a su hijo que los problemas relacionados con el divorcio son estrictamente entre usted y su cónyuge. Podría decirle:

"No hemos tomado esta decisión debido a algo que tú hayas hecho. No tienes la mínima responsabilidad en esto. Quiero que sepas que no esperamos que tomes partido entre los dos."

Aun en situaciones en las que el adolescente sabe que la vida va a mejorar después del divorcio (sobre todo en caso de abuso), todavía es posible que pase por periodos de enojo y hostilidad. Procure comprender sus emociones.

No le diga: "¡Creí que habías entendido por qué tenía que divorciarme! ¿Qué razón tienes para enojarte ahora?"
Más bien dígale: "Aun cuando el divorcio es la mejor solución, sé bien que sigue siendo una medida dolorosa".

Seguridad

El divorcio puede hacer que los adolescentes se sientan extraviados y a la deriva, sin un hogar de base: éste es un sentimiento aterrador. Para equilibrar tal sentimiento, necesitan que se les diga una y otra vez que sus dos progenitores los aman. Podría decirles:

"Tu padre [o madre] y yo te amamos mucho. Es la parte más difícil del divorcio: saber que a ti te duele tanto. Pero quiero que sepas que siempre contarás con un lugar seguro donde vivir y con todo nuestro amor."

A algunos adolescentes les resulta difícil expresar abiertamente sus sentimientos sobre el divorcio. Si esto sucede en su caso, usted podría iniciar la conversación diciendo algo como esto:

"A veces me aflige el divorcio. ¿Sientes tú algo parecido?"
"¿Has notado cómo han cambiado las cosas aquí desde que tu padre se fue?"
"¿Cómo te resulta a ti este ir y venir entre esta casa y la de tu madre?"

No presione demasiado para obtener una respuesta; simplemente siga ofreciendo su apoyo comprensivo. Si se da a los hijos repetidas veces la oportunidad, la mayoría de ellos acaban por hablar de lo que piensan.

Cuando hablen, lo primero que usted debe hacer es escuchar. No trate de rectificar conceptos erróneos. No dé su opinión. Deje que su hijo termine, antes de intervenir. Procure captar lo que él le está diciendo, desde su punto de vista. No suponga que usted sabe lo que su hijo siente o piensa. Deje que dé libre cauce a sus emociones. A usted le será mucho más fácil hablar de las realidades del divorcio si el joven piensa que usted va a escuchar su opinión sobre la situación.

RESPUESTAS PARA LAS QUE HAY QUE ESTAR PREPARADO

Si a sus hijos adolescentes les ha molestado sobremanera el divorcio, es posible que expresen de diversas maneras el dolor que sienten. Esté pendiente de cualquiera de éstas, y sea consciente de que cada una de ellas puede no ser más que un clamor de ayuda o de atención.

Tristeza

La congoja puede expresarse en voz muy alta o bien de manera silenciosa. Es posible que sus hijos adolescentes lloren mucho o que se hundan en un letargo o se aíslen. Si usted les pregunta: "¿Qué te sucede?", es posible que retrocedan o declaren con tristeza: "Oh, nada, no es nada *(un suspiro)*". Este malestar mental puede afectar la capacidad de concentración de un hijo y, por lo mismo, influir en su aprovechamiento escolar. Si nota cambios de conducta en sus hijos adolescentes, quizá lo mejor sea hablar del divorcio con sus maestros. Éstos pueden convertirse en valiosos aliados si conocen las razones de los repentinos cambios de humor o problemas de conducta.

Enojo

El enojo tiene muchas facetas. En los hijos mayores está desarrollándose un sentido estricto de lo debido y lo indebido, y un divorcio parece algo "indebido". Por ejemplo, Jack, un joven de quince años, manifestaba su enojo en la irritación con que respondía a todo lo que su madre decía. Si ella le preguntaba: "¿Qué quieres desayunar?", era posible que la respuesta inmediata de él fuera: "¿Qué te importa? Lo único que te interesa eres tú misma", y saliera dando un portazo.

Agresión pasiva

La agresión pasiva permite al adolescente enojarse y fustigar a los demás sin hacer el menor ruido. Por ejemplo, la pequeña Kelly, de trece años, nunca habló en tono áspero a su padre después de que él abandonó la casa; prefería más bien hacer caso omiso de su presencia. Pretendía no oír nada de lo que su padre decía. Deliberadamente "olvidaba" que debía ir de visita a su casa. "Accidentalmente" colgaba la bocina del teléfono si era su papá el que llamaba. Los adolescentes que actúan así no tienen la intención de ser rudos, simplemente son presa del enojo.

Fuga

Si el divorcio es especialmente ruidoso y perturbador, es posible que su joven adolescente huya de la escena. La fuga puede adoptar diversas formas, que pueden ser mantenerse fuera de la casa, aislarse emocionalmente, fracasar en la escuela, consumir drogas o alcohol, y caer en la promiscuidad sexual.

LA RESPUESTA DE USTED

Lo mejor es hacer frente a las reacciones de los adolescentes con mucha comprensión y apoyo. Aunque usted debe mantener cualquier forma de disciplina que haya aplicado antes de la separación, procure ser paciente con sus hijos mientras éstos se esfuerzan por ajustarse a la nueva situación familiar. Permita a sus jóvenes adolescentes expresar abiertamente sus sentimientos; muchos sentimientos y acciones sirven de defensa contra el dolor y la aflicción. Lo que usted puede hacer es reconocer la causa de la emoción y mantener la puerta siempre abierta.

Si observa en su hijo formas de conducta peligrosas, como consumo de sustancias químicas, fracaso en la escuela o promiscuidad sexual, el adolescente necesita ayuda psicológica.

Las siguientes listas de lo que debe hacer y lo que debe evitar ayudarán al adolescente a hablar de la decisión de divorcio de sus padres.

Lo que los padres deben hacer

- Alentar a sus hijos adolescentes a expresar con palabras sus sentimientos (incluso los irritantes y dolorosos) y darles la oportunidad de hacer preguntas.
- Escuchar con mucha atención sus preocupaciones.
- Desalentar cualquier esperanza por parte de sus hijos de que la situación desaparezca y pronto vuelvan a tener a sus dos progenitores unidos en un hogar feliz (aun cuando esto sea el deseo que usted mismo abrigue).
- Recordar que una conversación sobre los detalles del divorcio no es suficiente. Los diálogos repetidos dan a los adolescentes la oportunidad de digerir las noticias tristes y aceptar su realidad.
- Asegurar a sus hijos que el divorcio no es en absoluto culpa de ellos.
- Decir a los hijos que ambos padres los aman ahora y que los amarán siempre.
- Mantener a los adolescentes informados de eventos relacionados con el divorcio y de las decisiones que los afectan.

Lo que los padres deben evitar

- Caer en la indecisión. Si el divorcio va a suceder, dígalo con firmeza, sin dar cabida a lapsos de incertidumbre.
- Culpar al ex cónyuge de la ruptura (aun cuando la culpa de hecho recaiga sobre él o ella).
- Hablar mal del ex cónyuge en presencia de sus hijos.
- Pedir a los adolescentes que tomen partido por uno de los dos.
- Buscar apoyo emocional en los hijos.
- Desalentar la expresión de emociones diciendo cosas como éstas: "No llores; necesito que seas fuerte".

- Tratar de minimizar la pérdida con comentarios como éste: "Bueno... al cabo no veías a tu padre con mucha frecuencia".

CONSEGUIR AYUDA

El que usted sienta demasiado dolor para prestar a su hijo adolescente la atención que necesita es algo muy comprensible. Sin embargo, es esencial, sobre todo en medio del periodo de crisis, que haga planes para cubrir las necesidades de su hijo. La mediación es un recurso que puede ayudar a su familia a sufrir el dolor del divorcio. Este proceso le da el poder de tomar sus propias decisiones, y ofrece a las dos partes la oportunidad de reunirse con un tercero, neutral y bien preparado, que puede ayudarlos a analizar los problemas, las preocupaciones y las diferencias, en un ambiente libre de animadversiones. El proceso de mediación puede ayudarlo a concentrar su atención en las necesidades del joven y a explorar diversas maneras de resolver sus diferencias. La mediación trata de reducir la hostilidad entre los padres y de producir un resultado más positivo para los hijos. Si usted tiene la oportunidad de conseguir esa mediación, se la recomendamos absolutamente.

Usted y su hijo también pueden beneficiarse de la guía psicológica profesional para prevenir problemas. Un terapeuta familiar bien preparado puede ayudarlos a ambos a entender sus sentimientos y a reconciliarse con lo que la vida les ha dado.

RECURSOS

American Association for Marriage and Family Therapy ("Asociación Estadounidense para la Terapia Matrimonial y Familiar")

1100 17th Street N.W.
Washington, DC 20036
(800) 374-2638

Esta organización puede remitirlo a terapeutas de su localidad, que se especializan en ofrecer a las familias una guía profesional sobre el divorcio.

Divorce Anonymous ("Divorciados Anónimos")
2600 Colorado Avenue, Suite 270
Santa Monica, CA 90404
(310) 998-6538

Estos grupos se ubican principalmente en estados del Oeste de Estados Unidos. Proporcionan apoyo emocional e información a las familias en proceso de divorcio.

LECTURAS ADICIONALES

BIENENFELD, FLORENCE, *Helping Your Child Through Your Divorce* ("Ayude a su hijo a superar el divorcio"), Hunter House, Alameda, Calif., 1994.

Especialmente para adolescentes

JOHNSON, LINDA CARLSON, *Everything You Need to Know About Your Parent's Divorce* ("Todo lo que necesitas saber sobre el divorcio de tus padres"), 2a. ed., Rosen Publishing Group, Nueva York, 1992.

KIMBALL, GAYLE, *How to Survive Your Parents' Divorce: Kids' Advice to Kids* ("Cómo sobrevivir al divorcio de tus padres: consejos de jóvenes para jóvenes"), Equality Press, Chico, Calif., 1994.

LEVINE, BETH, *Divorce: Young People Caught in the Middle* ("Divorcio: los pequeños entre la espada y la pared"), Enslow, Springfield, N.J., 1995.

La muerte de un ser querido

Un domingo en la mañana Jennifer, una jovencita de dieciséis años, contestó en la cocina la llamada telefónica. Sus padres oyeron aquella alegre y bien conocida voz que saludaba a su mejor amiga, May. Pero luego escucharon un grito y, alarmados, corrieron hacia la cocina, donde Jennifer estaba llorando en tono histérico, tendida en el suelo.

—No, no –seguía gritando Jennifer–. ¡No, no puede ser cierto!

La joven acababa de recibir la trágica noticia de que dos de sus condiscípulas habían muerto en un choque automovilístico la noche anterior. ¿Qué podían decir sus padres para aliviar esta clase de dolor? ¿Qué podían hacer?

ENTENDER LA CARGA EMOCIONAL QUE LA MUERTE IMPONE A LOS ADOLESCENTES

Hablar a los adolescentes de la muerte puede presentar dificultades muy especiales, porque hay un gran vacío entre lo que saben por vía intelectual y lo que sienten en su corazón. Desde un punto de vista cognoscitivo, saben cómo actúa la muerte: es universal, inevitable e irreversible. Lamentablemente, los adultos suponen a menudo que este conocimiento es todo lo que los jóvenes adolescentes necesitan para enfrentar la muerte de un ser querido. Pero el solo hecho de que un joven pueda captar el sentido de la muerte desde una perspectiva intelectual, no significa que tenga la madurez suficiente para enfrentarse a los sentimientos de la pérdida. Desde el punto de vista emocional, los adolescentes están pasando por una etapa de la vida que, por principio de cuentas, es tumultuosa: oscilan continuamente entre el extremo de ser independientes y el de mantenerse dependientes, y la muerte hace que este tiempo de incertidumbre sea aún más difícil de asimilar. ¿Deben ser independientes y fuertes para no llorar y tender la mano a otros? ¿O deben volver a los brazos abiertos de su familia en busca del reconfortante consuelo? No saben qué hacer. Los adolescentes necesitan a un adulto comprensivo que los ayude a entender sus propias emociones y a pasar por las etapas del dolor.

La muerte irrumpe de múltiples maneras en la vida de un adolescente. Puede arrebatarles un abuelo o una abuela muy queridos. Puede acaecer inesperadamente a uno de sus padres, hermanos o amigos. Puede producirse a consecuencia de un suicidio o de un acto de violencia, o bien ser el resultado de un accidente o de una enfermedad prolongada. Cada uno de estos sucesos lleva su carga propia de dolor interno y conversaciones familiares particulares para las que ningún libro puede ofrecer recetas. Sin embargo, hay algunos planteamientos que los padres pueden hacer para ayudar a sus hijos adolescentes a afrontar los sentimientos de pérdida que siguen a una muerte. Ésos son los que describimos en este capítulo.

PREDICAR CON EL EJEMPLO

Es posible que su hijo adolescente recurra a usted para decidir cómo ha de aceptar la muerte. Si usted mismo está haciendo duelo, revele sus sentimientos y comparta sus emociones con sus hijos adolescentes. No dude en decirles que también usted siente enojo o tristeza, o agotamiento... ¡o lo que sea! Si siente ganas de llorar, hágalo. Mantener una fachada valerosa "por el bien de los hijos" es un error que no hace sino enseñarles a ocultar sus propios sentimientos.

Hable de sus sentimientos. Compártalos con sus hijos. No les cierre la puerta. Si usted actúa con sinceridad, con franqueza y con amor, sus hijos pueden percibir estos indicios y responder del mismo modo.

Si siente que su propia congoja le impide apoyar a su hijo adolescente, pida ayuda. Solicite a los parientes, a los amigos cercanos o al clérigo amigo, al sacerdote o rabino de la familia, que hablen con el adolescente y le expliquen que los demás se interesan por él y que comprenden su necesidad de apoyo.

USO DEL SILENCIO Y LA COMPRENSIÓN PARA HABLAR DE LA MUERTE

Muchos adolescentes pasan por un periodo típico de duelo, diciendo y haciendo cosas que no son racionales o realistas. Éste no es el momento indicado para convencerlos de "la verdad". En el lapso que sigue inmediatamente a la muerte de un ser querido, la mejor estrategia de comunicación consiste en escuchar lo que un adolescente dice, y responderle; no rectificar sus sentimientos, sino confirmárselos y brindarle comprensión, pasando por cada una de las etapas típicas de la aflicción:

Etapa 1: Negación

El adolescente puede sentirse ofuscado e insiste en actitudes como éstas:

"No es posible que se haya ido."
"Es sólo un terrible sueño."
"No puedo creerlo."

No le diga: "Tienes que aceptarlo. Éstas son cosas que suceden".
Más bien escuche y luego intente con esto: "Parece demasiado horrible para ser verdadero. Tampoco yo puedo creerlo".

Etapa 2: Hostilidad

El adolescente puede explotar en alguna de estas formas:

"¡Dios no existe!"
"¡Nadie puede entender cómo me siento!"
"¡De nada sirve portarse bien!"

No le diga: "No hables de esa manera. Eso no es cierto".
Más bien escuche y luego intente con esto: "Sé que en este momento sientes un enojo incontenible. Tienes derecho a sentirlo".

Etapa 3: Depresión

El adolescente puede pensar que no es capaz de hacer frente a sus sentimientos de tristeza:

"¡No puedo seguir viviendo sin él."
"¡No quiero vivir sin él!"
"¡Me siento tan vacío y tan solo...!"

No le diga: "¡Claro que puedes hacerlo! Es más, tienes que hacerlo. No hables así, que me asustas".
Más bien escuche y luego intente con esto: "Es muy difícil aceptar la muerte. A veces sentimos que no queremos ya seguir viviendo. Pero te prometo que este sentimiento va a pasar y verás que tu vida continúa; llegará el día en que volverás a sentirte feliz".

Etapa 4: Aceptación

Finalmente, el adolescente acabará por aceptar la muerte. Encontrará que puede recordar al difunto sin sentir dolor. Comprobará que puede recordarlo y, sin embargo, ser feliz. Habrá aprendido que la vida sigue su curso. Pero para esto se requiere tiempo: de seis meses a un año es el periodo promedio de luto. Por eso los padres deben tener paciencia con su hijo adolescente, mientras se esfuerza en enfrentarse al dolor que acompaña a la muerte. El silencio de ustedes mientras lo escuchan y su comprensión cuando le responden será lo más reconfortante que puedan ofrecerle.

REACCIONES COMUNES ANTE EL DOLOR

A medida que su hijo adolescente va pasando por las diversas etapas del duelo, ustedes podrán notar varias formas de conducta nada características, que representan un clamor en pro de la atención de sus padres.

Agotamiento

Cuando toda la energía de los padres se agota en el empeño por hacer frente al dolor, hasta subir las escaleras puede resultar una tarea demasiado gravosa. Es posible que su hijo adolescente pase mucho tiempo durmiendo (lo cual, por cierto, es algo que también contribuye a que el dolor desaparezca); tal vez vaya de un lado a otro con mucho desgano y no tenga energía para regresar a las actividades diarias, como el trabajo escolar o incluso la conversación familiar a la hora de la cena.

No le diga: "Bueno, basta de andar gimoteando. Es hora de continuar con la vida normal. Quiero que te animes y salgas hoy mismo de tu cuarto".
Más bien escuche y haga este intento: "He notado que últimamente necesitas estar solo y en silencio. Es probable que eso te ayude a discernir tus sentimientos y a afrontar la pérdida sufrida. Pero quiero que sepas que cuando desees hablar de ello, yo te escucharé con mucho gusto. Estoy muy dispuesto a oír lo que piensas de la muerte de Dan. Me gustaría que compartieras conmigo lo que él significaba para ti".

Hiperactividad

Algunas personas expresan su duelo entregándose a una actividad frenética, saltando de una cosa a otra, sin querer detenerse a pensar o reflexionar. Es posible que hablen sin cesar de todo y de nada y que den la impresión de ser un manojo de nervios desbordante de energía. Este adolescente está tratando de evitar las imágenes internas de la muerte que le causan tanta aflicción, y quizá también se esté esforzando por evitar un derroche exterior de emociones a base de mantenerse ocupado y de mostrarse fuerte. Los padres, al hablar de la persona difunta, pueden ayudar a un adolescente hiperactivo a detenerse y hacer frente a aquello de lo que trata de escapar.

Haga este intento: "Es curioso, pero hoy he tenido muy vivo el recuerdo de Dan. No podía dejar de pensar en todas las cosas que ustedes dos hacían juntos. ¿Tienes algún recuerdo favorito de él?"

Si el adolescente persiste en rehusarse a hablar, usted puede animarlo con delicadeza a que exprese sus sentimientos y les dé libre cauce.

Podría decirle: "Me da la impresión de que temes revelar lo que realmente sientes sobre la muerte de Dan. No tienes por qué esforzarte en mostrarte valiente, porque el dolor que no se expresa, se queda dentro de uno; no desaparece. Para sobreponerte a él, necesitas darle salida. Un buen amigo me dijo en una ocasión: 'No puedes evitar la aflicción: tienes que pasar por ella'. Por eso, si quieres hablar de Dan, estoy muy dispuesto a escucharte".

Temor

El luto hace que algunos jóvenes deudos se vuelvan muy temerosos. Su reacción ante el recordatorio palpable de la mortalidad del ser humano les hace preguntarse si ellos mismos no tardarán en morir. Les da miedo estar solos de noche. Viven con una sensación de pánico que no pueden explicar. Se creían invencibles, y de pronto se ven forzados a hacer frente a la posibilidad de la muerte.

No diga: "El solo hecho de que Dan haya muerto no significa que tú también vayas a morir. No seas tonto. Anda, deja de preocuparte tanto".
Más bien haga este intento: "Es muy común que la gente se vuelva temerosa después de la muerte de un ser querido. Creo que la muerte nos hace a todos muy conscientes de nuestra propia mortalidad. Sin embargo, quiero que sepas que estoy siempre dispuesto a apoyarte y ayudarte hasta que estos sentimientos pasen... Y acabarán por pasar, con el tiempo..."

Ira

Hay muchos motivos para sentirse dominado por la ira después de la muerte de un ser querido. Es posible que el adolescente sienta enojo contra el doctor por no haber podido salvar una vida; contra los amigos por el modo como hablan de la muerte; contra algunos familiares porque no entienden lo trágica que es la muerte; contra la persona difunta, por el hecho de haber muerto, y aun contra sí mismos, por sentir que han perdido tanto el control. Todas estas manifestaciones de ira adquieren formas que pueden parecerle muy impropias del carácter de su hijo. Pueden producirse pleitos repentinos con los hermanos o hermanas, o explosiones inesperadas en la escuela. Es posible que entable agrias discusiones con usted mismo. Aun al padre o madre más comprensivo le resulta difícil tolerar esta indignación mal dirigida.

No le diga: "Ya me tienes harto. Sé que te enoja mucho la muerte de Dan, pero no tienes por qué estar dándome de gritos a mí. Yo no lo maté. Yo no tuve nada que ver con lo sucedido, ¡así que deja de mostrarte molesto conmigo!"
Más bien haga este intento: "Sé que estás muy enojado, pero creo que el enojo se refiere más a la aflicción que te causa la muerte de Dan que a los sentimientos que abrigas hacia mí. Me gustaría ayudarte a eliminar algo de ese enojo. He leído que un buen modo de ofrecer una válvula de escape a la ira acumulada es alguna actividad física. La próxima vez que sientas que vas a explotar, ¿por qué no tomas tu almohada y la golpeas contra la cama un rato, o sacas al perro a pasear, o partes leña, o friegas pisos, o... lo que sea? Necesitas poder expresar tu ira sin herir a tus seres queridos. Creo que también podría ayudarte el que habláramos de Dan. Hablar puede servir para que descubras el motivo exacto de tu enojo".

Sentimiento de culpa

Ésta es una emoción que se dirige al interior de la persona. Puede dificultar mucho más a su hijo el expresar su aflicción y sobreponerse al dolor de la muerte. Los adolescentes se sienten culpables de la muerte cuando se meten en la cabeza la idea de que de algún modo podrían haberla evitado. "Si tan sólo hubiera conseguido que mi papá dejara de fumar..." "Si tan sólo hubiera estado presente en la fiesta, no habría dejado que Dan se subiera al auto con alguien que había estado bebiendo". "Si al menos hubiera hablado con la abuelita más a menudo". "Si tan sólo..." A veces el sentimiento de culpa tiene algún fundamento en hechos reales, pero otras veces es irracional. En cualquier caso, es preciso que el adolescente se sobreponga a él.

No le diga: "No seas ridículo. Tú no tienes absolutamente nada que ver con la muerte de Dan. Deja de estar alimentando esas ideas".
Más bien haga este intento: "Cuando muere alguien muy cercano a nosotros, nos sentimos propensos a pensar en cosas que podríamos haber hecho para evitarlo, o que nos hubiera gustado hacer o decir. Sin embargo, como no somos Dios y no sabemos con certeza cuándo va a morir alguien, no es justo culparnos de lo que no hicimos o dijimos".

HABLAR ACERCA DEL FUNERAL

Los padres de familia deben insistir en que su hijo adolescente asista al funeral. Eso puede ser una experiencia positiva de aprendizaje que ayuda a los jóvenes a compartir su aflicción y a aceptar la realidad de la muerte.

Si el adolescente nunca ha asistido a un velorio o a un sepelio, es importante dedicar tiempo a prepararlo para lo que puede ver y experimentar, ajustando su información a las costumbres familiares y a las tradiciones religiosas del difunto. Si el velorio tiene lugar –por ejemplo– en una funeraria, descríbale el escenario. Explíquele que el cadáver estará en un ataúd abierto para que los deudos lo vean por última vez y se despidan de él; pero tenga cuidado de advertir al adolescente que no está obligado a acercarse al difunto si prefiere no hacerlo. Aun cuando usted no haya conocido personalmente al difunto, ofrézcase acompañar a su hijo. Los jóvenes no querrán admitirlo, pero es posible que necesiten el apoyo de usted.

Si su hijo ha estado ya en un velorio o en un entierro, entonces conoce los detalles de lo que va a ver, pero aun así es posible que tenga muchas preguntas que hacer.

Pregunta del adolescente: "Si no se entierra el cadáver inmediatamente, ¿no empieza a descomponerse?
La respuesta de usted: "Cuando un cadáver no se sepulta inmediatamente después de la muerte (muchas veces porque la familia quiere conservarlo para velarlo), el encargado de las pompas fúnebres lo embalsama. Éste es un proceso en el que se inyectan ciertas sustancias químicas en el cuerpo para preservarlo durante un tiempo".

Pregunta del adolescente: "¿Cómo se incinera un cadáver?"
La respuesta de usted: "Durante la incineración, el cuerpo no se quema con fuego, como mucha gente piensa. Se somete a un calor intenso que lo reduce a cenizas. Luego, estas cenizas se recogen y se colocan en una urna. La familia puede optar por enterrar la urna, o conservarla, o llevarla a un lugar como el océano o las montañas para esparcir las cenizas por el mundo".

Pregunta del adolescente: ¿Por qué la gente convierte el velorio en reunión social y se ríe mientras se encuentra en él?
La respuesta de usted: La gente acude a un velorio para brindarse mutuamente apoyo emocional en esas situaciones de

pérdida. Lo hacen en formas muy variadas. Algunos muestran sus sentimientos llorando; otros se sientan y permanecen en silencio. Unos hacen oración. Otros comparten historias en las que intervino el difunto, recordando en especial los buenos tiempos. Otros más manifiestan su apoyo mediante conversaciones sociales que, sólo durante breves momentos, los distraen de sus sentimientos de aflicción. En un velorio tú debes relajarte y permitir que tus sentimientos personales te indiquen el mejor modo de actuar".

BUSCAR AYUDA PROFESIONAL

Hay adolescentes para los que es sumamente difícil asimilar la muerte de un ser querido. Se estancan en el proceso de duelo, y al parecer no pueden ver el otro aspecto de la situación. Si a su hijo lo abruma la congoja y no es capaz de actuar normalmente después de seis meses, es evidente que usted debe buscar la debida intervención en el campo de su salud mental. La asesoría profesional se puede conseguir a través de diversos recursos comunitarios, como consejeros o psicólogos escolares, centros de salud mental, servicios a la niñez y a la juventud, así como psiquiatras, psicólogos y consejeros que ejercen la profesión en forma privada.

LECTURAS ADICIONALES

KÜBLER-ROSS, ELISABETH, *Death: The Final Stage of Growth* ("La muerte: etapa final del crecimiento"), Simon & Schuster, Nueva York, 1986.

MENTEN, TED, *After Goodbye: How to Begin Again After the Death of Someone You Love* ("Después del adiós: cómo comenzar de nuevo luego de la muerte de un ser querido"), Running Press, Filadelfia, 1994.

OBERSHAW, RICHARD, *Cry Until You Laugh: Comforting Guidance for Coping with Grief* ("Llore hasta reír: guía de consuelo para enfrentar el dolor"), Fairview Press, Minneapolis, Minn., 1998.

La violación en la cita

Becky cursaba el segundo año de secundaria cuando empezó a salir con Craig, quien era el presidente de la clase de último grado. La compañía de Craig era garantía de diversión, y Becky se sintió transportada al cielo cuando él la invitó al baile de gala de fin de año. Durante un mes entero, la chica hizo planes para el acontecimiento. Se imaginaba todo: el atuendo que iban a lucir, los temas de conversación, las melodías a cuyo ritmo bailarían, y lo que los demás dirían de la pareja más impresionante del baile. Lo que Becky no previó fue lo que podría suceder en el camino de regreso a casa. Todos los maravillosos recuerdos de la noche más perfecta de su vida se hicieron añicos cuando Craig guió el automóvil fuera del camino, entró a una zona aislada y, después de unos minutos de inocente besuqueo en el cuello, derribó a Becky sobre el asiento. La chica protestó y trató de quitárselo de encima, pero en unos cuantos segundos, su vestido y sus medias estaban hechos jirones y ella era víctima de una violación.

Como nos sucede a la mayoría, cuando las adolescentes oyen hablar de violación, lo que les viene a la mente es el loco maniaco sexual que salta de entre los matorrales armado de un cuchillo o de una pistola y obliga a una mujer a tener sexo con él. Sin embargo, la verdad es que la mayoría de las violaciones no son cometidas por hombres extraños, sino por individuos que conocen a sus víctimas, que a menudo salen con ellas y que se supone que son sus "amigos". El fenómeno se conoce como estupro o violación en la cita, y es mucho más común de lo que la gente piensa. Es difícil tener cifras exactas, porque los expertos calculan que de todas las violaciones cometidas en estas circunstancias, un total de hasta el noventa por ciento nunca se denuncia. Sin embargo, en un estudio realizado por el *National Center for the Prevention and Control of Rape* ("Centro Nacional para la Prevención y el Control de la Violación"), el 92 por ciento de las víctimas adolescentes dijeron que sus atacantes eran personas conocidas. Esto nos brinda un tema muy importante para tratar con nuestros adolescentes de ambos sexos.

HABLAR CON SU HIJO VARÓN SOBRE LA VIOLACIÓN EN LA CITA

Los periódicos están llenos de historias de varones adolescentes acusados de haber violado a las chicas con las que salieron, o a las que conocieron en una fiesta o de manera casual en la escuela. Parece que, a medida que aumenta la actividad sexual entre adolescentes, esta clase de violación se vuelve más y más común. Aunque usted piense que su hijo varón no tiene actividad sexual, es importante hablarle de este problema. Nunca es demasiado temprano para que un adolescente aprenda a respetar a las mujeres y lo que la ley estipula en caso de no hacerlo.

Háblele de las peligrosas actitudes del "macho". Pregunte a su hijo qué piensa de los resultados de un estudio de la Universidad de California en Los Ángeles, en el cual se preguntó a los adolescentes lo que consideraban conducta aceptable durante una cita.

Dígale: "Un alto porcentaje de los adolescentes varones pensaba que el sexo forzado era aceptable si la mujer decía que sí y luego cambiaba de opinión (54 por ciento); si el varón gastaba mucho dinero en ella (39 por ciento); y si se excitaba a tal grado que no creía poder detenerse (36 por ciento)".
Luego pregúntele: "¿Qué piensas tú?"
Esto abrirá la puerta a una discusión en la que usted puede insistir enérgicamente en lo inaceptable que es el sexo forzado. Su hijo necesita saber que el estupro, en cualquier circunstancia, es un crimen de violencia y es contra la ley.

Hable del punto de partida: "No significa *no*. Muchos hombres a los que se acusa de violación, se disculpan con frases como ésta: 'Ella lo merecía, por ponerse un vestido provocador'; o bien: 'Yo pagué una cena muy cara y ella estuvo coqueteándome'; o bien: 'Ella me fue seduciendo y luego, en el último momento, dijo que no, sólo para que yo no pensara que era una mujer fácil'. Sin embargo, ninguna de estas explicaciones significa nada. Lo único que cuenta es que, cuando una mujer dice 'no', ninguna razón es válida para imponerle el capricho del varón".

Hable del papel que desempeñan el alcohol y las drogas. "Muchas violaciones en una cita acontecen cuando el hombre, la mujer o ambos han tomado demasiado alcohol o drogas. El hecho de estar intoxicado no es una defensa legal para el estupro. Tú eres responsable de tus actos, ya sea que estés sobrio o ebrio. Si una mujer ha bebido demasiado y ha perdido el sentido, o no puede controlarse, tener una relación sexual con ella sigue siendo una violación".

Hable de la responsabilidad. "Tus deseos pueden ser más fuertes que el control que tienes de ti mismo, pero siempre conservas el dominio de tus actos. La excitación sexual no justifica imponer el sexo por la fuerza".

Hable de la virilidad. "No tener relación sexual o no 'anotarse el tanto' con la chica, no significa que no seas un hombre 'cabal'. No dejes que te presionen otros muchachos de la escuela que quieren empujarte a hacer algo que tú sabes que es indebido. Un hombre de verdad respeta a las mujeres y las trata como iguales".

Hable de la comunicación clara. "Es importante mantener el contacto con lo que realmente está sucediendo. Pregúntate si en realidad estás oyendo lo que ella quiere o más bien lo que deseas tú. Si te queda alguna duda sobre lo que quiere una mujer, *detente*, *pregunta*, *aclara* las cosas".

HABLAR CON SU HIJA DE LA VIOLACIÓN EN LA CITA

Así como usted desea que su hija salga a pasear con muchachos y aprenda a tener trato social con ellos, también se preocupa por su seguridad. Por eso es importante hablar de la violación en la cita. Los expertos concuerdan en decir que cuanto más sepa una joven sobre la violación en una cita amistosa, tanto más probable es que pueda evitar ponerse en una situación de riesgo. Pensar y hablar de la violación en la cita y de lo que la joven puede hacer si se encuentra en peligro, puede mejorar sus posibilidades de evitar la agresión. La meta de usted en este diálogo debe ser alertar a la muchacha, sin provocarle miedo.

Empiece por dar a su hija esta definición, generalmente aceptada:

"El estupro a manos de un conocido es el coito no deseado con una persona a la que se conoce. Es una violación de tu cuerpo y de tu confianza. Es un acto de violencia. Puede suceder con alguien a quien acabas de conocer, o con alguien con quien has salido ya algunas veces; puede suceder incluso con un pretendiente firme".

Inicie luego un diálogo que haga reflexionar a la chica sobre su función en cuanto a evitar ser víctima de violación. Usted debe mencionar cada uno de los temas siguientes, que se basan en información proporcionada por el *Center for Women Policy Studies* ("Centro de Estudios sobre Políticas de la Mujer"), en Washington, D.C.

Hable de los mensajes confusos. "En toda cita amistosa, sé muy clara en cuanto a lo que te agrada y lo que te desagrada. Cuando tu pareja te pregunte si prefieres ir al cine o a cenar, no vaciles ni le dejes a él la decisión. Cuando te pregunte si quieres salir con otra pareja, di que sí cuando estés segura de que eso es lo que deseas, o que no cuando no lo quieras. Si te pone la mano en la rodilla y no te gusta, díselo, no pases por alto el gesto. Siempre da a entender a tu pareja que sabes bien lo que piensas, y dices lo que tienes intención de decir."

Hable de los límites sexuales. "Se trata de tu cuerpo, y nadie tiene derecho a obligarte a hacer algo que no quieres. Por ejemplo, si no quieres que alguien te toque o te bese, puedes decirle: 'No me toques', o bien: 'Si no respetas mis deseos desde este mismo momento, aquí me quedo'. Detener la actividad sexual no significa que haya algo anormal en ti, ni que no seas una mujer 'auténtica'. Simplemente significa que sabes abogar por ti misma."

Hable del coqueteo. "Coquetear es algo divertido y natural, pero a veces puede transmitir señales no verbales de disposición para entrar en una relación sexual. Ten cuidado con las señales que envías mediante tu postura, tu ropa, el tono de la voz, los ademanes y el contacto visual. No des pie a que digan que estás lista para un acto sexual, cuando no lo estás."

Hable respecto a confiar en lo que sus sentimientos íntimos le dicen. "Si sientes que están presionándote, lo más probable es que así sea, y es preciso que respondas. Si te sientes mal en cierta situación, o empiezas a ponerte nerviosa por el modo como tu pareja está actuando, hazle frente sin tardanza o aléjate de esa situación tan pronto como puedas."

Hable de mantener la propia independencia en las citas. "Que tu pareja sepa que no eres una persona pasiva o dependiente. Sobre todo en las primeras citas amistosas, define tu independencia disponiendo de tus propios medios de transporte (o al menos un taxi o el precio de tu autobús), y –si es posible– paga tu parte o sugiere alguna actividad."

Hable del papel que desempeñan el alcohol y las drogas. "El alcohol y las drogas son un factor de mucho peso en la violación en una cita. Muchas víctimas dicen después que bebieron demasiado o consumieron demasiadas drogas para darse cuenta de lo que estaba pasando. El alcohol y las drogas te dificultan a ti y a tu pareja el tomar decisiones responsables."

Hable de sucumbir a viejos clichés. "No escuches cuando te dice: 'Si de veras me quisieras, lo harías'. Si él te quiere bien, sabrá respetar tus sentimientos".

Hable de la vulnerabilidad. "Para evitar la violación en una cita, debes mantenerte alejada de lugares recónditos, pues en ellos te colocas en una posición vulnerable, sobre todo en las primeras citas, cuando apenas estás tratando de conocer a tu pareja. No aceptes invitaciones a su casa ni lo invites a la tuya cuando no haya nadie más ahí. No vayas a pie o en coche a zonas que están fuera de las vías normales. Vayan adonde haya más gente, donde puedas sentirte cómoda y segura".

Hable de amistades y valores. "Ten cuidado en el modo como seleccionas a tus amigos. Si te relacionas con jóvenes que son sexualmente más permisivos que tú, parecerá que compartes sus valores".

Hable de lo que debe hacerse si la situación empieza a salirse de control. "Si tu pareja te presiona para realizar el acto sexual o trata de imponértelo por la fuerza, protesta en voz muy alta, aléjate, ve en busca de ayuda. No esperes a que 'alguien' te rescate o a que las cosas mejoren. Si te sientes incómoda, aléjate cuanto antes".

Hable de lo que debe hacerse si se comete la violación. "La violación nunca es culpa de la mujer. Nadie tiene derecho a usar tu cuerpo de un modo que tú no quieras. Si esto llegara a sucederte, no quiero que dudes en decírmelo en el acto. Ésta es la clase de problema al que ninguna mujer debe hacer frente sola. Acude a mí, háblame y juntas lo resolveremos."

Las violaciones en citas seguirán ocurriendo mientras los varones piensen que en realidad no se trata de una violación, y mientras las mujeres no sepan a ciencia cierta cómo evitarlas. Hable con sus hijas adolescentes hoy mismo.

LECTURAS ADICIONALES

CARTER, CHRISTINE (ed.), *The Other Side of Silence: Women Tell About Their Experience with Date Rape* ("El otro lado del silencio: mujeres que hablan de su experiencia de violación en la primera cita"), Avocus, Washington, D.C. 1997.

WARSHAW, ROBIN, *I Never Called It Rape: The Ms. Report on Recognizing, Fighting, and Surviving Date and Acquaintance Rape* ("Nunca le llamé violación: reporte sobre reconocer, resistir y sobrevivir a una violación en la cita o cometida por una persona conocida"), Harper Perennial Library, Nueva York, 1994.

Especialmente para adolescentes

PARROT, ANDREA, *Coping with Date Rape and Acquaintance Rape* ("Enfrentar la violación en la cita y la violación cometida por una persona conocida"), Rosen Publishing Group, Nueva York, 1995.

SEGUNDA PARTE

Las señales de alerta

El consumo de alcohol y conducir ebrio

La fiesta había terminado, y Ken, un joven de diecisiete años, decidió regresar a su casa caminando en vez de aceptar el viaje en el auto de su amigo, que había estado bebiendo. Se suponía que Ken iba a ser el conductor designado esa noche, pero él también había consumido demasiadas cervezas y, además, su amigo actuaba como un bellaco y merecía que lo dejaran encontrar el camino a su casa por cuenta propia. Mientras Ken caminaba rumbo a su casa, una camioneta de carga apareció tras él, circulando con exceso de velocidad, y lo atropelló. El chofer era un condiscípulo que había estado en la misma fiesta y que, "como todos los demás", había bebido demasiado. Ken murió instantáneamente, y el conductor de la camioneta se enfrenta ahora al tribunal, acusado de homicidio vehicular, por "conducir en estado de intoxicación" (DWI, por sus siglas en inglés). Ésta es una tragedia para ambas familias, que se repite una y otra vez en todo el mundo. Es preciso que hablemos de ella.

Es una tarea increíblemente difícil para los padres de familia convencer a sus hijos de que el alcohol no es una opción viable. Nuestro punto de vista al respecto es que no hay término medio. Si usted permite a sus hijos beber "exclusivamente en la casa", o "sólo una copa", o "sólo en ocasiones especiales", o "mientras le prometan no conducir automóvil", está dándoles "luz verde", primero en algo que es ilegal, y segundo en algo para lo que todavía no tienen la madurez necesaria para mantenerse dentro de esos límites. Un estudio del *Johnson Institute* ("Instituto Johnson") comprobó que, cuando a jóvenes en edad escolar se les permite beber alcohol en el hogar, éstos no sólo tienen más probabilidad de consumir esta droga junto con otras fuera del hogar, sino también de incurrir en graves problemas de conducta y de salud relacionados con el consumo de alcohol y de otras sustancias tóxicas. Otros estudios demuestran que menos de uno de cada tres progenitores de estudiantes del décimo grado transmite a sus hijos un mensaje claro de "prohibido su uso" en cuanto al alcohol. No permita que esto suceda en su casa. Hoy es el día de aclarar bien que "el alcohol no es una opción viable sino después de cumplir veintiún años. La ley me apoya en este sentido".

POR QUÉ SE DEBE HABLAR DEL CONSUMO DE ALCOHOL

Los adolescentes saben que no deben beber. La ley se los dice. Los programas de la escuela se los dicen. Los avisos del servicio público se los dicen. Sin embargo, ninguna de estas advertencias produce el efecto que los padres pueden lograr si hablan a sus hijos con firmeza y en forma directa de sus expectativas y de los límites para ellos. Si el adolescente no oye nada de parte de los padres acerca del alcohol, considera el silencio de éstos como un permiso.

La agrupación *Mothers Against Drunk Driving* ("Madres en Contra de Conducir en Estado de Ebriedad") ofrece estadísticas que demuestran claramente que tenemos buenas razones para hablar con nuestros hijos sobre el consumo de alcohol:

- El alcohol es el problema número uno de abuso de sustancias entre los jóvenes.
- De los veinte millones de estudiantes de secundaria y preparatoria en Estados Unidos, la mitad bebe mensualmente.
- Alrededor de unos dos tercios de los adolescentes que beben, declaran que ellos mismos pueden comprar sus bebidas.
- Entre los jóvenes que ingieren alcohol hay 7.5 veces más probabilidades de que consuman otra droga ilícita y 50 veces más probabilidades de que consuman cocaína, que los jóvenes que nunca beben alcohol.
- Más de la mitad de los estudiantes de secundaria y preparatoria en Estados Unidos consume bebidas alcohólicas, y muchos lo hacen en exceso para aliviar tensiones y tedio.
- Las calificaciones bajas tienen una relación directa con el aumento del consumo de alcohol. Éste aparece en más del 40 por ciento de todos los problemas académicos y en un 28 por ciento de las deserciones escolares.
- De los doce millones de estudiantes universitarios en Estados Unidos, una cifra que fluctúa entre doscientos cuarenta y trescientos sesenta mil, acabarán por morir debido a causas relacionadas con el alcohol. Esto representa una cifra mayor que el número total de los que obtendrán grados de maestría y de doctorado.

Además de estas trágicas razones para no beber, hay muchas otras que afectan directamente la vida diaria de sus adolescentes. Cuando ellos protestan diciendo "¿por qué no?", contésteles: "Porque el alcohol impide hacer bien el trabajo escolar o desempeñar una actividad, e interfiere con la capacidad atlética y las relaciones personales, además de que perjudica el sueño, la salud, el control del peso y la energía para hacer otras cosas necesarias en la vida. Definitivamente es un precio muy caro, que no vale la pena pagar".

ENSEÑE CON SU EJEMPLO EL CONSUMO RESPONSABLE DE ALCOHOL

Si usted bebe, con toda seguridad habrá oído el reproche: "Si tomar es tan malo, ¿por qué tomas tú?" No responda con indignación ni con un desdén lacónico: "Porque la ley dice que puedo". Ésta es una buena oportunidad para sentarse tranquilamente y hablar del alcohol. Su adolescente le ha abierto la puerta, así que no desaproveche la ocasión de entablar un buen diálogo.

Desde luego, es cierto que el beber entre los adultos, debido a que está permitido por la ley, queda *ipso facto* en una categoría totalmente distinta del consumo de alcohol entre adolescentes. Sin embargo, explique *la razón* por la que la ley ordena que la persona tiene que haber cumplido veintiún años para poder beber. Explique que en la adolescencia se carece de los recursos internos necesarios para resistir la tentación de beber en exceso. No se tiene la experiencia de beber en forma social, sin emborracharse. Entre los adolescentes hay más probabilidad de que se cometan actos peligrosos en estado de ebriedad (como abuso del sexo y las drogas). Los adolescentes no tienen aún la madurez necesaria para consumir alcohol sin abusar de él.

Sin embargo, esta clase de diálogo no producirá su efecto a menos que los hábitos de beber de usted sean un ejemplo de consumo responsable de alcohol. Cerciórese primero de que sus hábitos con respecto al alcohol son aceptables, para poder ponerse a sí mismo como ejemplo; después podrá argüir que usted no bebe para embriagarse, que lo hace con moderación, que bebe poco a poco y nunca con el estómago vacío, y que jamás bebe cuando tiene que conducir un vehículo. Pida a su hijo adolescente que compare esta forma de consumir alcohol con el modo de tomar que tienen los adolescentes.

"La diferencia entre el uso responsable y el abuso irresponsable del alcohol es la razón por la que no se permite que los adolescentes beban."

CÓMO HABLAR DEL USO Y DEL ABUSO DEL ALCOHOL

Al presentar a su hijo los hechos y hacerle ver las consecuencias que en la vida real tiene el consumo de alcohol antes de la edad debida, tenga presentes estos fundamentos de la comunicación:

- Que sus actos hablen por usted. Que sus hijos lo oigan decir: "No gracias, tengo que manejar", cuando alguien le ofrezca ese último "trago". Que vean que usted no permite que ninguna persona intoxicada salga de la reunión familiar conduciendo su automóvil.
- Exprese sus convicciones, valores y sentimientos con toda claridad. Aliente a sus hijos adolescentes a hacer otro tanto. Que sus hijos sepan que la embriaguez no es algo que se acepta en su familia.

- Mantenga la calma. Recuerde que está compartiendo ideas e información sobre el problema de beber antes de la edad permitida. No ponga a su adolescente en el banquillo de los acusados ni le exija una confesión.
- Demuestre que sabe escuchar. El adolescente debe saber que usted quiere oír lo que él tiene que decirle y lo que sabe sobre el uso y el abuso del alcohol. Escuche de verdad, aun cuando no esté de acuerdo con lo que oye.
- Mantenga el diálogo bien enfocado. La meta de usted es hablar exclusivamente del problema de beber sin haber llegado a la edad permitida, no de otras cosas.
- Recuerde que un solo diálogo, un comentario aislado, no cumple con el propósito. Refuerce los conocimientos del adolescente con recordatorios, con diálogos sucesivos y poniendo atención a los reportajes.
- Alabe lo que vea que es bueno. Cuando el adolescente actúe en forma responsable en una situación difícil, demuéstrele su aprobación.
- Aliente a sus hijos adolescentes a mantenerse alejados del alcohol. Asegúreles que hay muchas personas, jóvenes y mayores, que no beben en absoluto. Ésta es la opción más sana para el cuerpo y la mente.

Como en las demás conversaciones con adolescentes, en ésta usted no debe ser la única persona que hable; pero no se sorprenda si el joven no tiene nada que decir. Para lograr que se abra al diálogo, hable del tema del alcohol en términos generales, más que del uso personal que haga de él. Hable de las noticias sobre los adolescentes y la bebida, pídale su opinión antes de dar usted la suya, y respete sus convicciones aun cuando difieran de las de usted. Pregúntele:

"Hay quien piensa que la bebida debe permitirse desde los dieciocho años, ¿tú que crees?"

"Las investigaciones prueban que son demasiado numerosos los adolescentes que se entregan a orgías en los fines de semana. ¿Tú observas esta tendencia en tu escuela?"

"Hay quien cree que a los adolescentes que conducen en estado de embriaguez debe retirárseles la licencia de conducir y expedírselas de nuevo cuando cumplan veintiún años. ¿Tú crees que eso impediría que los jóvenes condujeran bajo la influencia del alcohol?"

¿POR QUÉ DEBE USTED HABLAR DEL CONSUMO DE ALCOHOL Y DE CONDUCIR EN ESTADO DE EBRIEDAD?

Estudie estas estadísticas:

- Los accidentes de tráfico representan, por sí solos, la causa principal de muerte para personas entre seis y veintiocho años; casi la mitad de ellos se relaciona con el alcohol.
- La causa número uno de muerte entre jóvenes de quince a veinticuatro años es conducir en estado de ebriedad o bajo la influencia de drogas.
- Ocho jóvenes mueren cada día en choques relacionados con el alcohol.

Estas cifras son suficientes para tentar a cualquier padre a esconder las llaves del auto. Por desgracia, los padres no hacen gran esfuerzo para convencer a sus hijos de que no conduzcan habiendo bebido o de que no viajen en un auto conducido por alguien que está bajo la influencia del alcohol. (Más de la mitad de las personas que mueren por culpa de conductores adolescentes son personas que viajan en sus vehículos.) Esto prueba que usted necesita algo más que las sombrías estadísticas o incluso las fotografías de cuerpos destrozados (como los que el adolescente ve en las clases de manejo), para convencer a sus jóvenes hijos de que la bebida y la conducción de vehículos no van de acuerdo. Lo que usted necesita es un diálogo continuo y perseverante sobre los peligros de conducir intoxicado.

HABLE DE LA REALIDAD DE LOS ADOLESCENTES QUE BEBEN Y CONDUCEN

Mucho antes de que su hijo adolescente lleve a casa su permiso de conducir, el tema de conducir bajo la influencia del alcohol debe ponerse sobre la mesa. Aproveche los sucesos noticiosos de cada día para hacer ver a sus jóvenes hijos la forma en que el alcohol afecta la mente y el cuerpo. Comente con ellos los peligros de conducir vehículos con algún impedimento mental o físico. Enséñeles las noticias del periódico sobre los accidentes de automóvil y los juicios legales por conducir bajo la influencia del alcohol o de las drogas. Haga que ellos vean, desde temprana edad, las consecuencias que tiene para muchos el que alguien que ha bebido decida conducir un vehículo.

A través de algún reportaje, puede darles su opinión sin convertir la sesión en una clase. Podría decir a sus hijos algo como esto:

"Fíjate en esta noticia sobre el horrible choque en la carretera 72. Aquí dice que el conductor ebrio salió con las dos piernas rotas, y que su compañera de viaje necesitó más de doscientos puntos para cerrar las heridas de la cara. ¡Qué pena! Te aseguro que, después de esto, ya no piensan que esos tragos tomados antes de conducir son la gran diversión. Ese pobre joven no podrá andar sin moldes de yeso en las piernas y luego sin muletas durante varios meses, y la cara de la muchacha va a mostrar cicatrices por el resto de sus días. Fue una lástima que no supieran que no es conveniente beber y conducir vehículos".

Con eso basta. No necesita dar una lección; tampoco necesita condenar. Todo lo que debe hacer es mostrar a su hijo adolescente un ejemplo real de las consecuencias de beber y conducir. Esta clase de noticias es un ejemplo sumamente apropiado porque el conductor no murió. Aunque parezca increíble, los adolescentes no temen tanto a la muerte como a quedar lesionados o desfigurados. Decirles "puedes matarte" no logra un efecto tan poderoso como "puedes romperte los brazos o quedar ciego". Tal vez la imagen de las piernas enyesadas asociada a la pérdida de la temporada de béisbol motive a su hijo adolescente a rehusarse a volver a casa en el coche de un amigo que ha bebido alcohol. O bien, a su hija la horrorizará lo suficiente el pensar en una cara marcada con cicatrices para hacer otro tanto. Con este modo de proceder, usted no está dando lecciones a su hijo sobre lo que debe o no debe hacer ("¡Jamás vayas a subirte al auto de alguien que va a conducir después de haber bebido!"). Todo lo que hace es compartir información y mostrar imágenes, para que él decida por sí mismo que no quiere saber nada de conducir intoxicado.

El verdadero problema no es si el adolescente bebe o no bebe. Mientras haya adolescentes, habrá fiestas en las que se dispondrá de alcohol y en las que su adolescente se verá enfrentado a decidir si sube o no al vehículo con un conductor que ha estado bebiendo. El adolescente necesita saber qué cantidad de alcohol es demasiada y por qué el conductor ebrio puede parecer, actuar y hablar como si estuviera perfectamente sobrio. Para dejar bien grabadas estas realidades en la mente del adolescente, usted necesita conocer los detalles de la absorción del alcohol en el organismo. Si desea que su hijo confíe en usted y dé crédito a lo que le dice, es preciso que su información sea exacta.

Según una regla básica, hay que esperar una hora por cada copa antes de sentarse al volante, a fin de recuperar la coordinación muscular, la concentración y la lucidez mental necesarias para conducir con seguridad. Está comprobado que dos o tres copas en una hora pueden elevar el nivel de alcohol en la sangre de una persona hasta 0.05 por ciento. Los estudios han demostrado que un conductor, cuyo nivel de alcohol en la sangre sea de 0.04 por ciento tiene ya siete veces mayor probabilidad de sufrir un accidente que el conductor que no ha bebido en absoluto. Esto significa que la lucidez mental y el tiempo de reacción disminuyen mucho antes de que una persona beba lo suficiente para considerarse legalmente ebria. Cuando la concentración de alcohol en la sangre de una persona llega al 0.10 por ciento (alrededor de cuatro copas en una hora para alguien que pesa 74 kilos), los actos voluntarios se vuelven torpes. Alguien que está en estas condiciones se considera legalmente ebrio en los cincuenta estados de Estados Unidos.

El adolescente necesita saber que ni todo el aire fresco, el café y las duchas frías del mundo son capaces de cambiarle el nivel de alcohol en la sangre. El torrente sanguíneo absorbe el alcohol con mucha rapidez, pero tarda mucho en deshacerse de él. El alcohol atraviesa directamente las paredes del estómago y del intestino delgado, sin haber sido digerido; se distribuye en los tejidos y células del organismo y viaja rápidamente hasta el cerebro. El proceso de absorción se frena un poco si hay alimento en el estómago, pero los cambios de conducta empiezan tan pronto como el alcohol llega al cerebro.

El cuerpo consume cerca de media onza de alcohol por hora. Esta cantidad equivale a doce onzas de cerveza, a una copa de media onza de whiskey o de vodka, o a un vaso de cinco onzas de vino de mesa. Nada puede acelerar la disminución de alcohol en el cuerpo: una vez que entra al organismo, sólo el tiempo reducirá su concentración en la sangre.

Entonces ¿cuántas copas se requieren para emborracharse? El nivel de concentración de alcohol en la sangre (CAS) determina el grado de intoxicación. Sin embargo, no puede establecerse un número definido de bebidas como causa clara de la embriaguez, porque el nivel de CAS depende de varios factores: peso del cuerpo, cantidad de alcohol consumida, cantidad de alimento en el estómago y periodo de tiempo en que se bebe. El adolescente debe saber que *cero* es el número de bebidas que puede tomar antes de manejar. Para conductores jóvenes y sin experiencia, no existe zona de seguridad que combine beber y conducir.

HABLE DE OTRAS POSIBILIDADES EN VEZ DE CONDUCIR DESPUÉS DE HABER CONSUMIDO ALCOHOL

Hablar de beber y conducir es ya un buen principio, pero no basta. Los adolescentes necesitan saber qué deben hacer si se hallan en circunstancias en que personas que han bebido van a conducir. La noche del baile de gala de la escuela, el último día del año y aun después del baile de fin de semana va a haber siempre bebidas. Ayude al adolescente a formular planes con anticipación y a saber lo que va a hacer cuando esto suceda. Pregúntele qué hará para volver a casa si el conductor ha estado bebiendo. Escuche sus ideas, coméntelas y ayúdele a optar por las que lo hagan sentirse mejor. Si no puede decidir qué va a hacer, menciónele algunas de las siguientes opciones y vea por cuáles muestra mayor inclinación:

- Si tiene licencia de conductor, él puede ofrecerse a conducir el auto en vez del amigo.
- Puede llamar a casa a cualquier hora, para que alguien vaya a recogerlo.
- Si la fiesta es en casa de un amigo, podría pasar la noche allí.
- También podría aplicar el sistema de la camaradería (como muchos que se usan en natación y en gimnasia). El camarada es la persona que conviene en mantenerse sobria; el hijo de usted y su camarada se comprometen a hacerse responsables de la mutua seguridad.

Una vez que hayan convenido en un plan, firmen un contrato formal, en el que usted y su hijo acuerden tomar ciertas medidas cuando él se vea en una situación de conflicto causada por las bebidas y la necesidad de conducir. Hay más probabilidad de que los adultos y los adolescentes cumplan una promesa si estampan su firma en un documento formal que especifique en qué consiste la promesa, en vez de sólo convenir en algo verbalmente. El convenio de la segunda idea, antes mencionada, podría tener una forma parecida a ésta:

Adolescente: Me comprometo a llamarte cuando necesite transporte, si alguna vez me veo en una situación en que haya bebido demasiado o en que un amigo que debe conducir haya consumido demasiado alcohol.

Padre o madre: Me comprometo a recogerte a cualquier hora, en cualquier ocasión y en cualquier lugar, sin preguntas ni objeciones. Si no puedo hacerlo, pagaré un taxi que te traiga a casa.

Firmado:

Adolescente ____________________

Padre o madre ____________________

Hablar a los adolescentes sobre el peligro de beber y conducir da buen resultado. Desde que se instituyeron programas escolares e iniciativas nacionales para impedir a los jóvenes manejar intoxicados (de 1985 a 1995), la proporción de conductores ebrios entre dieciséis y veinte años de edad que intervinieron en choques fatales ¡descendió un 47 por ciento! Los padres pueden lograr un cambio significativo y salvar jóvenes vidas si levantan la voz y hablan con sus hijos adolescentes.

HABLAR CON ADOLESCENTES QUE ABUSAN DEL ALCOHOL

Muchos padres no se dan cuenta de que sus hijos abusan del alcohol. Muchos prefieren soslayar el problema, haciendo caso omiso de indicios y síntomas. Esto hace a un lado el problema y da a los jóvenes un permiso tácito de continuar. Para proteger a sus hijos, usted necesita prestar atención a la vida de los chicos, participar activamente en ella, saber lo que hacen y estar pendiente de cualquiera de las señales de abuso de alcohol que propone la *Substance Abuse and Mental Health Services Administration* ("Administración de Servicios de Salud Mental y Abuso de Sustancias"). Es posible que su adolescente esté abusando del alcohol, si:

No es capaz de controlar la cantidad que ingiere.
Lo usa para huir de los problemas.
Ha pasado de un carácter normalmente reservado a ser "el alma de la fiesta".
Ha sufrido un cambio de personalidad.
Su nivel de tolerancia al alcohol es alto.
Experimenta desvanecimientos.
Tiene problemas en la escuela como resultado de su hábito de beber.

Además de estas señales, no pase por alto las más obvias: arrastrar las palabras al hablar, aliento alcohólico, falta de coordinación en los movimientos, ojos vidriosos y negación vehemente de consumo de alcohol.

Si teme que su hijo adolescente esté abusando del alcohol, no espere a que pase esa etapa. Es una situación que hay que afrontar sin tardanza:

- Declárele al adolescente las sospechas que tiene. Dígale que está muy preocupado.
- Expóngale las razones de sus sospechas.
- Hable en un tono de voz que demuestre interés por su persona y comprensión; no acuse, ni ataque, ni amenace.
- Prepárese para encontrar negación y enojo. Es posible que el adolescente diga que no hace nada indebido y que se indigne porque usted le planteó el problema. Mucha gente con problemas relacionados con el alcohol reacciona del mismo modo.
- Averigüe dónde puede encontrar ayuda, y consígala. Hay muchas organizaciones nacionales, estatales y locales; hay centros de tratamiento y lugares a donde remitir pacientes, y por todo el país hay también líneas telefónicas de emergencia. Busque en el directorio telefónico líneas comunitarias de emergencia contra drogas, servicios comunitarios de tratamiento, departamentos de salud municipales y locales, Alcohólicos Anónimos, Al-Anon, Alateen o bien hospitales.

Muchos adolescentes prueban el alcohol y son personas de una gran longevidad y una vida productiva. Pero los adolescentes que abusan del alcohol en forma regular, caminan por la senda de la autodestrucción y necesitan la ayuda de sus padres. No los decepcione volviendo la cabeza hacia otro lado.

RECURSOS

Al-Anon / Alateen Family Group Headquarters ("Oficinas Generales del Grupo Familiar Al-Anon/Alateen").
P.O. Box 862
Midtown Station
Nueva York, NY 10018
(800) 344-2666

Mothers Against Drunk Driving ("Madres en Contra de Conducir en Estado de Ebriedad")
669 Airport Freeway, Suite 310
Hurst, TX 76053
Sitio en la Red: http://www.madd.org

National Clearinghouse for Alcohol and Drug Information ("Oficina Nacional de Información sobre Alcohol y Drogas")
P.O. Box 2345
Rockville, MD 20852
(301) 468-2600
Sitio en la Red: http://www.health.org

Llame para recibir folletos informativos gratis. Se recomienda: "Tips for Teens About Alcohol" ("Sugerencias para jóvenes sobre el alcohol").

LECTURAS ADICIONALES

JOHNSTON, JERRY, *It's Killing Our Kids* ("Está matando a nuestros hijos"), Word Publishing, Irving, Tex., 1991.

VOGLER, ROGER y WAYNE BORTZ, *Teenagers and Alcohol: When Saying No Isn't Enough* ("Los adolescentes y el alcohol: cuando no basta decir no"), Charles Press, Seattle, 1992.

Especialmente para adolescentes

DEBENEDETTE, VALERIE, *Alcohol and You* ("El alcohol y tú"), Enslow, Springfield, N.J., 1996.

SHELLENBERGER, SUSIE y GREG JOHNSON, *Cars, Curfews, Parties, and Parents* ("Autos, horas de llegada, fiestas y padres"), Bethany House, Minneapolis, Minn., 1995.

Los peligros en la Red electrónica mundial

En el cumpleaños número cincuenta de Joe, los adultos se congregaron en la cocina y los niños bajaron corriendo las escaleras, a la estancia de la planta baja. Durante horas todos hablaron, rieron y se divirtieron: era la gran noche. En el camino de regreso a casa, Ted le preguntó a su hija de catorce años a qué se debían las sonoras risas que se oían en la planta baja.

–¡Ah, es que nos divertimos en grande! –explicó Katie–. La computadora estaba en línea, y vagamos por las "salas de conversación", hablando con gente de todo el país. Uno de ellos era un hombre del ejército, que no dejaba de escribir mensajes para mí. ¡Fíjate, quiere conocerme! –dijo en tono pícaro, y continuó. –Papá, ¿podemos también nosotros entrar a Internet?

A Ted se le fue el alma a los pies. Tuvo una sensación horrible al pensar que mientras él pasaba un rato tan agradable con los amigos en la planta alta, su hija era presa de adultos extraños en la planta baja... y lo peor era que ella no tenía idea de lo peligroso que podía ser ese juego.

—Ahora ya es tarde —contestó Ted—; pero mañana en la mañana hablaremos del uso de la Internet. Necesitas saber lo que se puede o no se puede hacer cuando estás en línea.

—¡Ay, papá! —gruñó Katie, cruzando los brazos y hundiéndose en el asiento trasero del auto.

Es indudable que los tiempos han cambiado. Cuando nuestros hijos eran pequeños, los extraños, los pederastas y los abusadores vivían en las calles, donde los padres podían evitar su influencia sobre nuestros hijos. Pero ahora los adolescentes invitan a estos depredadores a nuestra propia casa, ¡para "conversar"! Lo que en otra época no podía ni pensarse, hoy es una realidad cotidiana.

LO BUENO Y LO MALO

La Internet no es algo negativo; abre la puerta a una extensa colección de material muy positivo de información y diversión. Poder sentarse en su propia casa y contemplar la colección de arte del Museo del Louvre, hacer una visita al Smithsonian o tener acceso a la investigación de las mejores instituciones académicas de todo el país es una hazaña impresionante de la moderna tecnología. Como ayuda para las tareas, tiene un potencial positivo ilimitado. Pero también posee un lado oscuro, que cada vez resulta más difícil de controlar cuando los hijos llegan a la adolescencia. La pornografía de adultos y niños, los grupos de apoyo para los amantes de jovencitos, los pederastas en las salas de conversación para niños, los individuos perversos y mal hablados, la publicidad engañosa, las urdimbres de la investigación de mercados y la propaganda de los nazis estadounidenses y del Ku-Klux-Klan se vierten sin discriminación en la mezcla del espacio cibernético. En forma insidiosa, estos malignos intrusos se "cuelan" hasta sus hogares mientras ustedes están en la habitación contigua, satisfechos por saber que sus hijos están haciendo buen uso de la computadora en lugar de ver pasivamente programas de televisión.

Hay padres de familia a los que no preocupa en absoluto el uso que los adolescentes hacen de Internet, porque piensan que no es más que otro medio del que disponen los menores para explorar las realidades de la vida. Sin embargo, ver indecencias en la Red es más grave que deslizarse hasta la sección exclusiva para adultos de una biblioteca, impulsados por la curiosidad de explorar terrenos prohibidos. La Red es interactiva. Es más parecida a tener vecinos adultos que seducen a nuestros hijos, llevándolos hasta sus hogares para beber y cenar con ellos y luego abusar de su inocencia. Esto merece toda nuestra atención.

Algunos padres enfrentan este problema manteniendo alejada por completo la Internet. Pero esta solución no es del todo satisfactoria. La Red es parte de nuestro mundo actual, y no podemos mantenerla oculta a nuestros hijos. Está en las escuelas, en las bibliotecas y en las casas de los amigos y amigas; buena o mala, está aquí. El reto para los padres es encontrar el modo de limitar el acceso de los adolescentes a sitios de la Red que son sólo para adultos, y luego hablar con ellos para que sepan cuáles son los límites, por qué se definen y qué puede hacerse para protegerlos del riesgo de rebasar esos límites.

UTILIZAR DISPOSITIVOS DE BLOQUEO

Hay diversos modos de bloquear el acceso a ciertos temas en la computadora. Algunos proveedores de acceso a Internet, como America Online y CompuServe, permiten a los padres personalizar sus restricciones, bloqueando el acceso a sitios cuyos nombres incluyen palabras que ellos quieran evitar, como *sexo* o *satán*. También puede bloquearse la participación en las salas de conversación y permitir que alguien intercambie correo electrónico *(e-mail)* sólo con direcciones previamente aprobadas. Del mismo modo, el acceso a sitios puede también limitarse a los aprobados por dos organizaciones de Internet: el *Recreational Software Advisory Council* ("Consejo de Asesoría sobre Programas de Computación Recreativos") y el *SafeSurf* ("Deslizamiento Seguro"). Hay también "programas-niñera" que uno puede instalar, para que actúen como "chaperones" de alta tecnología. Cada uno de estos productos mantiene al usuario a buena distancia de su lista propia de lugares prohibidos y protege contra otros riesgos, como el lenguaje soez o la capacidad de descubrir un nombre, una dirección, un número telefónico o un número de tarjeta de crédito.

Estos dispositivos, conocidos como de seguridad, son muy populares, pero tienen aspectos negativos importantes para los adolescentes:

Todos los días brotan nuevos "sitios de la Red" que no están incluidos en la lista de sitios bloqueados.

Los adolescentes experimentados en computación encuentran el modo de evadir aun los mejores filtros.

La computadora que usted tiene en el hogar no es la única de la ciudad con acceso a Internet. Su hijo adolescente tiene a su disposición la computadora de la escuela, la de la biblioteca y las de los hogares de los amigos.

Estos filtros son mejor que nada, sobre todo si su hijo está solo en la casa después de la escuela. Sin embargo, lo que en realidad cuenta es lo que usted dice a su hijo sobre la razón para usar dispositivos de bloqueo. ¿Por qué no puede él buscar "sexo" sólo por el placer de ver qué pasa? ¿Por qué no puede ella dar a alguien su dirección y número telefónico? Aunque usted pudiera encontrar un modo infalible de mantener la inmundicia lejos de la computadora de su casa, aun así necesitaría hablar con su hijo sobre las cosas que hay ahí, los motivos por los que usted no las quiere en su casa, y las razones que hay para que el joven no "visite" esos sitios en ningún momento, en ninguna computadora.

VOLVER A HABLAR DE LA SEGURIDAD CON LOS EXTRAÑOS

Pregunte a sus hijos: "¿Recuerdas cuando acostumbrábamos hablar de la 'seguridad con los extraños'? ¿Recuerdas cuando practicábamos lo que había que hacer si un extraño te pedía que fueras con él? Bueno, pues es hora de actualizar nuestras lecciones sobre el modo de tratar a los extraños".

Al llegar a este punto, me parece ver los ojos de los adolescentes mirando al cielo con un gesto de conmiseración y oírlos comentar:

"¡Por favor...! Déjate de esas cosas y déjame en paz".

Sin embargo, cuando usted les explique que se refiere a los extraños de la Internet, es posible que despierte su curiosidad.

Si ya tiene filtros en su computadora (o piensa instalarlos), diga a su hijo que desea que él entienda la necesidad de contar con ellos. Usted podría comenzar diciendo: "Ciertos individuos no son bienvenidos a nuestra casa. Yo no le abriría la puerta a un extraño que se presentara con un portafolio lleno de fotografías pornográficas que quisiera mostrar a mis hijos. ¡Hasta pensar que esto pudiera suceder parece ya ridículo! Yo no me sentaría a conversar con una persona que expresara su deseo de enseñar a mis hijos los prejuicios raciales y el odio a la gente; si lo hiciera, dirías que me he vuelto loco. Sería un padre terrible si no te advirtiera que no abrieras la puerta a sujetos conocidos como pederastas y pervertidos. Pues bien, por eso no acepto aquí la visita de esa misma clase de gente a través de la Internet. No hay distinción entre dejarlos pasar por las ondas electrónicas o tenerlos sentados en el sofá de la sala. Bloquearles el acceso a nuestro hogar no es poner obstáculos a tu capacidad de usar la Red para una infinidad de propósitos educativos o divertidos, sino sólo protegerte de la irrupción de extraños que no tienen nada que ver con nosotros".

APROVECHAR MOMENTOS PEDAGÓGICOS EN INTERNET

Ya sea que usted tenga o no filtros en su computadora, Internet le ofrece un medio valioso y objetivo de tratar temas delicados en una plática con sus adolescentes. Cuando les explique por qué no deben ver imágenes pornográficas, puede decirles por qué es negativa la pornografía (vea "Pornografía" para más detalles). Cuando usted limita el acceso de sus hijos a sitios cuyos autores tienen una mentalidad nazi o del Ku-Klux-Klan, es el momento propicio para hablar del prejuicio y el sufrimiento que ésta ha causado a la humanidad (vea "Prejuicio"). Cuando destierre de su casa el material sexual explícito, comparta sus sentimientos sobre la responsabilidad y la privacidad que deben acompañar a la sexualidad (vea "Sexo, anticoncepción y embarazo"). En fin, prohibir la exploración "en línea" del satanismo le brinda la ocasión perfecta de explicar por qué para usted es inaceptable esa práctica (vea "Sectas").

Aborde el tema del lado oscuro de la Internet y aprovéchelo para sus fines personales. Que sea el vehículo que le sirva para hablar a sus hijos de cosas de verdadera importancia.

ADOPTE UNA POSTURA FIRME

Aun cuando los adolescentes sepan por qué ciertos sitios no se toleran, debe esperarse que su curiosidad se mantenga viva. Vigilar el uso que hagan de la Red es lo mismo que estar pendiente de cualquier otra de sus actividades de entretenimiento. Haga saber a sus hijos cuál es la postura de usted y lo que se propone hacer al respecto.

Diga a sus hijos que para estar pendiente de sus exploraciones computacionales, va a instalar la computadora en un lugar central de la casa, por donde normalmente circule el tráfico familiar: en la estancia, en el estudio, en la sala o incluso en la cocina. Si el adolescente tiene la computadora en su alcoba y usted no puede llevarla a otro lugar, adviértale que le hará visitas frecuentes.

No es necesario ocultar el hecho de que usted quiere estar pendiente del uso que su hijo haga de la Internet. Explíquele: "Así como yo no querría que fueras a una gran ciudad sin supervisión y sin conocer tus planes, tampoco quiero dejar que entres a la Internet sin supervisión o sin estar de acuerdo con el uso que le des. Esto es sólo parte de mi deber".

Después de hablar con su hijo, dé un último paso hacia su tranquilidad cerciorándose de que su hijo se comprometa a observar estas tres reglas de "nunca" que recomiendan los oficiales encargados de poner en vigor la ley:

1. Nunca dar información personal, como domicilio, nombre de la escuela, número telefónico, retrato o contraseña a nadie "en línea".

2. Nunca concertar una reunión cara a cara sin permiso de los padres. (Que cualquier reunión ya convenida se tenga en público o en su propia casa, estando usted presente.)
3. Nunca responder a mensajes que sean belicosos o sexualmente sugerentes. (Si el adolescente recibe esta clase de mensajes, cerciórese de que sepa hacer una copia de ellos para remitirla al proveedor de su servicio de Internet.)

La Red electrónica mundial está al alcance de nuestros hijos, y ellos van a saber encontrar cualquier información que estén decididos a obtener. Pero usted no permita que eso influya en su decisión personal de hablar de lo que hay ahí y de explicar por qué hay sitios prohibidos. Sus hijos podrán gruñir, pero eso no significa que no lo escuchen. Encuesta tras encuesta a los adolescentes revela que la mayoría de ellos quieren estar protegidos por sus padres, y que quieren saber que sus padres tienen el suficiente interés en ellos para tomar las decisiones más difíciles. El tono de disgusto del adolescente es manifiesto, cuando dice: "A mis padres no les interesa lo que hago".

LECTURAS ADICIONALES

KEHOE, BRENDAN y VICTORIA ANNE MIXON, *Children and the Internet: A Zen Guide for Parents and Educators* ("Los niños y la Internet: guía Zen para padres y educadores"), Prentice Hall, Upper Saddle River, N. J., 1997.

El abuso de drogas

–Mira lo que traigo aquí.

–¿Dónde conseguiste "mota"?

–Eso es lo de menos... Vamos a fumárnosla.

–Oye, no sé... ¿no vamos a meternos en problemas?

–No seas llorona. ¿Cómo nos vamos a meter en problemas, si nadie lo sabe? ¡Ándale!

–Pero... ¿y nuestra práctica de animación?

–Tenemos tiempo de sobra; traigo el coche de mi papá. Además, la mota te relaja y hace más fáciles los splits *y los demás ejercicios. ¡Nos saldrán estupendos!*

–Bueno... está bien. Si estás segura de que no hay problema.

Este diálogo entre dos chicas de catorce años es ficticio, pero no cabe duda de que miles de conversaciones como ésta se entablan en miles de hogares y escuelas en el país. Es más, tarde o temprano la mayoría de nuestros hijos entablarán esta clase de discusión. Antes de que eso suceda, es preciso hablar.

PIENSE EN EL USO QUE USTED MISMO HACE DE LAS DROGAS

Antes de hacer el esfuerzo de hablar de las drogas con sus hijos adolescentes, dedique un tiempo a pensar en el uso que usted mismo hace de ellas. Todos las usamos. Las tomamos para aliviar el dolor físico y el emocional. Las tomamos cuando tenemos un resfriado, una jaqueca, cuando estamos cansados, cuando necesitamos relajarnos. Las drogas son una parte tan significativa de nuestra cultura, que ni siquiera las consideramos drogas. Sin embargo, es este uso tan normal de las drogas legales lo que da a nuestros adolescentes la impresión de que consumir drogas no es mayor cosa. Ellos reciben un verdadero bombardeo de mensajes de los medios de comunicación, que les dicen que las drogas son buenas, terapéuticas y necesarias. Las drogas proporcionan soluciones rápidas a los problemas. En esta atmósfera es donde sus hijos van a escuchar los mensajes antidrogas que usted les transmita. Si quiere producir mayor efecto, revise primero el uso que usted mismo hace de las drogas y su modo de hablar de los milagros de los medicamentos modernos.

Explique que hay drogas legales y que usarlas en forma razonable no es necesariamente malo. Al mismo tiempo, use con cautela las drogas recetadas y las de venta libre, y explique sus razones. Evite tomar medicinas en presencia de sus hijos, y cuando tenga que hacerlo, declare sus motivos. Podría decirles: "Estoy tomando esta medicina para el resfriado, porque una droga como ésta puede ser provechosa si no se toma en gran cantidad o con demasiada frecuencia". Que sus hijos sepan que las drogas se toman sólo con fines medicinales. Evite comentarios como éste: "¡Vaya si necesito un cigarrillo! ¡Qué día he pasado! ¿Dónde están las aspirinas? Cuando llegue a casa, voy a apurar un buen trago de vodka". Observaciones como éstas son las que transmiten la idea de que es aceptable consumir drogas para cambiar sin tardanza el humor y la actitud personales.

POR QUÉ HABLAR DE LAS DROGAS

Según una encuesta del *National Institute on Drug Abuse, NIDA* ("Instituto Nacional para el Abuso de Drogas") en

Estados Unidos, más de un millón y medio de niños entre doce y diecisiete años consumen drogas ilícitas. Esa encuesta mostró también que la edad promedio en la que un menor empieza a usar mariguana es la de doce años. Las estadísticas revelan también que el abuso de las drogas no es algo que sucede sólo a los hijos de otros o que ocurre únicamente en las grandes ciudades. Todos conocemos historias de buenos chicos, provenientes de buenas familias, con la vida arruinada por las drogas.

Entonces, ¿cómo protegemos la seguridad y la salud de nuestros adolescentes? Los estudios de investigación demuestran una y otra vez que la familia de un menor ejerce una influencia decisiva en la probabilidad de que él abuse de las drogas. El amor, la guía y el apoyo de los padres ayudan a desarrollar en los hijos la autoestima, la confianza en sí mismos, los valores personales y las metas, y todo esto contribuye a la formación de jóvenes libres de drogas. En este capítulo se va a examinar una pequeña parte del cuadro completo de una familia: la función que cumple la comunicación familiar en cuanto a evitar el abuso de las drogas.

TRACE LA LÍNEA DIVISORIA CON RESPECTO A LAS DROGAS

Asegúrese de que sus hijos adolescentes sepan cuál es su postura en cuanto al uso de drogas. Recuerde que el silencio es algo que los esperanzados adolescentes interpretan a menudo como permiso. Dígales:

"Con toda seguridad, alguien va a ofrecerte drogas. Tratarán de animarte a beber, a fumar, a tomar drogas estimulantes e incluso consumir cocaína o píldoras. Tú sabes que mi opinión muy firme es que las drogas ilegales son muy peligrosas. No son buenas para el cuerpo ni para la mente, y pueden causarte la muerte. No voy a darte una clase sobre lo perjudiciales que son para ti, porque lo más probable es que ya hayas aprendido mucho sobre ellas en la escuela. Pero quiero que pienses en esto: las drogas son algo que tú, clara y terminantemente, no necesitas. Demasiadas cosas buenas te depara la vida, y las drogas no contribuyen a ninguna de ellas. No resuelven problemas, no te hacen popular, no te ayudan a crecer, y ten por seguro que no te robustecen el cuerpo ni la mente. De hecho, lo que puede suceder es exactamente lo contrario. Quiero que sepas que no disculpo en ninguna persona de esta familia el uso de drogas ilícitas, y que confío en que tomes la decisión correcta."

Esta clase de declaración hace saber a sus hijos que usted es consciente de lo fácil que es conseguir drogas y de que los compañeros ejercerán presión para que su hijo las pruebe. Esto también les da a entender que usted sabe que ellos conocen los peligros representados por las drogas, y que tiene fe en su capacidad de tomar decisiones inteligentes y responsables.

Cuando ponga un "hasta aquí" al uso de las drogas, hágalo con firmeza contra *toda* droga nociva. Cuando los padres reciben una llamada de la escuela para informarles que se ha sorprendido a sus hijos con drogas, muchos sienten alivio al saber que se trata "sólo" de alcohol, cigarrillos o mariguana. Los expertos no comparten esta sensación de alivio. Saben bien que estas drogas "de entrada" son las que dirigen a los jóvenes a adicciones más tenaces y graves. Casi cinco millones de adolescentes en Estados Unidos tienen problemas con la bebida, y los accidentes relacionados con el alcohol y las drogas son la principal causa de muerte entre ellos. (Vea "El alcohol y conducir en estado de ebriedad" para más información.) Cerca de 450,000 muertes al año se deben al hábito de fumar, y los jóvenes fumadores de cigarrillos tienen cien veces más probabilidades que los que no fuman, de hacerlo con mariguana y de contraer la adicción a otras sustancias ilícitas, como heroína y cocaína.

ESTUDIE LOS HECHOS Y COMPARTA SUS CONCLUSIONES

Para hablar con sus hijos adolescentes del uso y el abuso de las drogas, necesita tener los datos más recientes. No puede convencerlos de que sabe de lo que está hablando si recurre a información anticuada o superada. Así que ésta es la oportunidad para indagar sobre las drogas ilícitas, aprender los hechos y ponerse al corriente con la jerga de moda. Aquí no podemos dar todos los detalles al respecto, pero los recursos que aparecen al final de este capítulo lo ayudarán a encontrar fácilmente la información necesaria.

Al iniciar su diálogo sobre el abuso de las drogas, no tiene que disimular el hecho de que usted no lo sabe todo. Cuando consiga el material que quiera estudiar, compártalo con su hijo; explórenlo juntos. Declare sin ambages que, debido al gran amor que le tiene, usted quiere saber todo lo relacionado con el problema del abuso de las drogas que afecta a tantos jóvenes.

Basándose en lo que lea, podría hacerle preguntas como éstas:

"¿Sabías que inhalar pegamento, acetona para las uñas o líquido corrector puede producir una lesión cerebral irreversible?"

"Acabo de leer que de cada cinco adolescentes, uno fuma cigarrillos. Cuando observas un salón de clase donde hay veinte estudiantes, ¿piensas que al menos cuatro son fumadores?"

"¿Por qué fuman los adolescentes, cuando saben que la nicotina es adictiva y que el hábito de fumar es un 'asesino' bien identificado?"

"¿Crees que es verdad que cerca del 40 por ciento de los jóvenes adolescentes prueban la mariguana antes de graduarse de la preparatoria?"

"Dice aquí que algunos niños empiezan a usar 'crack' en la escuela primaria. ¿Por qué crees que lo hacen?"

"Es ilegal consumir mariguana. ¿Sabes por qué?"

En su búsqueda de los datos precisos, averigüe si la educación sobre drogas es parte del plan de estudios de su escuela. Si lo es, pida a los maestros de sus hijos que le digan cuándo van a abordar el tema y de qué trata exactamente la lección. Aproveche esta información para explorar más a fondo la materia en su casa. Pregunte a sus hijos: "¿Qué aprendiste hoy en la clase sobre las drogas?" Luego, dedique tiempo a combinar esta información con sus valores, creencias y sentimientos familiares.

HABLE DEL ABUSO DE LAS DROGAS

No presuponga que sólo porque sus hijos no le comentan o no le hacen preguntas sobre el uso o abuso de drogas, eso significa que el asunto no les interesa y que no influye en su vida. Es probable que usted sea quien tenga que introducir el tema en su conversación. Además, recuerde que hablar de las drogas no debe limitarse a sólo una conversación. Usted debe buscar oportunidades de hablar con bastante regularidad de los efectos negativos del uso de las drogas.

Hable de los efectos inmediatos de las drogas. Es preferible evitar enfocarse a los efectos futuros, a largo plazo, del abuso de las drogas. El interés de los adolescentes en el futuro es muy limitado. Opte más bien por hablar del aquí y el ahora: de la posibilidad de perder poder y control sobre sí mismos, del obstáculo que representan en la prosecución de sus metas, del efecto que tienen sobre el humor y la actitud ante las cosas y de la posibilidad, muy real, de una muerte accidental. Puede aprovechar reportajes de vidas arruinadas por el consumo de drogas, o de atletas arrestados por la misma causa. Puede utilizar información de casos locales de arrestos por el mismo motivo. Demuestre a sus hijos que el consumo de drogas afecta la calidad de vida que llevan en la actualidad.

Supongamos, por ejemplo, que se ha arrestado a una joven vecina por tener una bolsa de mariguana en el automóvil. Usted podría hacer este comentario:

"¡Qué pena! Recuerdo la época en que Sue era una gran jugadora de baloncesto y magnífica estudiante. Pero es probable que, por haberse involucrado en el consumo de drogas, haya perdido el interés en los deportes y en la escuela. He oído decir que se junta con un grupo de jóvenes que consumen drogas. ¿Crees que eso tenga algo que ver con los problemas que tiene en la escuela?"

Hable de reacciones individuales a la droga. Es probable que sus hijos adolescentes conozcan compañeros que consumen drogas y parecen gozar de perfecta salud. Por eso, hable también de lo impredecible que son los efectos de las drogas compradas en la calle y de las reacciones caprichosas y peligrosas que cada persona puede tener a causa de ellas. La inesperada muerte de personalidades jóvenes y famosas por consumo de drogas son ejemplos perfectos de este peligro. Usted podría decir:

"¡Qué lamentable es que fulana haya muerto el pasado fin de semana por una sobredosis de droga! Estoy seguro de que al consumirla no tuvo ni idea de que esa experiencia pudiera ser la última de su vida. ¿Por qué crees que le haya causado la muerte?"

Hable de la publicidad de las drogas. La información sobre los lados buenos y los malos de las drogas puede llegarnos a través de la publicidad para medicinas, alcohol y cigarrillos. La televisión, la radio y los anuncios impresos prometen que los problemas físicos y sociales de la vida pueden curarse instantáneamente con una píldora, un cigarrillo o un buen trago. Los jóvenes ven a los adultos comprar remedios para todo lo que les aqueja. Este mensaje de que hay sustancias químicas que pueden curar todos nuestros padecimientos y promover belleza, éxito y diversión, es muy peligroso. No revela las consecuencias físicas: "crudas", vómitos y adicción, ni las realidades sociales de la tensión diaria y el aspecto personal. Cuando sus hijos vean estos anuncios, hágales preguntas como éstas:

"¿Crees tú que el cigarrillo es lo que realmente hace feliz a esa mujer?"

"¿Qué pasaría si ese hombre se bebiera rápidamente toda la botella del licor?"

"¿Puedes pensar en otra cosa que ayude a esa mujer a quedarse dormida, en vez del narcótico?"

"Si todos esos alimentos tan condimentados causan a ese hombre dolores de estómago, ¿cómo podría dejar de padecerlos sin necesidad de tomar la medicina?"

Hable de las noticias. Usted puede aprovechar los medios de comunicación para presentar a sus hijos un cuadro equilibrado del uso de drogas en su país. Revise los periódicos y marque los artículos relacionados con las drogas. Algunos mostrarán los efectos devastadores de los accidentes automovilísticos relacionados con el alcohol; otros destacarán medicamentos que pueden salvar vidas y los descubrimientos extraordinarios de la ciencia médica. Estos reportajes son oportunidades para que usted enseñe a sus hijos la diferencia entre el uso responsable y el abuso de las drogas que amenaza la vida.

HABLE DEL MODO DE DECIR "NO"

Decir "no" a las drogas es un modo específico de ejercitar la autoafirmación. Los adolescentes que pueden resistir la presión de sus compañeros adquieren confianza y fomentan una imagen positiva de sí mismos que les ayuda a decir que no una y otra vez en el futuro. Sin embargo, la eficacia de esta estrategia se verá mermada a menos que sus hijos tengan la oportunidad de pensar en *el modo* como van a rehusarse. Las siguientes "sugerencias para decir no" están adaptadas de una lista que proponen los expertos en prevención del uso de drogas del *National Institute on Drug Abuse* ("Instituto Nacional contra el Abuso de las Drogas") de Estados Unidos. Hable con sus hijos acerca de estas seis maneras de decir "no". Deje que ellos elijan las que más les acomoden, y luego simulen situaciones en que desempeñen el papel apropiado y puedan ser útiles.

1. *Dar una razón.* Si los jóvenes conocen los hechos, no podrá engañarlos el que les diga que se siente muy bien caer bajo los efectos del alcohol o la droga. Diga a sus hijos algo como esto: "No, yo sé que es malo para mí. Me siento muy bien así como estoy".
2. *Tener otra cosa que hacer.* Los jóvenes necesitan saber que pueden decir "no" y retirarse. Ayúdeles a ejercitarse en decir: "No, gracias, voy a comer algo".

3. *Simplificar el encuentro*. Diga a sus hijos que no tienen obligación de explicar por qué no quieren usar drogas si prefieren no hacerlo. Basta con que digan "no". Si no parece dar el resultado deseado, que practiquen repetirlo o decirlo en forma más enérgica: "de ninguna manera", o "no pierdas el tiempo conmigo".
4. *Evitar la situación*. Si sus hijos ven u oyen hablar de lugares donde otros suelen ir a consumir drogas, incúlqueles la importancia de mantenerse alejado de esos lugares. Si oyen decir que en una fiesta va a haber drogas, recuérdeles la regla de su familia contra las fiestas con drogas, y deje que usen a sus padres como excusa. Anímelos a decir: "Mis padres no me permiten ir".
5. *Cambiar de tema*. Ayude a sus hijos a estar preparados para cambiar rápidamente de tema. Por ejemplo, aconséjeles que si alguien dice: "Vamos a darnos un 'toque'", ellos contesten: "No, yo ahora voy rumbo a la tienda, ¿quieres venir conmigo?"
6. *Juntarse con amistades que no consumen drogas*. Éste es un modo ideal de evitar la presión de los compañeros. Participe en la vida de sus hijos, conozca a sus amigos y fomente actividades que los pongan en contacto con otros compañeros que intervienen en actividades escolares, comunitarias o religiosas. Además, hable con sus hijos de las cualidades de una verdadera amistad. Dígales: "Los amigos auténticos no se enfadan cuando ustedes les dicen que no. Si son verdaderos, no los ridiculizarán ni amenazarán por el hecho de que ustedes se mantengan fieles a sus convicciones".

SEA SINCERO EN CUANTO A SUS PROPIAS EXPERIENCIAS

Que no le sorprenda si, cuando abre la puerta a un diálogo sobre drogas, sus hijos quieren saber si alguna vez fumó mariguana, consumió alguna otra droga ilícita o tomó bebidas alcohólicas siendo aún menor de edad. Al recordar que los medios han difundido hasta el uso de mariguana de parte del presidente Clinton, es inevitable que el tema del empleo casual de droga en las décadas de los años sesenta y setenta acose a muchos padres de familia.

Si usted fumó mariguana, tomó píldoras, se inyectó heroína o consumió alguna otra droga ilegal, o bien abusó del alcohol, la verdad con las debidas aclaraciones es la mejor respuesta que puede dar a las preguntas de sus hijos. Si miente al respecto o se muestra evasivo, perderá credibilidad ante ellos cuando sondeen a los parientes y viejos amigos y averigüen la verdadera historia. Dígales:

"Sí, yo cometí el error; pero si volviera a encontrarme en esa situación, no lo repetiría."

Expóngales el conocimiento personal logrado con los efectos adversos y los peligros de lo hecho:

"Recuerdo haber conducido mientras me encontraba 'exaltado', y haberme puesto a mí y a los demás pasajeros en un grave peligro. Cometí una peligrosa estupidez."

Sin dar la impresión de que lo justifica, explíqueles el ambiente social de sus tiempos:

"Las drogas eran parte de la cultura juvenil; a menudo estaban tan accesibles en las fiestas como las papas fritas el día de hoy. Además, la información sobre los peligros y los efectos a largo plazo aún no se conocían bien."

Acláreles que los peligros del consumo de drogas en ese entonces eran menores que ahora. Barbara McCrady, profesora de psicología y directora clínica del *Center of Alcohol Studies* ("Centro de Estudios sobre el Alcohol") de la *Rutgers University* ("Universidad de Rutgers"), ha averiguado que "la mariguana que circula hoy es mucho más fuerte que nunca. Las clínicas de drogas denuncian incluso síntomas de aislamiento provocados por esta droga que era algo completamente inaudito hace unos años. El peligro potencial de las drogas que en otro tiempo fueron relativamente inocuas, hoy se ha vuelto mucho mayor".

HABLAR A LOS JÓVENES QUE CONSUMEN DROGAS

La comunicación es la clave para prevenir el uso y el abuso de las drogas. Sin embargo, si usted descubre que su hijo adolescente está involucrado en el uso de ellas, la comunicación abierta y franca es también su mejor arma. Si a su joven hijo lo arrestan por posesión de drogas, o si usted mismo las encuentra en su alcoba, o si lo ve volver a casa claramente ebrio o intoxicado con drogas, no es posible suponer que se trata de un primer error que "nunca va a suceder de nuevo" como el adolescente se lo promete. Usted tiene que afrontar la situación en forma directa y con toda seriedad.

Piense antes de hablar

Piense primero en lo que *no debe* hacer:

- No trate de razonar con su hijo cuando éste se encuentre bajo los efectos del alcohol o la droga.
- No trate de hablarle cuando usted esté demasiado enojado u ofendido para ser coherente y razonable.
- No lo ataque verbalmente; lo que necesita es su ayuda.

- No sucumba a la histeria, exagerando los peligros de las drogas; quedaría en ridículo y no establecería el contacto necesario.
- No ponga a su hijo el título de drogadicto. Es una reacción excesiva.
- No minimice el problema como un "experimento típico de los jóvenes"; esto lo autoriza a seguir experimentando, convencido de que a usted "no le interesa lo que él hace".

No se precipite a suspender los castigos relacionados con el mal uso de drogas. Unas horas en la Delegación antes de pagar los honorarios del abogado por un delito de posesión, será una buena lección.

Manténgase firme

Adopte una postura de firmeza en contra de las drogas y que el adolescente sepa que a usted le ha molestado mucho su "experimento". Insista con energía en que la regla inviolable de su familia es "nada de drogas". El *National Institute on Drug Abuse*, *NIDA* ("Instituto Nacional contra el Abuso de Drogas") aconseja a los padres que apoyen esta regla con un conjunto de normas de conducta claras y congruentes que estén dispuestos a poner en vigor. Durante el periodo en el que los impulsos naturales de los hijos son experimentar y poner a prueba los límites, es de vital importancia que usted imponga a su hijo barreras justas dentro de las cuales pueda definirse a sí mismo. En innumerables entrevistas con adolescentes perturbados por las drogas se escuchan quejas de hipocresía, incongruencia, permisividad, egoísmo o distanciamiento de los padres, pero nunca quejas contra su actitud estricta, sus reglas, los horarios de llegada, la vigilancia o la intervención directa. Al formular y poner en vigor reglas para guiar a sus hijos durante esta etapa difícil, recuerde: *no tema ser un padre o una madre firme*. Diga con firmeza:

La regla: no puedes hacer uso de drogas ilegales.

La consecuencia: si lo haces, los resultados serán... (incluya un castigo que usted considere apropiado, como no salir de casa durante un mes o perder todos los privilegios electrónicos: televisión, computadora, videocasetera, teléfono, etcétera).

El plan futuro: cerciórese de que el adolescente sepa que si no aprende con el castigo, va a empezar una terapia profesional de asesoría contra drogas y rehabilitación (véanse los detalles más adelante).

Actúe con sagacidad

Dígale al adolescente por qué le molesta tanto el uso que él hace de las drogas e insista en que tanto él como usted adquieran más conocimientos sobre las que son ilegales y los efectos que causan. Hable de los hechos, no de simples temores. Hable de las consecuencias nocivas del consumo de drogas que contienen ingredientes desconocidos, y de combinaciones que resultan mortales, como alcohol con barbitúricos, además de los efectos inesperados de las diferentes dosis; hable de los riesgos de aquellas sustancias en las que hay una grave posibilidad de dependencia, y de las consecuencias legales de ser sorprendido en consumo flagrante de ellas.

Antes de hablar, tenga en las manos los datos. La lista de recursos que aparece a final de este capítulo le ayudará a saber lo que debe decir a sus hijos adolescentes.

Preste apoyo y participe activamente

Si el adolescente está ya involucrado con las drogas, emprenda un esfuerzo familiar para alejarlo de ellas. Dedique más tiempo a estar con su hijo. Conozca a sus amigos. Esté pendiente de otros problemas, como una ruptura de relaciones, dificultades en la escuela, poco criterio para elegir amigos, bajo nivel de tolerancia a la frustración, sensación de soledad. Si usted logra enfocar bien aquellos factores que pueden llevar a los jóvenes a las drogas, podrá ayudar al adolescente a abrirse y a hablar del problema. Necesita saber que usted lo apoya y quiere ayudarlo.

Cerciórese de que el adolescente sepa que usted lo ama sinceramente. Esto se consigue si se mantienen los canales de comunicación abiertos, aun cuando usted se sienta ofendido y traicionado. Lo consigue cuando le ofrece ayuda en vez de ridiculizarlo con sarcasmos. Lo consigue cuando define reglas firmes y consecuencias, las aplica en forma perseverante y al mismo tiempo se pone a la disposición de su hijo para hablar y brindarle apoyo y aliento.

Busque ayuda profesional

Si la "experiencia" de su hijo parece haberse vuelto un hábito, usted va a necesitar ayuda profesional para detener el consumo de la droga. El joven no creerá que es una buena idea, así que usted tendrá que hacerlo contra la voluntad de él. Hay muchos consejeros de adolescentes que se especializan en terapia y rehabilitación, pero se requiere tiempo para encontrar uno cuyos criterios sean compatibles con los de usted. Hay quienes aceptan el "uso responsable" de drogas ilegales; otros promueven la conducta libre de drogas en los adolescentes. Usted tiene derecho a preguntar al consejero cuál es su filosofía, antes de hacer la cita.

Sin embargo, lo mismo si su adolescente está involucrado con drogas que si no lo está, hablar del uso y abuso de éstas no es tema de una sola conversación. Es un diálogo continuo que irá cambiando en cuanto a profundidad y a contenido a medida que sus hijos crezcan, así que mantenga este contacto en forma constante. Aproveche los momentos pedagógicos que le brindan la televisión, los avisos comerciales, el canal musical, los periódicos y aun las experiencias de la vida de sus hijos, para hacerles comprender que usted está informado e interesado en el asunto, y que siempre está dispuesto a hablar algo que considera tan importante.

RECURSOS

American Council for Drug Education ("Consejo Estadounidense para la Educación sobre Drogas")
204 Monroe Street, Suite 110
Rockville, MD 20850
(301) 294-0600

Marijuana Anonymous, Word Services ("Adictos Anónimos a la Marihuana, Servicios Mundiales")
P.O. Box 2912
Van Nuys, CA 91404
(800) 766-6779

Narcotics Anonymous
("Adictos Anónimos a los Narcóticos")
P.O. Box 9999
Van Nuys, CA 91409
(818) 773-9999

National Clearinghouse for Alcohol
and Drug Information
("Centro Nacional de Información
sobre Alcohol y Drogas")
P.O. Box 2345
Rockville, MD 20852
(301) 468-2600

Llame para recibir folletos informativos gratis. Le recomendamos éstos:

"Marijuana: Facts Parents Need to Know" ("Marihuana: hechos que los padres deben saber") NIH Pub. No. 95-4036; "Preventing Drug Use Among Children and Adolescents" ("Prevención del uso de drogas entre niños y adolescentes") NIH Pub. No. 97-4212; y "Tips for Teens" ("Sugerencias para adolescentes"): una serie de folletos sobre la adicción, mariguana, crack y cocaína; inhalantes, alucinógenos y esteroides.

PRIDE National Parent's Resource Institute for Drug Education (Instituto Nacional de Recursos para Padres de Familia para la Educación sobre Drogas)
50 Hurt Plaza, Suite 210
Atlanta, GA 30303
(404) 577-4500

LECTURAS ADICIONALES

BARON, JASON D, *Kids and Drugs: A Parent's Handbook of Drug Abuse, Prevention and Treatment* ("Manual de los padres sobre abuso de drogas, su prevención y tratamiento"), Perigee Books, Nueva York, 1984.

DESTEFANO, SUSAN, *Drugs and the Family* ("Las drogas y la familia"), Twenty-First Century Books, Frederick, MD., 1991.

TREADWAY, DAVID, *Before It's Too Late: Working with Substance Abuse in the Family* ("Antes es demasiado tarde: trabajar contra el abuso de sustancias en la familia"), Norton, Nueva York, 1989.

U.S. DEPARTMENT OF EDUCATION, *Growing Up Drug Free: A Parent's Guide to Prevention* ("Crecer sin drogas: guía para los padres sobre la prevención"), U.S. Department of Education, Washington, D.C., 1990.

WEST, JAMES W., y BETTY FORD, *The Betty Ford Center Book of Answers: Help for Those Struggling with Substance Abuse and for the People Who Love Them* ("Libro de respuestas del Centro Betty Ford: ayudar a aquellos que luchan contra el abuso de sustancias y para sus seres queridos"), Pocket Books, Nueva York, 1997.

Especialmente para adolescentes

MCFARLAND, RHODA, *Drugs and Your Parents* ("Las drogas y tus padres"), Rosen Publishing Group, Nueva York, 1997.

El VIH y el SIDA

–Me gusta besar a la francesa –confió Karen a su amiga–; pero me preocupa mucho el peligro de contraer el SIDA mediante la saliva…

–¿Qué pasa si el jugador del otro equipo tiene VIH –se preguntaba Jerry–, y su sudor penetra en mi piel cuando chocamos uno con otro durante el juego? ¡Yo podría tener VIH ahora mismo!

–Estoy enamorada de Tony –pensaba Adela– y me gustaría casarme con él cuando los dos terminemos nuestra especialidad; pero, ¿y qué tal si quedó infectado con VIH cuando acostumbraba inyectarse drogas? ¿Qué pasa si me lo contagia a mí y yo a nuestros hijos?

Para los adolescentes, la vida y el amor ya no son tan divertidos como solían o deberían ser. Parece que la actitud despreocupada de la juventud no existe más, ahora que el VIH y el SIDA son parte muy real del crecimiento. Los centros para el control y la prevención de enfermedades estiman que, por ejemplo, en Estados Unidos, la mitad de las nuevas infecciones de VIH se producen en jóvenes menores de 25 años. El VIH (virus de inmunodeficiencia humana) no es algo ante lo cual se puedan cerrar los ojos y esperar, cruzando los dedos, a tener la suerte de que no afecte a nuestros hijos. Está aquí, con nosotros, y es epidémico. Sólo una comprensión clara de lo que es este virus, del modo como se transmite y cómo puede uno mantenerse a salvo de él, permitirá a nuestros adolescentes llevar una vida saludable y sin un temor innecesario.

Debido a que el SIDA (síndrome de inmunodeficiencia adquirida) es una realidad de nuestra época, casi todas las escuelas secundarias y preparatorias incluyen información sobre él en su plan de estudios de salud. Sin embargo, presentar los hechos en el salón de clase no aleja los temores y las dudas. Además de lo que se aprende en el salón de clase, los jóvenes necesitan saber que pueden hablar con sus padres sobre este delicado tema, sin temor a recibir sermones ni a ser objeto de burlas o rechazo. La mayoría de los jóvenes no quiere levantar la mano y preguntar si pueden contraer el VIH en un juego deportivo. Necesitan saber que pueden hablar con ustedes –sus padres– sobre estos asuntos "íntimos", sin sentir vergüenza y sin andar con rodeos.

CUÁNDO HABLAR

No es fácil tocar el tema del VIH o del SIDA. Es necio pensar siquiera en decir algo así como: "Por cierto, Jimmy, ¿por qué no platicamos del SIDA esta noche?" No daría buen resultado. Éste es un tema que es mejor proponer en una especie de contexto social. Si usted observa que su hijo adolescente redacta un informe sobre el SIDA o lee en el libro de texto un capítulo sobre el VIH, ése sería un buen momento para preguntar: "¿Qué estás aprendiendo sobre el SIDA en la escuela?" Si usted y su hijo ven un reportaje sobre el SIDA en la televisión, esto puede ser una oportunidad para que usted hable sobre la epidemia y emprenda un diálogo sobre lo que opinan su hijo y sus amigos al respecto. Luego, usted puede agregar: "¿Tienes alguna pregunta que hacer sobre el VIH o el SIDA?" Lo más probable es que su hijo diga que no, así que deje la puerta abierta sugiriendo: "Si llegas a tener alguna duda o preocupación, quiero que sepas que puedes preguntarme lo que desees. Si no tengo la información que necesitas, la buscaremos juntos". El solo hecho de saber que el SIDA no es tema tabú en el hogar es ya de por sí tranquilizador.

CÓMO HABLAR

No es necesario dar una conferencia sobre el tema. Un diálogo sobre el VIH y el SIDA no debe ser una exposición bien estudiada y ensayada. Conviértalo en una conversación, en un intercambio de información y de ideas, en un dar y tomar opiniones y hechos. Su diálogo sobre el SIDA debe ser también una charla permanente, no una conversación aislada. Los adolescentes están abiertos a recibir información diversa en ocasiones diferentes. A medida que maduran, usted debe seguir hablando y escuchando, para darles a entender que siempre estará disponible.

QUÉ DECIR

Si se da la casualidad de que usted vive en un lugar donde el VIH y el SIDA no forman parte del plan de estudios, vaya cuanto antes a la librería más cercana y compre (u ordene) alguno de los libros que se recomiendan para adolescentes al final de este capítulo. Léalo usted mismo para tener una noción básica de la epidemia y luego pida a su hijo adolescente que lo lea. Él necesita tener un conocimiento fundamental de esta mortal epidemia. Una vez que los dos se formen una idea clara de lo que es el VIH, de cómo evoluciona hasta el SIDA y de cómo se transmite, pase a la sección que examina los aspectos a menudo mal entendidos del VIH y del SIDA.

En la mayoría de los casos, cuando el VIH y el SIDA son parte del plan de estudios escolar, no le aconsejamos que comience a hablar a sus hijos adolescentes sobre las nociones básicas. Ellos ya saben que SIDA es un acrónimo para el síndrome de inmunodeficiencia adquirido. Saben que es causado por un virus llamado de inmunodeficiencia humana. Lo que necesitan aprender de usted y que tal vez no reciban de la escuela o de sus amigos es una aclaración sobre el modo como el VIH los afecta en lo personal, y el lugar al cual hay que acudir cuando los datos que se tienen son confusos.

Lo que sigue son respuestas que usted puede dar a afirmaciones que su hijo podría hacer y que revelan cierta confusión o incertidumbre sobre los hechos. Si él no plantea directamente estos importantes errores, usted puede "salpicar" la conversación con gotas de información sobre el VIH y el SIDA, en los diálogos que surjan como respuesta a alguna mención de la epidemia que se haga en la escuela o en los medios de comunicación.

Expertos que trabajan con adolescentes han descubierto que los aspectos menos comprendidos por los jóvenes son los siguientes:

Confundir la definición de VIH con la de SIDA

Comentario del joven: "En la escuela dijeron que no puede saberse si alguien tiene el SIDA. Eso es una estupidez. En todas las fotos que estuvieron enseñándonos de gente con SIDA, yo podría decirlo sin titubear: su aspecto es el de personas en verdad enfermas".

La respuesta de usted: Tienes razón. La gente con el SIDA plenamente desarrollado está muy enferma, y a menudo lo revela a simple vista. Pero al principio, los que están infectados con el virus que causa el SIDA, y que se conoce como VIH, no están enfermos ni presentan síntomas (aunque pueden contagiar el virus a los demás). Eso es probablemente lo que quisieron decirte en la escuela. No puede saberse si alguien –hombre o mujer– está infectado con VIH con sólo verlo".

Dar por supuesto que las relaciones sexuales causan el SIDA

Comentario del joven: "Creo que no voy a casarme nunca ni a tener relaciones sexuales; es demasiado peligroso".
La respuesta de usted: Las relaciones sexuales no provocan el SIDA. Dos personas que no tienen el VIH pueden mantener relaciones sexuales el resto de su vida y nunca contraer SIDA. Sólo cuando el VIH está ya en el semen o en los fluidos vaginales de la mujer, es cuando se transmite a través del acto sexual; por eso, muchas parejas deciden hacerse una prueba de VIH antes de iniciar una relación íntima".

Creerse aislado de la epidemia

Comentario del joven: "El SIDA no tiene nada que ver conmigo; por lo mismo, no puedo hacer nada al respecto".
La respuesta de usted: "Como el SIDA es una epidemia, todos los que pertenecen a tu generación deben tenerla presente. Hay algo que puedes hacer al respecto: puedes protegerte (según los valores de tu familia), absteniéndote de practicar relaciones sexuales durante la adolescencia (o teniéndolas en la forma más segura posible, con el uso del condón). Otra cosa muy importante es que también puedes contribuir en forma positiva al mostrar compasión por los que están infectados".

Dar por supuesto que el SIDA se encuentra sólo en las grandes ciudades o en ciertos grupos de alto riesgo

Comentario del joven: "Yo no tengo por qué preocuparme. Nadie en mi escuela es homosexual ni se inyecta drogas".

La respuesta de usted: "Era una creencia común que sólo los drogadictos y los varones homosexuales contraían el SIDA, pero ahora sabemos que no es así. Cualquier persona, sin importar su edad, género, orientación sexual, raza o lugar de residencia, puede infectarse con el VIH. No existe lo que podría llamarse un grupo especial, con mayor riesgo de contraer SIDA; lo que hay son formas de comportamiento peligrosas, que contagian el VIH a cualquier persona, por ejemplo, al compartir las agujas de inyección intravenosa (lo cual incluye a los atletas que usan esteroides y a los jóvenes que se hacen tatuajes o perforaciones en el cuerpo). También se incluye a los que practican relaciones sexuales vaginales, anales o bucales sin protección alguna".

Preocuparse por que el VIH pueda contagiarse a través de un contacto accidental

Comentario de la joven: "¡La mamá de Kevin nos dijo que los rumores de que Karl tiene SIDA son ciertos! De hoy en adelante, no me sentaré cerca de él en la escuela ni en el autobús".

La respuesta de usted: "Si Karl tiene el virus que produce el SIDA, me da mucha pena por él; sin embargo, por fortuna tú no tienes que preocuparte de sentir preocupación por sentarte a su lado. El único modo de que te contagies con el VIH de Karl es compartiendo jeringas intravenosas o teniendo relaciones sexuales con él sin protegerte. De lo contrario, no hay en absoluto motivo para preocuparse. Es más peligroso para Karl sentarse cerca de ti, porque si le contagias un resfriado o una gripe, puede caer gravemente enfermo. Debes decir a tus amigos y amigas que no tienen por qué alejarse de Karl".

Sentirse a disgusto con las relaciones sexuales que ofrecen más seguridad

Comentario del joven: "Todos recomiendan prevenir el SIDA evitando las relaciones sexuales sin protección, pero yo no creo que eso sea tan fácil de lograr".

La respuesta de usted: "Muchas cosas que tendrás que hacer para proteger tu vida no serán tan fáciles, pero a veces son necesarias. Recuerda que eres una persona importante, y cuidarte debe tener prioridad en tu jerarquía de valores. Entablar relaciones sexuales sin protección es tratarte mal, y cualquiera que te diga que te ama, pero quiera que hagas algo que te afecte por el resto de tu vida, está mintiéndote. Amar a alguien significa tener un sincero interés en lo que pueda sucederle".

No advertir la relación entre el abuso de sustancias químicas y el VIH

Comentario del joven: "He oído decir que beber alcohol aumenta el riesgo de contraer SIDA. A mí me suena ridículo. ¡No es posible contraer el SIDA por beber alcohol!"

La respuesta de usted: "Tienes razón en decir que no se contrae el virus del SIDA con el alcohol, pero lo que sí es cierto es que el alcohol aumenta el riesgo de que lo contraigas. Consumir alcohol o drogas influye en tu capacidad de pensar con claridad. Por eso, hay personas que si no hubieran consumido alcohol, no harían cosas como tener relaciones sexuales sin protección o compartir agujas intravenosas. Además, el alcohol y las drogas reducen la resistencia a la enfermedad y a la infección, de modo que el cuerpo está más propenso a contraer el VIH si se pone en contacto con él".

Preocuparse de que el VIH pueda contagiarse en los deportes de contacto físico

Comentario del joven: "No sé si quiero hacer la prueba de ingreso al equipo de lucha libre este año. Algunos compañeros dicen que el VIH se puede contraer a través del sudor".
La respuesta de usted: "Entiendo por qué te preocupa eso. Déjame decirte lo que he leído al respecto. Es verdad que el VIH podría encontrarse en el sudor de algunas personas contagiadas, pero según los expertos que estudian este problema, es en cantidades tan insignificantes que no representa un riesgo para los demás. Tú sabes que yo no te animaría a hacer nada que pudiera ser un riesgo para ti, pero sinceramente creo que puedes practicar el deporte que quieras, sin ninguna preocupación. De todos los casos de SIDA en el mundo, no se ha descubierto uno solo de contagio por la práctica de deportes de contacto físico".

Preocuparse por los besos

Comentario del adolescente: "Casey dice que ella sigue besando a la francesa, aunque sabe que el VIH puede estar en la saliva. Me parece repugnante".
La respuesta de usted: "Besar a la francesa o no, por supuesto que es una opción personal, pero yo no me preocuparía mucho por Casey. Aunque el VIH se halla en pequeñas cantidades en la saliva, los investigadores dicen que tendrías que ingerir cerca de un galón de saliva de la otra persona para infectarte con el VIH. Desde el punto de vista de la seguridad absoluta, algunos dicen que si tienes frenos en los dientes o cortes o llagas en la boca, tal vez sea mejor no besar de modo que haya intercambio de gran cantidad de saliva".

No estar informado de las pruebas anónimas

Comentario del joven: "Pienso que muchos jóvenes de ambos sexos no quieren someterse a pruebas sobre el VIH por temor a que sus padres enloquezcan y empiecen a hacerles innumerables preguntas sobre su vida sexual".

La respuesta de usted: "Es muy probable que tengas razón, pero los jóvenes deben saber que pueden hacerse pruebas sin que sus padres sepan nada al respecto. Hay números telefónicos de emergencia para el SIDA, que los jóvenes pueden marcar (como los que están al final de este capítulo): se les dirá cuál es el lugar más cercano a su casa, donde pueden someterse a una prueba anónima. Esto significa que nadie sabrá su nombre o su identidad. Cuando acudan a la prueba, se les asignará un número. Nunca se les preguntará en absoluto su nombre".

LO QUE NO DEBE DECIRSE SOBRE EL SIDA

Hay ciertas respuestas que garantizan la muerte de las conversaciones con los adolescentes. Casi se puede oír cómo cierran de golpe las puertas de la comunicación. Lea los siguientes errores que un padre o madre podría cometer al hablar del VIH o del SIDA. Luego, cuando usted hable con sus hijos adolescentes, piense en estos monumentales errores antes de empezar a hablar.

Error: Predicar, o tomar la palabra durante más de un minuto sin dejar que su hijo participe en el diálogo.

"Sabes, nadie tiene la absoluta certeza sobre cómo apareció el SIDA, pero hay investigadores que dicen que se originó en África central. Hay muchas personas en ese continente infectadas del SIDA, y la teoría es..." Y así, sucesivamente, sin parar.

Error: Presentar hechos escuetos antes de entender los sentimientos. "No seas tonta. No hay nada que temer, a menos que te inyectes drogas o tengas relaciones sexuales."

Error: Interrumpir al adolescente que expone su punto de vista, para corregir un error de información que no es esencial para la conversación.
"No es 'el inmunovirus adquirido', es el 'virus de inmunodeficiencia adquirida'. La deficiencia es muy importante para el nombre, porque..." y así sucesivamente.

Error: Presentar un punto de vista como si fuera un hecho, sin dar al adolescente la oportunidad de responder o de expresar sus sentimientos.
"No me importa lo que digan los demás: quienes padecen SIDA no pueden culpar a nadie más que a sí mismos."

Error: Interrumpir abruptamente al adolescente cuando no se está de acuerdo con su modo de pensar.
"¡Eso que dices es una estupidez! Todavía tienes mucho que aprender."

Error: Dar un consejo con información que el adolescente sabe que está totalmente equivocada.
"No quiero que tomes el agua de los bebederos de la escuela ni que te apoyes en los pasamanos de las escaleras. No se puede saber si los ha usado alguien que tiene VIH."

HABLAR A LOS JÓVENES CUANDO NO SE SABE LA RESPUESTA

Es probable que usted no sepa todas las respuestas a las preguntas que sus hijos pudieran plantearle sobre el VIH o el SIDA, pero es importante que reúna toda la información posible para darles consejos útiles y rectificar sus opiniones cuando carezcan de fundamento. Si las respuestas a sus propias preguntas no aparecen en este capítulo, comuníquese con su doctor, con la biblioteca o con alguno de los recursos gratuitos de la lista que aparece al final del capítulo. Tanto usted como su hijo adolescente necesitan conocer la verdad.

A fin de cuentas, el objetivo principal al hablar con los hijos sobre el VIH o el SIDA debe ser disipar mitos, proporcionar datos fehacientes e inculcar la compasión hacia los que estén infectados. (Vea "Enfermedades transmitidas por vía sexual", para más información sobre el modo de prevenirlas.)

RECURSOS

Los centros para el control y la prevención de enfermedades son una fuente confiable de información sobre el VIH y el SIDA. Los consejeros que contestan los teléfonos nacionales de emergencia sobre el SIDA pueden responder a las preguntas o bien remitirlo a organizaciones de su área que se encarguen de resolver los problemas que le preocupan.

National AIDS Hotline ("Línea de Emergencia Nacional para el SIDA) EUA.
(800) 342-AIDS. 24 horas al día, todos los días

National AIDS Hotline in Spanish ("Línea de Emergencia Nacional
en Español para el SIDA") EUA.
(800) 344-SIDA, de 8:00 a.m. a 2:00 p.m. todos los días
National AIDS Hotline for the Hearing Impaired ("Línea de Emergencia Nacional para Personas
con Problemas de Audición" EUA
(800) 243-7889, de 10:00 a.m. a 10:00 p.m. de lunes a viernes
Teens Teaching AIDS Prevention

("Enseñanza a los Jóvenes para Prevenir el SIDA")
EUA.
(800) 234-TEEN, de 4:00 p.m. a 8:00 p.m.,
de lunes a sábado

Es un conmutador manejado por adolescentes que han sido preparados para contestar preguntas sobre VIH y SIDA.

LECTURAS ADICIONALES

Acker, Loren, *AIDS-Proofing Your Kids* ("Prueba de Sida para sus hijos"), Beyond Words, Hillsboro, Oreg., 1992.

Froman, Paul Kent, *After You Say Goodbye: When Someone You Love Dies of AIDS* ("Después de decir adiós: cuando un ser querido muere de SIDA"), Chronicle Books, San Francisco, 1992.

Garwood, Ann y Ben Melnick, *What Everyone Can Do to Fight AIDS ("Lo que se puede hacer para luchar contra el SIDA")*, Jossey-Bass, San Francisco, 1995.

Especialmente para jóvenes

Ford, Michael Thomas, *100 Questions and Answers About AIDS: A Guide for Young People* ("100 preguntas y respuestas sobre el SIDA: guía para jóvenes"), Macmillan, Old Tappan, N.J., 1992.

Hein, Karen y Theresa Foy DiGeronimo, *AIDS: Trading Fears for Facts: A Guide for Young People* ("SIDA: cambiar temores por verdades: guía para jóvenes"), 3a. ed., Consumer Reports Books, Nueva York, 1993.

Sexo, anticoncepción y embarazo

Al acercarse a la caja del supermercado, Catalina, una joven de trece años, dejó caer en el carrito una revista y preguntó a su madre:

–Mamá, ¿puedes comprarme ésta?

Rosemary se fijó en la revista. Los seductores encabezados decían: "¡Secretos infalibles para el amor!" "Aromas sexuales para mantener excitado al amante" y "Modas irresistibles para enloquecerlo". ¿Ésa era la clase de lecturas que ella quería para su hija? ¿En esto se ocupaban otras niñas de trece años? Rosemary compró la revista para evitar una acelerada discusión sobre algo que no quería ventilar en el supermercado, pero se sintió molesta y un tanto enojada.

Esa noche Rosemary relató el incidente a su esposo. "Desde la televisión hasta las películas, la música y las revistas, estas criaturas son blanco de un bombardeo de mensajes sexuales –se lamentó–. ¿Qué se supone que deban pensar? ¿Qué se espera que diga yo?"

El sexo siempre despertará la curiosidad de los adolescentes. Esto es natural y es bueno. El problema radica en que los chicos son capaces de realizar el acto sexual y de concebir hijos mucho antes de contar con la madurez emocional necesaria para entablar una relación sexual íntima o estable. Por eso necesitan la ayuda y la guía de los padres durante estos años de confusión por la presión de los compañeros, los mensajes perturbadores y las hormonas enardecidas.

POR QUÉ DEBE USTED HABLAR

Muchos adultos piensan de la siguiente manera: "A mí nadie me habló de sexo y nunca tuve problemas al respecto. ¿Por qué, pues, debería yo hablar de ello con mis hijos, haciéndolos sentir incómodos a ellos y a mí mismo?" Hay cuatro buenas razones para hablar:

1. Todos los demás hablan: la televisión, las películas, la música, MTV, las revistas y los amigos y amigas. Nuestros adolescentes están expuestos al lenguaje y a actividades sexuales que no les ofrecen un cuadro genuino del gozo y la responsabilidad sexuales. Nos necesitan a nosotros, sus padres, como factor de equilibrio.
2. La actividad sexual entre los adolescentes de hoy empieza a una edad más temprana incluso que la de la generación precedente, y es más dominante. Una encuesta reciente comprobó que en Estados Unidos el 56 por ciento de las adolescentes mujeres y el 73 por ciento de los adolescentes varones han tenido ya relaciones sexuales antes de cumplir los dieciocho años.
3. El riesgo potencial de contraer enfermedades de transmisión sexual, incluido el SIDA, ha aumentado en forma impresionante. (Para más información, véase

"VIH / SIDA" y "Enfermedades transmitidas por vía sexual".)

4. La incidencia de los embarazos no deseados entre adolescentes se ha duplicado durante los últimos veinte años. Más de un millón de chicas adolescentes se embarazan cada año en Estados Unidos. Eso representa un total de tres mil diarias. Antes de salir de la adolescencia, cuatro de cada diez chicas se embarazan, y en su mayor parte sin desearlo.

Al ver estas estadísticas, se puede apreciar por qué los jóvenes adolescentes necesitan hablar del sexo, de la anticoncepción y del embarazo. La meta de los padres es lograr que sus hijos estén dispuestos a hablar *con ellos*.

ANTES DE QUE USTED HABLE

Antes de mencionar el tema del sexo, la anticoncepción o el embarazo, explore sus propios sentimientos. Si se siente tranquilo al hablar de ellos, sus hijos captarán su serenidad. Por el tono de su voz, el lenguaje del cuerpo y su apertura, sabrán que no son temas tabú ni vergonzosos.

Pero si usted se siente incómodo hablando de estos aspectos de la sexualidad humana, también les comunicará esa actitud. Si bien es imposible que usted se obligue de repente a sentirse relajado y cómodo al abordar estos temas, esfuércese por no encerrarse en sí mismo, cruzando los dedos para que sus interlocutores (sus hijos) se sientan bien. Los estudios demuestran que los hijos que sienten que pueden hablar de la sexualidad con sus padres porque éstos hablan abiertamente y los escuchan con atención, de hecho emprenden menos actividades sexuales y su comportamiento los expone a menos riesgos que los adolescentes a quienes se ha enseñado que no deben tocar el tema. Por eso, aun cuando se sienta incómodo, es importante que hable. Podría abrir la puerta al tema admitiendo los sentimientos que experimenta. Podría decir algo así como: "Me molesta hablar del sexo porque mis padres nunca me hablaron de él. Pero quiero que tú y yo seamos capaces de hablar de todo, incluida la sexualidad, así que te ruego que recurras a mí si tienes alguna pregunta. Si no sé la respuesta, la averiguaré".

Además, antes de que hable con sus hijos adolescentes, cerciórese de estar bien informado. Tal vez quiera hojear algunos libros sobre sexualidad (en especial los dirigidos a jóvenes), para que, cuando se decida a hablar, diga lo correcto y no se avergüence usted o su hijo (¡éste sería el modo más seguro de acabar con toda conversación sobre sexualidad!).

Tenga presente que, aun después de haber examinado sus creencias personales y refrescado sus conocimientos, es muy posible que haya temas que usted no conozca bien. No importa. Lo que no sabe es menos importante que el hecho de que sus hijos sepan que está dispuesto a escuchar y a hablar.

CUÁNDO HABLAR

Lo ideal es que usted haya comenzado a hablar con sus hijos sobre la sexualidad desde que eran muy pequeños. Para la edad de cinco años, los niños deben estar acostumbrados a los términos correctos para las partes sexuales del cuerpo; entre los seis y los ocho años, deben ser capaces de usar como es debido términos biológicos como vulva, vagina, senos, pene y testículos. Entre los nueve y los once años, los niños deben saber cómo nacen los bebés y cómo funciona el ciclo reproductor. Con estos antecedentes, es más fácil hablar a los adolescentes sobre su propia sexualidad. Sin embargo, aun cuando nunca haya mencionado el tema, debe prometerse que *ahora mismo* va a comenzar a hablar de él con su hijo adolescente.

Es mejor empezar antes de que ellos comiencen a tener una relación seria. Esto mantiene la conversación en un nivel de objetividad y facilita el intercambio de ideas. Además, brinda una comprensión básica que usted puede utilizar cuando su joven adolescente sostenga una relación de noviazgo. Ése es el modo ideal de obtener buenos resultados.

Sin embargo, es muy común empezar a pensar en el "diálogo serio" cuando los padres se dan cuenta de que su hijo comienza a enamorarse. En cuanto esto sucede, no cabe duda de que usted debe hablar de sexo, anticoncepción y embarazo, pero teniendo en cuenta que el proceso puede ser arduo. Todo lo que usted diga será ponderado a la luz de los sentimientos del nuevo amor. Cualquier opinión puede considerarse un ataque personal. Las emociones no han empezado a madurar. El mejor modo de respetar la situación vulnerable de su hijo sin dejar de transmitirle el mensaje es aprovechar los momentos didácticos, que permiten tratar el tema con cierta objetividad.

Buscar momentos "didácticos"

Los noticiarios parecen estar llenos de historias conmovedoras sobre jóvenes parejas y trémulas chicas adolescentes que dan a luz al bebé en baños públicos, garajes o cuartos de moteles, y los dejan morir ahí. Lo triste es que ésta puede ser la consecuencia de no haber tenido alguien con quien hablar. Usted puede aprovechar esta clase de noticias para sembrar la semilla apropiada y entablar el diálogo. Podría hacer un comentario como éste: "Esa pobre chica debe haber estado tan asustada... ¿Por qué crees que no pudo hablar del embarazo con sus padres? ¿Por qué crees que su pareja no sabía nada de la preñez? ¡Qué pena que no haya sabido de todas las agencias que existen para ayudar a jóvenes en situaciones idénticas a la suya!" También puede aprovechar esta clase de tragedias para proponer su propio mensaje: "Quiero que sepas ahora mismo que pase lo que pase en tu vida, nunca nada será tan terrible que no puedas decírmelo a mí; pero no dejemos que una tragedia sea la que tenga la palabra".

Esta clase de momentos "didácticos" se encuentra en todas partes:

- En los programas de televisión, en los que se ve a los personajes ir a la cama y salir de ella con una persona diferente en cada episodio: "¿Cómo es posible que nadie se embarace o contraiga una enfermedad por vía sexual en esta serie?"
- En un viaje de compras al centro comercial, cuando usted y su hijo adolescente ven a una joven pareja actuando sobre una banca pública como si fuera una alcoba privada: "¿Crees tú que hacer el amor deba ser un deporte público?"
- En la letra de canciones que fomentan el sexo libre o su abuso: "No estoy de acuerdo con lo que dice esa canción. ¿Tú qué opinas?"
- En los encabezados de revistas que proclaman a voz en cuello: "Aprenda a dar los mejores besos del mundo". "Yo me pregunto... ¿crees que un artículo de revista puede realmente enseñarte a besar?"

Los momentos didácticos se nos ofrecen sin cesar. Los padres de familia ya no pueden disculparse diciendo: "Siento que no puedo encontrar el momento apropiado para hablar de las 'aves y las abejas'". Esos momentos nos acosan por todos lados. A nosotros nos corresponde aprovecharlos.

DE QUÉ DEBE HABLARSE

Cuando hable acerca de la sexualidad con sus hijos adolescentes, no debe preocuparse por poner ideas en su cabeza o por darles información que aún no necesitan. Las ideas ya están ahí; lo que los adolescentes necesitan es seleccionarlas y encontrar el modo de que se ajusten a su vida. Y si no requiere de la información en ese momento, no tardarán en necesitarla. Los padres no estarán al alcance para compartir las realidades y los valores una vez que los hijos salen de la casa. El momento es ahora mismo.

Hay mucho qué tratar. Para saber por dónde comenzar, puede comunicarse con el departamento de ciencias y salud de la escuela de sus hijos y averiguar si cuenta con un plan de estudios que incluya la sexualidad humana, la reproducción y la anticoncepción. Esto le dará una perspectiva de la información que ellos ya tienen (o de la que aún no poseen).

Si su hijo adolescente está aprendiendo en la escuela lo relativo a la sexualidad humana, comuníquese con el maestro y explíquele que le gustaría saber cuándo va a tratar estos temas en la clase, para que usted pueda hablar de ellos con su hijo o su hija en la casa. Que no lo detenga la idea de que molesta al maestro. Los maestros y maestras ruegan a Dios que les dé padres que quieran continuar en el hogar esta clase de diálogos.

Los hechos

Si el sistema escolar no incluye la sexualidad humana en el plan de estudios, sus hijos necesitan la ayuda de usted para aprender las nociones básicas de la reproducción y la anticoncepción. Si una conversación formal sobre el tema resulta demasiado incómoda para usted o para su hijo, al menos consiga un buen libro (como los sugeridos al final de este capítulo), que está dirigido específicamente a adolescentes. Dele a su hijo el libro y, mirándolo a los ojos, dígale:

"Quiero que conozcas las respuestas correctas a todas tus preguntas sobre el sexo, por eso te compré este libro. También quiero que sepas que con mucho gusto hablaré contigo de cualquier cosa que leas en estas páginas o contestaré cualquier otra pregunta que puedas tener al respecto".

Aun cuando el joven adolescente proteste, se ruborice y le devuelva el libro, insista en que lo conserve. Con toda seguridad, un año después las páginas de ese libro estarán arrugadas, manchadas y gastadas de tanto uso.

Anticoncepción

Antes de hablar de la anticoncepción, debe pensar cuidadosamente lo que va a decir. Si sus convicciones religiosas o personales no permiten el uso de métodos anticonceptivos para evitar el embarazo, con toda calma y claridad explíqueselo a sus hijos. Dígales lo que piensa y por qué tiene esas convicciones. Luego explíqueles, en el tono más íntimo y convincente, la importancia de la abstinencia en los jóvenes adolescentes. Dígales que es el único método verdaderamente efectivo para controlar la natalidad, y que no es nada fuera de lo común. Los medios noticiosos están llenos de relatos de adolescentes que brindan apoyo a compañeros y compañeras para guardar abstinencia, formando grupos organizados, recibiendo promesas y compromisos y difundiendo la idea de que esta práctica es un recurso inteligente. Así que no tema hablar de ella en el hogar.

Si quiere que sus hijos usen métodos anticonceptivos cuando se vuelvan sexualmente activos, dígaselo. En una encuesta realizada a adolescentes que refirieron que sus padres les habían hablado de la sexualidad, sólo el 46 por ciento dijo que éstos habían mencionado el control natal. Si usted considera que las relaciones sexuales premaritales son inevitables, no pase por alto el valor de mencionar el tema de la anticoncepción. Sus hijos adolescentes no pueden adivinarle el pensamiento, y es muy poco probable que le pidan su opinión al respecto. Si se le facilita más mantener un diálogo objetivo, exprese sus sentimientos cuando lea las noticias. Si encuentra un artículo acerca de una joven soltera embarazada, puede hacer este comentario:

"Siempre me pregunto por qué estas chicas no usan anticonceptivos. Si se consideran con edad suficiente para realizar el acto sexual, deberían tenerla también para cuidar de su salud. ¿No te parece?"

Esto puede bastar para desencadenar el diálogo.

El momento ideal para hablar de la anticoncepción es antes de que sea una medida necesaria. Que no lo inquiete la idea de que hablar de formas más seguras de tener relaciones sexuales equivale a fomentarlas. Lo único que le está diciendo a su hijo es que usted se da cuenta de que él es un ser humano sexual, que llegará el día en que quiera tener una relación amorosa y segura con otra persona, y que –cuando ese día llegue– usted querrá que él esté debidamente informado. Podría decirle:

"Es posible que no estés preparado para recibir esta información, y no quiero que tengas relaciones sexuales durante tu adolescencia, pero deseo compartir estas verdades contigo para que, cuando llegue el día, sepas lo necesario."

Si usted sabe que su hijo adolescente es ya sexualmente activo, resulta vital hablarle de la anticoncepción y cerciorarse de que utilice un método seguro de control natal. No tema que esta clase de comentarios suyos parezcan favorables a la actividad sexual; desde luego, debe aclarar que usted se opone enérgicamente a cualquier ejercicio prematuro de la sexualidad antes de que la persona esté preparada para asumir las responsabilidades de un embarazo o de enfermedades transmitidas por vía sexual, como el SIDA, *pero* que, en vista de que su hijo piensa de otra manera, lo menos que puede hacer es aceptar la responsabilidad de su salud personal. Una vez que el joven adolescente se vuelve sexualmente activo, este diálogo ya no puede posponerse. La mitad de los embarazos prematrimoniales entre adolescentes ocurre durante los seis primeros meses después de iniciarse las relaciones sexuales, y un diez por ciento se presenta durante el primer mes.

El método de anticoncepción para los varones es el condón. Éstos deben saber usarlo correctamente. Casi todos los libros sobre sexualidad escritos para jóvenes varones incluyen guías con ilustraciones. Haga saber a su hijo que puede comprar condones en cualquier farmacia, sin que nadie le haga preguntas molestas.

Para las jovencitas, el problema de la anticoncepción es más complicado, dada la variedad de las opciones. Su hija necesita asesoría profesional para entender el uso de la píldora, del diafragma, de las cremas y espumas espermicidas, etcétera. El papel de la madre es cerciorarse de que su hija sepa bien que hay maneras de evitar el embarazo. Dígale que cualquier chica de dieciséis años o más puede recibir los consejos de un médico familiar o de una clínica de control natal, sin que los padres se enteren o tengan que dar su consentimiento.

Cualesquiera que sean sus sentimientos personales, es

un hecho que los jóvenes, hombres y mujeres, necesitan oír esta advertencia: "Si tienes la edad suficiente para tener un encuentro sexual, debes tener también la madurez suficiente para saber cómo usar anticonceptivos".

HABLAR DE LOS VALORES FAMILIARES

La escuela de su hijo adolescente puede ofrecer o no un programa sobre sexualidad humana; pero el hecho es que todos los jóvenes de esa edad necesitan saber las verdades de la vida y el modo como armonizan con el sistema de valores de su familia. Aprender que el esperma fertiliza un huevo y crea un bebé, no dice a los jóvenes nada sobre las ramificaciones que el acto sexual premarital tiene para el resto de la vida. Ésta es tarea de los padres de familia.

Transmita sus valores. Esto da a sus hijos adolescentes una base de donde partir en su esfuerzo por entender lo que tiene valor para ellos y la forma en que quieren conducirse. Si su opinión es que los adolescentes son demasiado jóvenes para las relaciones sexuales, dígalo claro. Es muy posible que su hijo respire con alivio al saber que usted apoya lo que él está ya sintiendo y con lo que está luchando. Por lo visto, los adolescentes no están recibiendo el mensaje de que no están obligados a tener relaciones sexuales. De los adolescentes sexualmente activos entrevistados para un estudio de la Universidad de Nebraska, el 54 por ciento declaró haber aceptado la relación sexual íntima cuando en realidad no la deseaba. Sin embargo, ¿cómo puede saber el adolescente que no todo el mundo piensa que precipitarse en brazos del sexo es bueno, si los padres no se lo dicen? Todo parece conspirar para convencer a los jóvenes de que el sexo en la adolescencia es la norma: la televisión, las películas, la música y los amigos. Escuchar el reverso de la medalla puede ser un gran consuelo para ellos (pero no espere que su hijo lo confiese).

Transmita sus valores sin disculparse por ellos: no existe garantía de que pueda prevenir toda actividad sexual ni un coito irresponsable o sin protección, pero tampoco está obligado a justificarlo.

EN QUÉ FORMA HABLAR

He aquí algunas sugerencias sobre el modo de hablar del sexo a sus hijos adolescentes.

- Mantenga abierta la puerta del diálogo. Aunque su hijo se resista a todos los intentos de dialogar sobre temas sexuales, no se dé por vencido. Cerciórese de que conozca claramente la actitud de usted: "Cualquier sentimiento, problema o idea que tengas al respecto podemos comentarla con absoluta calma. Eso no significa que siempre estaremos de acuerdo, pero sí que mi amor a ti es real".
- No permita que sus conversaciones sobre la sexualidad se enfoquen siempre al aspecto negativo, a las advertencias, los temores y las prohibiciones. Empéñese en que una parte del diálogo sea positiva. Recuerde que "sexo" no significa sólo acto sexual. Significa hablar con las personas del sexo opuesto, bromear y salir a pasear con ellas, besar, mostrar interés y aprender a disfrutar de sentimientos románticos. Hoy día esta realidad integral suele perderse cuando los artistas de la televisión y del cine se ven por vez primera, salen a cenar y luego van a acostarse juntos. Los jóvenes necesitan saber que en la vida real hay tiempo para conocerse mutuamente, para tomarse de la mano, para ir

a jugar boliche, para ver una película o simplemente para conversar. Ésta es una parte importante y amena de una relación de interés recíproco.

- Relate pasajes de su propia adolescencia. Comparta sus errores, ríase de sus buenos tiempos. Que su hijo adolescente sepa que hay muchas cosas relacionadas con la sexualidad que son naturales, normales, saludables y divertidas.
- No minimice los sentimientos románticos o sexuales de su hijo. Más bien aliéntelo a ser franco en cuanto a sentimientos, actitudes, intereses románticos y relaciones.
- Aprenda a escuchar. Dígale a menudo: "Háblame más de eso. ¿Cuáles son *tus sentimientos* al respecto?"
- No se precipite a sacar conclusiones. Si encuentra un condón en el bolsillo de la chaqueta, conserve la calma y reflexione antes de hablar. Una reacción explosiva, como decir "exijo que me digas ahora mismo si has tenido relaciones sexuales", puede dar muerte a una oportunidad ideal de averiguar lo que está pasando con su hijo. Hay muchas razones para que el varón adolescente tenga un condón en el bolsillo o un manual sobre sexo debajo de la cama, o para que la joven adolescente tenga píldoras para control de la natalidad en su bolso de mano. Dele la oportunidad de explicarse y désela usted de escuchar bien. Manteniendo la calma y escuchando con atención, usted crea un momento seguro para hablar con toda franqueza. Es posible que no le guste la respuesta sincera que el joven le dé, pero al menos la puerta quedará abierta para futuras conversaciones.

Hable en voz alta sin decir una palabra

Cuando usted habla con sus hijos de temas delicados y a

veces embarazosos, el lenguaje de su cuerpo puede ser mucho más elocuente que sus mismas palabras. Las palabras "Quiero que sepas que conmigo puedes hablar de todo lo que quieras" transmiten dos mensajes muy diferentes cuando el padre o la madre las dice sentado, inclinado hacia adelante, mirando directamente a los ojos del adolescente, y cuando las dice al otro extremo del cuarto, mientras hojea el periódico.

Cuando hable con sus hijos adolescentes acerca de sexualidad, anticoncepción y embarazo, tenga presentes estas reglas básicas del lenguaje corporal:

- Distancia: siéntese a lo sumo a un metro de distancia de su hijo.
- Postura: siéntese inclinado hacia él o ella, sin cruzar los brazos ni las piernas.
- Contacto ocular: mírelo directamente a los ojos y aliéntelo a responder en la misma forma a su mirada.
- Expresión facial: que la expresión de su rostro apoye sus palabras. Fruncir el ceño o hacer gestos de disgusto son señales negativas; las sonrisas, asentir con la cabeza y una mirada atenta son señales positivas.

PERSONAL Y CONTROVERTIDO

Hay aspectos de la sexualidad, la anticoncepción y el embarazo entre adolescentes, que son muy personales e incluso controversiales, y sobre los que las familias tienen puntos de vista diferentes. Lo reconocemos, y esperamos que haya cosas que usted quiera añadir o quitar a la información de este capítulo. Hemos incluido una perspectiva amplia del tema para que, si usted decide hablar de él, cuente con suficiente información. Cualquiera que sea su decisión, debe hacer un esfuerzo por hablar abierta y sinceramente de sus sentimientos. Permita que sus hijos adolescentes sepan cuál es su postura, aproveche momentos didácticos para reforzar su mensaje, y siempre deje la puerta abierta para que ellos puedan acudir a usted.

LECTURAS ADICIONALES

LANGFORD, LAURIE, *The Big Talk: Talking to Your Teens About Sex and Dating* ("La gran conversación: hable con sus hijos adolescentes sobre el sexo y las citas"), Wiley, Nueva York, 1998.

Especialmente para adolescentes

KELLY, GARY, *Sex and Sense: A Contemporary Guide for Teenagers* ("Sexo y sensaciones: guía contemporánea para adolescentes"), Barrons Juveniles, Hauppauge, Nueva York, 1993.

SOLIN, SABRINA y PAULA ELBIRT, *The* Seventeen *Guide to Sex and Your Body* ("Guía 'diecisiete' para el sexo y el cuerpo"), Aladdin Paperbacks, Nueva York, 1996.

STOPPARD, MIRIAM y SALLY ARTZ, *Sex Ed: Growing Up, Relationships and Sex* ("Edición sobre el sexo: crecimiento, relaciones y sexo"), DK Publishing, Nueva York, 1997.

Las enfermedades de transmisión sexual

Kyle, un chico de dieciséis años, sintió un gran alivio. Había estado sumamente preocupado por una eyaculación y una sensación de ardor en el pene durante la micción, que lo tenía enloquecido. Estaba a punto de hablar de esto con sus padres, cuando los síntomas desaparecieron. ¡Qué alivio!

Más bien, ¡qué pena! El que los síntomas agudos hubieran disminuido, no significaba que hubiera dejado de tener una enfermedad transmitida por vía sexual. Sin el debido tratamiento, la enfermedad permanecería en su cuerpo y la transmitiría a futuras parejas sexuales. Además, si no se le hacen análisis ni se le somete a tratamiento, puede acabar con una lesión permanente de los órganos reproductores. Al igual que millones de adolescentes, Kyle piensa que está perfectamente sano. La verdad es que contrajo una enfermedad sexual, y su ignorancia pone en peligro su salud y contribuye a una epidemia.

No es fácil hablar a los adolescentes de estas enfermedades, también conocidas como venéreas. Es un tema que avergüenza tanto a los jóvenes como a sus padres. Sin embargo, como en la sociedad hay tantos jóvenes como Kyle, no hay opción a elegir: es una necesidad absoluta.

CÓMO HABLAR DE LAS ENFERMEDADES VENÉREAS

Los padres de familia deben hablar con sus hijos de las enfermedades venéreas, o transmitidas por vía sexual, del mismo modo que les hablan de cualquier otro asunto privado que puede ser vergonzoso: con gran delicadeza, pero también con perseverancia. Se necesita delicadeza para ponerse a tono con los sentimientos de los jóvenes y poder reconfortarlos; pero también se requiere perseverancia para mostrar sin ambages la realidad, aun cuando el adolescente les pida no seguir adelante. Cuando se toca el tema, podría decirse algo como esto: "Espero que lo que te voy a decir no te parezca vergonzoso, pero es necesario que hablemos de todas las enfermedades venéreas, como sífilis y herpes, que están tan difundidas, para que cuentes con la debida información cuando te sea necesaria".

No se desaliente si la conversación resulta un monólogo. Es probable que su hijo no se adelante a ofrecer información o a compartir historias. Está bien. Usted exponga las realidades y vaya preparado para tener la palabra la mayor parte del tiempo.

POR QUÉ HABLAR DE LAS ENFERMEDADES VENÉREAS

Todos debemos hablar de las enfermedades venéreas con nuestros hijos adolescentes, porque estas infecciones causan más de veinte enfermedades diferentes, que –solamente en Estados Unidos– afectan a unos tres millones de adolescentes cada año. Esto significa que de cada cuatro jóvenes activos (hombres o mujeres), uno contrae alguna enfermedad venérea antes de salir de la preparatoria. Debemos hablar con nuestros adolescentes, porque el 90 por ciento de ellos son sexualmente activos cuando salen de la escuela. (Aun cuando usted esté seguro de que su hijo no es sexualmente activo por ahora, es muy probable que lo sea tarde o temprano y que para entonces necesite contar con la información.) Debemos hablarles, porque no es probable que ellos nos hablen a nosotros. Debemos hablarles de todas las enfermedades venéreas, porque el temor al VIH y al SIDA ha distraído la atención de todas las demás. Hoy día, a muchos adolescentes se les hacen pruebas relativas al VIH, sin pensar en las demás infecciones que son epidémicas entre personas con actividad sexual. Se trata de un tema delicado y privado, que da pena sacar a la luz. Sin embargo, hay que tener presente que el silencio tiene ramificaciones de mucho mayor alcance, que rebasan las fronteras de lo simplemente vergonzoso. Millones de personas contraen enfermedades durante su adolescencia, que más tarde llevarán al lecho con su pareja.

Considérense solamente los efectos de la clamidia (la enfermedad venérea más común en Estados Unidos, que de acuerdo con los cálculos afecta a un total de entre tres y diez millones de personas cada año): el 20 por ciento de los hombres y el 75 por ciento de las mujeres infectados no revelan síntomas de la enfermedad; pero si la clamidia se deja sin tratamiento, puede causar infecciones en los testículos y en las trompas, inflamación de la pelvis, esterilidad y daño permanente a los órganos reproductores. Los bebés que nacen de madres infectadas pueden quedar también infectados. Además, se pueden desarrollar infecciones oftalmológicas y pulmonía. No podemos permitir que la ignorancia ponga en un peligro tan grave la salud de nuestros hijos.

CUÁNDO HABLAR DE LAS ENFERMEDADES VENÉREAS

Como lo más probable es que usted sea quien hable la mayor parte del tiempo, es necesario que busque un momento en el que su hijo adolescente lo escuche con atención, cuando no esté sucediendo alguna otra cosa. Elija un momento en que usted y él puedan sentarse juntos y hablar sin interrupción al menos unos veinte minutos. (Esto deja tiempo para que, si su hijo tiene preguntas que no le molesta hacer, las plantee.) Elija un momento en el que el joven esté en actitud receptiva (no distraído con problemas de la escuela o de amigos). Elija un momento en el que no sea probable que haya mayor agitación en la casa y en el que usted pueda dejar el teléfono desconectado. Podría tratar de hablar durante un trayecto en el auto (esto le proporcionaría un público cautivo). Estas cosas facilitan más el que usted retenga la atención de sus hijos sobre un tema que los hace querer salir disparados por la puerta.

No existe el momento perfecto para tratar este tema. Pero usted podría considerar estas ideas.

Inmediatamente

Si usted sabe o sospecha que su hijo adolescente es sexualmente activo, es el momento de que le hable de las enfermedades venéreas. No hay razón para creer que él tenga la fortuna de ser sexualmente activo y de evitar una enfermedad infecciosa. La suerte no tiene nada que ver con esto. La gente sexualmente activa se mantiene sana cuando cuenta con la información necesaria para tomar decisiones maduras.

Después de la escuela

En muchas escuelas, el estudio de las enfermedades venéreas es parte del currículo de salud. Llame a la escuela de su hijo y averigüe si se trata este tema y cuándo. (Puede evitar sentirse apenado si pide un currículo de salud para el grado en que está su hijo. Esto le dará toda la información que necesita, sin pedirla en forma directa.) Si encuentra que las enfermedades venéreas se incluyen en el programa de estudios, lo mejor es que haga coincidir su charla al respecto con los estudios escolares. Cuando el tema está ya tratándose en la escuela, es fácil preguntar: "¿Qué están estudiando sobre las enfermedades venéreas? ¿De cuáles han hablado? ¿Cuál crees que sea la peor? ¿Crees que algún compañero o compañera de tu escuela pueda tener una enfermedad venérea?" Reforzar la información en la casa ayudará al adolescente a apreciar la gravedad del problema. Usted puede pedir a su hijo que le diga cuándo va a tratarse el tema (pero teniendo presente que esta táctica no es muy confiable), o puede pedir al maestro de salud que le avise cuándo va a tratarse en clase dicho tema.

Cuando todavía son bastante jóvenes para escuchar

Si considera que su hijo se ha abstenido de toda actividad sexual (oral o genital) durante la secundaria y la preparatoria, su conversación sobre las enfermedades venéreas puede posponerse un poco. Sin embargo, no olvide que su hijo adolescente será una persona activa en algún momento y que necesitará esta información. La probabilidad de que le escuchen es mucho mayor con los adolescentes jóvenes que con los mayores, así que no espere demasiado para tener esta conversación. La mayoría de los expertos recomiendan que todos los jóvenes conozcan los peligros de las enfermedades venéreas a más tardar a la edad de doce o trece años. Esto tiene especial importancia en esta época del SIDA.

SOBRE QUÉ DEBE USTED HABLAR

No creemos que lo mejor sea sentarse a hablar de todas y cada una de las enfermedades venéreas conocidas, enumerando los síntomas, las complicaciones y los tratamientos de cada una. Esto es más una lección que un diálogo. Es mejor que opte por dar al adolescente la información general que necesita para tener conciencia y precaución, y mantenerse protegido. Podría comenzar dándole la oportunidad de que hable de lo que ya sabe.

Podría preguntarle: "¿Has oído alguna vez a alguien en la escuela hablar de un problema médico con apelativos como "gon", "blen", "sif", "E V"?
Si su adolescente contesta "ajá", tranquilícelo: "Es bueno saber que los jóvenes tienen conciencia de las enfermedades que se transmiten por vía sexual. ¡Me sorprendió leer el otro día que hay alrededor de tres millones de jóvenes infectados!"
Si su adolescente da una respuesta negativa, no por eso cambie de tema. Más bien dígale: "Me sorprende; todos estos nombres y otros por el estilo para las enfermedades venéreas son hoy muy comunes entre los adolescentes. El otro día leí que ¡cerca de tres millones de jóvenes están infectados con estas enfermedades!"
Luego prosiga: "Existe un buen número de estas enfermedades, y puede contraerse más de una en un momento dado. Tal vez conozcas ya sus nombres médicos: clamidia, gonorrea, sífilis, herpes genital, virus del papiloma humano y virus de inmunodeficiencia humana.

Si su hijo se muestra molesto con este tema, expóngale su razón para tratarlo: "Las enfermedades venéreas infectan a millones de personas cada año. Por el amor que te tengo, quiero cerciorarme de que conoces esta epidemia y de que sabes cómo mantenerte a salvo de ella. Es posible que ya sepas algo de esto. Otras cosas podrán ser nuevas para ti. Simplemente escúchame y guárdate estos datos por si llegas a necesitarlos".

Con eso, queda abierta la puerta para entrar de lleno al tema. Si el adolescente se muestra abierto a la conversación, déjese guiar por él, escuchando con atención y llenando los espacios en blanco con la siguiente información sobre el contagio, los síntomas, el tratamiento y el modo de prevenirlas, cuando se vea la necesidad.

Contagio

Diga a su hijo adolescente: "La actividad sexual por sí sola no es causa de enfermedades venéreas (aunque mucha gente así lo piensa). Uno puede contagiarse de alguna de esas enfermedades sólo en caso de que realice el acto sexual (oral, anal o genital) con una persona infectada.

Síntomas

Diga a su hijo adolescente: "Cualquiera que sea sexualmente activo, debe sospechar una enfermedad venérea y consultar al doctor si revela alguno de estos síntomas:

- Flujo vaginal, del pene o rectal
- Dolor o sensación de ardor durante la micción o el coito
- Dolor en el abdomen (las mujeres), en los testículos (los hombres) y en las asentaderas y piernas (ambos)
- Ampollas, llagas abiertas, verrugas, erupciones o inflamación en la zona genital, en los órganos sexuales o en la boca
- Síntomas parecidos a la gripe, con fiebre, jaquecas, dolor muscular o glándulas inflamadas.

"Ten esto presente, pero también recuerda que hay enfermedades venéreas que *no presentan* síntomas. Otras presentan síntomas que desaparecen sin tratamiento; pero eso no significa que se haya acabado la enfermedad. La gente que se siente sana cree que no tiene ninguna enfermedad venérea, pero eso no siempre es verdad".

Insista: "Muchas personas con enfermedades venéreas ni siquiera saben que las tienen. Cualquier adolescente que sea sexualmente activo puede ser portador de alguna (o de más de una) enfermedad transmitida por vía sexual".

Tratamiento

Diga a su adolescente: "Las enfermedades venéreas son un problema grave que debe tratarse. El tratamiento depende del tipo de enfermedad: la mayoría son enfermedades bacterianas y requieren una receta de antibiótico; otras son virales y no tienen cura, pero no son mortales, y los síntomas pueden tratarse con medicinas. El VIH –como estoy seguro de que ya sabes– no tiene cura y es mortal" (Véase "VIH / SIDA" para sugerencias sobre el modo de hablar de esta enfermedad venérea.)

Como son tantos los adolescentes que no buscan atención médica cuando notan síntomas de una enfermedad venérea, diga a sus hijos adolescentes:

"Si no se atienden, las enfermedades venéreas pueden causar problemas de salud muy graves, como éstos:

Embarazos tubáricos, a veces fatales para la madre, y siempre mortales para el bebé nonato.
La muerte o una grave lesión para el bebé nacido de una madre infectada.
Esterilidad.

Infertilidad.
Cáncer en el cuello del útero de la mujer.
Lesión en otras partes del cuerpo, entre ellas el corazón, los riñones y el cerebro.
Muerte.
Ceguera.
Artritis.
Enfermedad mental grave".

Estos datos son aterradores, pero a menudo no lo suficiente para animar a los adolescentes a abrirse y pedir ayuda. Muchos jóvenes a los que preocupa la posibilidad de una infección responden a esta clase de información preocupándose más, pero sin hacer nada. Es un momento en el que hay que respetar la necesidad de privacía sexual del adolescente. Si usted sospecha que él no se siente con libertad de confiar en usted, anteponga la salud del joven a su orgullo personal, y dígale:

"En todas las ciudades hay manera de hacer pruebas a los menores de edad, hacerles un diagnóstico y aplicarles un tratamiento para enfermedades venéreas sin necesidad de que sus padres se enteren ni consientan en ello. Si en un momento dado llegaras a necesitar atención médica y te apena mucho decírmelo o ir con el médico familiar, puedes llamar a una clínica de salubridad y alguien de ahí podrá remitirte a un médico o a la clínica más cercana para adolescentes o enfermedades venéreas, a fin de aplicarte un tratamiento anónimo. Te digo esto con la esperanza de que sientas confianza de acudir primero a mí, pero también para que sepas que lo más importante es que cuides de tu salud."

Prevención

El problema de exponer estas realidades a los adolescentes es que se da la impresión de que el sexo es de suyo peligroso y sucio. El objeto de nuestro análisis debe ser ayudar al adolescente a ver el sexo como una expresión humana segura y natural entre dos personas que se aman mutuamente y no quieren contagiarse ninguna enfermedad venérea.

Si cree que su hijo no es sexualmente activo y usted es firme partidario de la abstinencia durante esa edad, dígale lo que piensa:

"El modo responsable y seguro de evitar las enfermedades venéreas en la adolescencia es la abstinencia sexual. Los jóvenes que evitan el contacto sexual no tienen que preocuparse un solo minuto de un posible embarazo ni de enfermedades."

En cambio, si sospecha que su adolescente es sexualmente activo, o si quiere darle información que va a necesitar cuando se vuelva sexualmente activo, su conversación sobre la prevención debe ir más allá del tema de la abstinencia. Hágale estos comentarios:

- "No tengas contacto sexual a la ligera, con personas que no conoces. Este contacto sexual informal es un proceder grave y autodestructivo. En esa forma, estás teniendo contacto sexual con todos aquellos con quienes tu compañero o compañera lo ha tenido ya antes. Si no conoces a esa persona, debes suponer que ha tenido contacto sexual con muchos otros a quienes tampoco conocía. Lo más probable es que la gente que toma el acto sexual tan a la ligera sea portadora de enfermedades venéreas."
- "Mantente fiel a una sola pareja. Cuantas más parejas tiene una persona, tanto mayor es el riesgo de contraer una enfermedad de origen sexual."
- "Siempre que tengas relaciones sexuales, usa un con-

dón. El condón actúa como barrera o muralla para impedir que la sangre, el semen y los fluidos vaginales pasen de una persona a otra durante el coito. Esos fluidos pueden ser portadores de gérmenes de enfermedades venéreas. Si no usas condón, los gérmenes pueden pasar de la persona infectada a la sana."

Insista en esto: "El condón no garantiza que no contraigas una enfermedad venérea, pero la mayoría de los expertos opinan que el riesgo de contraer SIDA y otras enfermedades que se contraen por esta vía puede reducirse notablemente si se hace el debido uso del preservativo. En otras palabras: el contacto sexual con preservativos profilácticos (condones) no es absolutamente seguro, pero es menos peligroso".

Cerciórese de que su hijo adolescente tenga claras las nociones básicas:

- Los únicos condones resistentes son los nuevos.
- Los condones viejos o averiados por el calor no dan buen resultado. (La guantera del auto o la billetera no es el lugar apropiado para guardarlos.)
- Los condones no son reutilizables.
- Debe usarse un condón nuevo si el acto sexual se realiza primero en forma anal y luego vaginal.
- El condón debe colocarse correctamente en torno al pene en erección.
- Los condones pueden comprarse en cualquier farmacia, sin receta alguna.

Cuando usted habla de prevención, en realidad está aludiendo a la responsabilidad. Asegúrese de que sus adolescentes sepan bien que:

"Es responsabilidad de todo varón o mujer sexualmente activos cerciorarse de estar protegidos contra las enfermedades venéreas, y de procurarse el cuidado médico rutinario. Si piensas que tú y tu pareja deben usar condones, pero ésta los rehúsa, a ti te toca decir NO al contacto sexual con esa persona."

Mitos

Su hijo podría tal vez mencionarle cientos de maneras de evitar las enfermedades venéreas; cada generación confunde y mezcla los viejos remedios y encuentra otros propios. Él debe saber que la mayoría de los "remedios caseros", incluidas esas recetas populares, no previenen ni tratan las enfermedades venéreas; es el caso de:

Anticonceptivos como la píldora, el diafragma, las esponjas y las cremas.

Los lavados vaginales (que de hecho lo que hacen es empujar los microorganismos infecciosos hacia el interior de la vagina).

Bañarse (lavar los órganos genitales del varón puede ayudar a eliminar los microorganismos causantes de enfermedades venéreas, pero no siempre. El baño no es efectivo en absoluto para las mujeres).

Los antibióticos que podrían haberse quedado en el gabinete del baño después de un caso de infección estreptocócica (los antibióticos prescritos para otras enfermedades infecciosas no deben usarse como tratamiento de las venéreas).

Tener sólo sexo oral o anal (ambas formas pueden contagiar enfermedades venéreas).

Estas son las verdades. Si sus adolescentes tienen esta información básica sobre enfermedades transmitidas por vía sexual, es menos probable que estén en peligro de infección. Además, el solo hecho de que sepan que éste es un tema que usted conoce y del que está dispuesto a hablar, les da la oportunidad de contar con alguien a quien dirigirse para hablar de sus preocupaciones e intereses.

RECURSOS

STD Hotline ("Línea Telefónica de Emergencia para Enfermedades Venéreas.)
(800) 227-8922 Para respuestas rápidas a toda clase de preguntas sobre estas enfermedades.

LECTURAS ADICIONALES

Especialmente para adolescentes

BRODMAN, MICHAEL y otros, *Straight Talk About Sexually Transmitted Diseases* ("Hablar con libertad acerca de las enfermedades transmitidas sexualmente"), Datos de archivo, Nueva York, 1993.

WOODS, SAMUEL, *Everything You Need to Know About Sexually Transmitted Diseases* ("Todo lo que necesita saber sobre las enfermedades transmitidas sexualmente"), Rosen Publishing Group, Nueva York, 1997.

Los tatuajes y perforaciones del cuerpo

Jody había estado hablando de su nuevo novio durante semanas. Todo lo relativo a él parecía perfecto: era un joven amable, considerado, divertido e interesado en ella.

–Entonces, ¿por qué no lo invitas a la casa? –le preguntó su madre.

–Es tímido –contestó Jody, entre dientes.

–No tiene nada de tímido –rebatió en el acto su hermano menor–. Trae una docena de anillos colgando por toda la cara. Por eso ella no quiere que ustedes lo vean.

Ésa era la realidad. Jody temía que sus padres recibieran una mala impresión del amigo si veían que tenía la nariz, la ceja, la lengua, una oreja, la mejilla y el labio "adornados" con anillos. Y quizá tuviera razón de abrigar ese temor. Sin embargo, lo más importante fue que al tener esa información del novio de Jody, los padres se preocuparon por la influencia que pudiera tener sobre ella. Sabían que si los anillos le parecían atractivos en un amigo, no tardaría en querer lucirlos ella también. Era el momento de hablar del asunto.

NO SE TRATA YA DE UNA SIMPLE MODA PASAJERA Y MARGINAL

Perforarse el cuerpo y grabarlo con tatuajes no es sólo un rito de iniciación de pandillas callejeras, ni simples arreos de lunáticos de las bandas de rock. Se trata de costumbres del común de los adolescentes. Anillos en el ombligo, barritas atravesadas en la lengua y tatuajes de mariposas son tan comunes hoy como los collares de cuentas amorosas y el incienso lo eran en la década de los años sesenta. Han proyectado su imagen rebelde y se han impuesto en el mercado de los impresionables adolescentes gracias a los videos, los ídolos musicales y las modelos.

¿QUÉ TIENE ESO DE MALO?

Esta moda preocupa más a los padres de familia que las rodillas rasgadas en los pantalones de mezclilla y las franjas azules en el cabello, porque afecta el cuerpo en forma permanente y puede acarrear toda una serie de complicaciones y problemas médicos. Al prepararse para hablar con sus hijos adolescentes de esta moda actual, lo primero que usted tiene que hacer es examinar bien lo que hay de cierto sobre los tatuajes y las perforaciones en el cuerpo. Esto puede ayudarle a decidir su postura personal sobre el asunto, antes de verse acorralado; por otro lado, como sucede con todo lo demás, cuando usted sabe de lo que está hablando, tiene más probabilidades de entablar con sus hijos un diálogo significativo.

TATUAJES

Los tatuajes son una forma permanente de "adornar" la piel, insertando tintes o colorantes subcutáneos con una aguja o algún otro instrumento penetrante. Esto lo sabe bien su hijo adolescente, pero lo que tal vez ignora son los detalles sobre el procedimiento para tatuar, el dolor que causa, los cuidados posteriores para prevenir una infección, los procedimientos para quitar el tatuaje o los requisitos legales sobre la edad, para esta forma de decoración del cuerpo.

Procedimientos para aplicar tatuajes

Los tatuajes más sencillos requieren al menos una hora para su elaboración, y los de mayor tamaño o más fantasiosos requieren mucho más tiempo. Cualquiera que sea el diseño o el tamaño, el procedimiento puede ser sumamente doloroso, y el dolor dura mientras está practicándose. De hecho, no es raro que la persona vomite o incluso se desmaye mientras le realizan un tatuaje. (Un detalle interesante: los tatuajes de la piel que se encuentra sobre huesos, como la clavícula o el maléolo, tienden a causar más dolor que en otras regiones del cuerpo.) Como el dolor incesante es intenso aun para el joven más resistente, si el artista que aplica el tatuaje es una persona responsable, no trabajará más de tres o cuatro horas –a lo sumo– en una visita. (A veces es buena idea animar a su hijo a ver lo que hacen a algún amigo o amiga, durante este procedimiento, antes de decidir si esa clase de "adorno" corporal amerita semejante trauma físico.)

Después de pasar por todo lo anterior, los tatuajes ni siquiera conservan sus brillantes colores originales; con el tiempo se desvanecen y se ven como desgastados. Para conservar el aspecto reluciente, algunos artistas usan tinta china, que es muy negra y no se desvanece. Lo malo de esa clase de tinta es que contiene veneno. Aunque no es probable que éste llegue a dar muerte a su hijo, puede causarle una grave enfermedad. También puede impedirle tener hijos o ser causa de que los hijos que tenga nazcan con defectos congénitos. Es evidente que conviene saber todo esto.

Cuidados subsiguientes

El cuidado que requiere un nuevo tatuaje exige tiempo y paciencia, pero es absolutamente necesario para evitar infecciones, cicatrices y tatuajes arruinados. Hay que mantenerlo vendado durante las primeras veinticuatro horas. Después de quitar los vendajes, hay que aplicar ungüento antibacteriano a esa parte de la piel, tres veces al día, durante dos o tres semanas. Después de formarse la costra sobre el tatuaje, la resequedad de éste es notable, por eso es importante mantenerlo húmedo durante un periodo de uno a dos meses, usando cada día una loción humectante. El adolescente no puede nadar, al menos durante dos semanas después de hacerse un tatuaje, y necesita evitar la luz solar directa durante dos o cuatro semanas, porque descoloraría el tatuaje. (Resulta obvio que la temporada de verano –cuando es más frecuente que los jóvenes piensen en adornarse la piel– no es el tiempo más indicado para un tatuaje.)

Remoción del tatuaje

Su hijo adolescente necesita conocer también los detalles de la remoción de un tatuaje. Es cierto que a todos los jóvenes les resulta difícil imaginarse la vida cinco años adelante, pero antes de comprometerse con expresiones artísticas en su cuerpo les conviene saber que cuando crezcan es posible que detesten esa moda; por eso necesitan conocer la realidad. Hay dos opciones para quien quiere quitarse un tatuaje. La primera es cubrirlo con otro. Es una opción popular para los que se tatúan el nombre de una persona querida y luego se alejan de ella y dejan atrás ese amor. Este cambio en los sentimientos íntimos resulta doloroso y sumamente costoso. La otra opción es la cirugía láser. Este rayo, en las manos expertas del médico, borra los colores o pigmentos del tatuaje. Por desgracia, esta operación no puede remover la tinta misma del cuerpo, así que ésta permanecerá en el cuerpo del joven por el resto de su vida. Además, la cirugía láser no hace desaparecer completamente el tatuaje, porque forma una cicatriz color carne sobre el tatuaje anterior. El costo de remover una pulgada cuadrada de tatuaje fluctúa entre $ 500 y $ 1,000 dólares.

No obstante el dolor y el gasto, la remoción de tatuajes es un negocio muy lucrativo. En mayo de 1994, el gobierno municipal de San José, California, patrocinó un programa de una semana para ayudar a los que habían sido miembros de una pandilla a deshacerse de los tatuajes, mediante cirugía láser, sin costo alguno. La respuesta al programa fue arrolladora: se eliminaron más de mil tatuajes. Obviamente, hay mucha gente que lamenta su decisión de haber querido "adornarse" el cuerpo en forma permanente.

La ley

Tatuarse no es algo que deba hacerse por impulso o capricho. Es una decisión seria; tan seria, que en muchas poblaciones de Estados Unidos el tatuaje está prohibido por ley. Cuando se permite, a menudo se restringe a personas de dieciocho años en adelante, o –si se permite a menores– se hace sólo mediante el consentimiento de un padre, madre o custodio legal. Infórmese de lo que la ley dispone en la región donde usted vive, llamando al departamento de salubridad de su estado.

PERFORACIONES EN EL CUERPO

Perforarse el cuerpo se ha vuelto muy común entre los adolescentes, pero no es nada nuevo. Además de haberse usado como parte de los ritos espirituales o tribales a lo largo de la historia, la perforación del lóbulo de las orejas ha sido una moda entre el sexo femenino, al menos desde principios del siglo V. En la década de los ochenta se popularizó la costumbre de que mujeres y hombres se hicieran múltiples perforaciones en el lóbulo de la oreja. Desde la década de los noventa, la nariz, las cejas, los labios, la lengua, la mejilla, el ombligo, el pezón y los órganos genitales se han vuelto órganos predilectos para enjoyarlos con anillos y otras alhajas.

Procedimiento de perforación

Perforarse el cuerpo no es una experiencia placentera: ¡causa dolor! La mayoría de la gente comienza por perforarse una oreja y cree que hacerlo en todo el cuerpo será una operación tan sencilla e indolora como aquélla. Hay una gran diferencia. El tejido corporal, los músculos y las terminaciones nerviosas en la nariz, los labios, el ombligo, etcétera, no son como el cartílago del lóbulo de la oreja. Son partes del cuerpo mucho más sensibles al dolor y más susceptibles de infección y de lesión permanente.

Para hacer el agujero, la piel se marca con dos puntos: uno por donde la aguja entra y otro por donde sale. Luego, la piel se estira alejándola del cuerpo, para perforarla. Lo común es que esa región corporal no se adormezca con algún tipo de anestesia, porque esa clase de drogas no puede ser administrada más que por una persona autorizada en el ejercicio de su profesión. El intenso dolor de la perforación dura sólo unos minutos; le sigue una sensación de miembro adolorido, que dura varias semanas.

El tiempo promedio para que la herida de estas perforaciones sane es mucho más prolongado que el de un tatuaje. Las perforaciones en la nariz requieren de cuatro a seis semanas; las del ombligo, de cuatro a seis meses. durante ese tiempo, la piel en torno a la perforación estará tierna y sensible. Son especialmente dolorosas las perforaciones de la lengua, y este órgano a menudo permanece inflamado varios días, lo que casi imposibilita el comer y el hablar.

Cuidados subsiguientes

Lo mismo que los tatuajes, las perforaciones abren la piel y exponen el cuerpo a la infección; por eso hay que mantener en todo momento limpia la nueva perforación. El sitio donde se hace necesita lavarse al menos tres veces al día durante el tiempo que tarde en sanar por completo. Como la carne puede curarse adhiriéndose a la pieza de joyería, ésta hay que moverla al menos de tres a cuatro veces al día (lavándose primero las manos). Además –lo mismo que con los tatuajes– la persona "perforada" tiene que abstenerse de nadar dos semanas después de la operación (lo que se vuelve problemático en vacaciones).

Es posible también que el cuerpo rechace una perforación. Esto significa que la herida no se restañará, y que se infectará por más cuidados que se tengan con ella. (Se calcula que esto sucede en un cincuenta por ciento de las perforaciones del ombligo.) Si esto acontece, hay que quitar la alhaja insertada, para que la perforación pueda sanar y la herida cerrarse, dejando una cicatriz. Pero aun eso no representa la conclusión de la perforación corporal, porque es posible que el cuerpo rechace la perforación en una región, pero sin reaccionar contra otra en absoluto. El resultado de una perforación es impredecible y puede convertirse en un juego de azar costoso. Que el adolescente sepa bien a lo que se expone desde un principio.

La ley

En la actualidad, muy pocos reglamentos gubernamentales se aplican a las perforaciones del cuerpo. Pocos gobiernos locales vigilan activamente los sitios donde se practican, o exigen alguna clase de adiestramiento o de licencia por parte de los "artistas perforadores" (en cambio, sí requieren licencia para los barberos o peluqueros). Aunque sólo fuera por estas razones, su hijo adolescente necesita estar en guardia antes de siquiera pensar en perforarse el cuerpo.

Remoción de la perforación

Cerciórese de que su hijo sepa que no puede "eliminar" o suprimir las perforaciones, una vez hechas. No es verdad que si se quita la alhaja de una perforación, la abertura corporal sanará y se cerrará. La perforación hace un agujero en el cuerpo. Aun después de curarse como es debido, el agujero permanece, con alhaja o sin ella. Los adolescentes "perforados" pueden decidir dejar de ponerse joyas ahí, si les fastidia el aspecto que les dan, pero no tendrán más remedio que vivir con un agujero muy visible y nada atractivo en su cuerpo.

CUANDO LA RESPUESTA ES "NO"

Después de haber reunido la información necesaria, usted puede decir que no a las perforaciones del cuerpo y a los tatuajes. Simplemente añada esto a la lista:

"No tienes mi aprobación para consumir drogas ilegales, para beber alcohol, para estar fuera de la casa toda la noche, ni tampoco para alterar tu cuerpo en forma permanente con tatuajes o perforaciones."

Eso es todo. Es la base. No es una opción fácil, pero no cabe duda de que es una opción.

¿Quién tiene el control?

A los adolescentes les gusta pensar que ellos deben ser los responsables de su propia vida: es cosa normal y una parte natural del proceso de crecer alejados de sus padres. Los jóvenes dirán a sus padres que no tienen derecho a decirles lo que pueden o no pueden hacer con su cuerpo. Insistirán en que no desean sino controlarlos y que no quieren verlos crecer.

Sin embargo, los padres saben que es deber suyo tener el control de sus hijos adolescentes. Lo bueno es que la ley está de acuerdo en esto. Por eso a los hijos de menos de dieciocho años se les llama menores. Debido a ello, si un hijo menor de edad viola la ley, puede considerarse responsables a los padres. Por esa razón las leyes (sobre beber alcohol, conducir un automóvil, jugar a la lotería y otros juegos de azar, etcétera) están hechas para proteger a los jóvenes de su exagerada opinión sobre la competencia personal. Éste es el mundo en el que todos vivimos. Los jóvenes de menos de dieciocho años no tienen la responsabilidad.

Esta enérgica forma de ver las cosas no es cruel. Es sólo el ejercicio de la patria potestad aplicado a problemas difíciles, sin ceder en lo que sinceramente se considera lo mejor para los hijos. Cuando éstos saben que usted no va a retroceder, pueden incluso escudarse en la firmeza de los padres para conservar su buen nombre. Muchos adolescentes protestan apasionadamente y en voz muy alta, pero sólo para regresar a su alcoba (después de dar un buen portazo) sintiendo un gran alivio. El adolescente puede entonces culpar a sus anticuados y poco razonables padres de no poder hacer algo que en realidad él tampoco quiere hacer, pero que se siente presionado a realizar por los compañeros.

Empiece a hablar

Si usted sabe ya que no va a permitir a su hijo adolescente tatuarse o perforarse el cuerpo, no espere a que él le pregunte para pronunciarse claramente. Usted debe manifestar sin rodeos a su hijo lo que piensa, porque aun en poblaciones y ciudades donde estos procedimientos son contrarios a la ley, es demasiado fácil para los adolescentes sentarse a cenar con un nuevo tatuaje o perforación. Los sitios clandestinos para tatuar y perforar el cuerpo aparecen por doquier. Las perforaciones de la cabeza a los pies se hacen en medio de fiestas, en ferias callejeras y prácticamente en cualquier reunión social. Los jóvenes mismos se hacen las perforaciones y los tatuajes unos a otros. Muchos padres se han enterado con horror de que su hijo se atravesó la piel con una aguja de zurcir y luego metió un alfiler de seguridad a través del agujero.

Mencione el tema cuando esté con su hijo y ambos vean a una persona con tatuajes o anillos. Sin criticarla o ridiculizarla, exprese claramente sus sentimientos. Diga sin ambages:

"Quiero que sepas que no tienes permiso para hacerte un tatuaje ni para perforar ninguna parte de tu cuerpo. Que no se te vaya a ocurrir sorprenderme un día con una de estas 'expresiones de arte corporal'. No te está permitido."

Después de esto, manténgase abierto al diálogo si su hijo quiere hablar (o protestar). Deje que exprese sus opiniones, aliéntelo a decirle lo que sabe sobre el procedimiento o a hablar de cualquier amigo o amiga que se haya adornado ya de esta manera. Usted es quien "tiene la sartén del mango", y puede escuchar y explicar su decisión, pero no necesita discutir cuando su decisión es clara y no negociable.

CUANDO USTED ESTÉ ABIERTO A LA IDEA

Es posible que usted quiera abrirse a la posibilidad de que su hijo adolescente necesite expresarse por medio de tatuajes o perforaciones corporales, y esté dispuesto a volver a tratar el asunto En este caso, su tarea consiste en ayudar a su hijo a reflexionar sobre la decisión. Son demasiados los adolescentes que, en un ímpetu repentino, deciden tatuarse o perforarse. Desean quedar bien o dar una nota de estridencia contra los valores de la clase media, o bien mostrar una actitud de audacia. Todo esto podrá estar bien, con tal de que no carezcan de los conocimientos importantes sobre los procedimientos, o abriguen expectativas falsas o irreales de lo que será la experiencia del tatuaje o de la perforación. En estos aspectos es en los que usted puede ayudar.

Reflexionar, antes de precipitarse

Usted puede ayudar a su hijo a pensar más allá del ímpetu del momento, hablando de los caprichosos cambios de la moda con el paso del tiempo. Al igual que todas las expresiones de actualidad, las perforaciones corporales por ser anticuadas acabarán. Lo malo es que, a diferencia de un par de pantalones pasados de moda, las perforaciones no pueden arrumbarse en el armario, porque son parte permanente del cuerpo. Dígaselo a su hijo:

"Antes de que te apliques esa forma de arte, quiero que pienses en ella. Recuerda cómo han cambiado naturalmente tus gustos con el tiempo, y cómo cambian también los estilos y las tendencias. Decide si todavía querrás esto dentro de diez años y si no te habrás fastidiado ya del mismo tatuaje o de la vieja perforación." (Por ejemplo, si se trata de una jovencita, recuérdele aquel papel tapiz de "Barbie" que quería en su alcoba cuando tenía siete años.)

Conviene que su hijo adolescente piense también que lo que hoy es "la nueva ola", mañana habrá perdido su valor. Usted podría advertirle: "Me parece que es ya excesivo el número de adultos y de jóvenes promedio que están poniéndose tatuajes y haciéndose perforaciones, que a la vuelta de la esquina no son ya más que la marca distintiva de gente rancia". Y, si esto es en el lapso de unos meses, ¿qué será dentro de diez años, cuando la moda se haya desvanecido por completo? ¡Los adolescentes de hoy acabarán por imponerse a sí mismos el membrete de "la vieja generación"!

Todo esto podrá parecer un intento suyo por lograr que el joven adolescente cambie de opinión, pero en realidad no es más que un modo de ayudarle a considerar todas las ramificaciones que tal vez no tenga presentes en su desatinado afán de estar "al último grito de la moda". Si los padres no ayudan a los jóvenes a reflexionar sobre estas realidades, estén seguros de que dentro de un par de años, cuando la joven se canse de la deformación, será la primera en reclamarles: "¿Cómo pudiste dejarme cometer semejante torpeza?"

Su hijo adolescente necesita también considerar las reglas del lugar de trabajo. Los tatuajes y las perforaciones no son aceptados en ciertos empleos, porque la mayoría de la gente los considera indignos de un profesional. Dígalo con toda franqueza a sus jóvenes hijos:

"Aunque es verdad que no es equitativo juzgar el talento laboral de una persona por su apariencia, de hecho así se hace, y tú necesitas saber que determinados empleos y carreras van a estarte vedados si te haces tatuajes o perforaciones."

Por último, cerciórese de que el adolescente entienda la responsabilidad que asume de cuidar debidamente el tatuaje o la perforación durante las primeras semanas después de realizado el procedimiento. Una vez perforada la piel, va a necesitar un cuidado médico constante que requiere paciencia y esfuerzo.

Si su hijo es de los que olvidan limpiarse los intersticios de la dentadura con el hilo de seda o mantener limpios los lentes de contacto, más vale que lo piense dos veces antes de aceptar la responsabilidad de cuidar de un tatuaje o de una perforación.

Considerar otras posibilidades

Antes de comprometerse con adornos corporales permanentes, los padres podrían animar al joven adolescente a informarse de los estilos de "tatuaje" o de "perforación" menos agresivos.

Tatuajes temporales. Hay tres clases de tatuajes temporales, que pueden dar a la persona una idea del aspecto de un tatuaje, del mejor lugar para ponerlo y del modo como se sentiría teniéndolo puesto, así como de la importancia que un tatuaje puede tener para la autoimagen de sí mismo.

1. El más común se aplica como calcomanía, con agua. Se vende muy barato en las jugueterías y tarda uno o dos días en empezar a desvanecerse. Un artista local nos dijo que había logrado convencer a su hijo de hacer la prueba con este tatuaje, antes de darle permiso de hacerse uno permanente. A la mayoría de los adolescentes no les entusiasmará mucho esta opción, porque podrían considerarla una "niñería".
2. Otra clase de tatuaje temporal que está abriéndose paso desde la cultura indoasiática hasta los salones de tatuajes de los vecindarios, podría ser más atractiva. Se llama tatuaje *mehandi* (alheña) hindú. Parece y se siente muy real, y dura cerca de un mes. Los tatuajes de alheña se pintan a mano sobre la piel (por lo común las manos o los pies), con tintes naturales de una

especie de pasta, que después se retira y dejan a la vista una preciosa imagen color café oscuro. Por un precio entre $ 20 y $ 40 dólares, su hijo puede tener la experiencia de un tatuaje sin el dolor ni el daño permanente a la epidermis.

3. Los tatuajes temporales aplicados con papel arroz fueron utilizados por Robert De Niro en la película *Cape Fear* ("Cabo de miedo"), por Sean Penn al final de *Dead Man Walking* ("El condenado a muerte"), y por Bruce Willis en *12 Monkeys* ("Doce monos"). Se emplea una tinta cosmética impresa en un papel de china de archivo, como el de los cigarrillos, para imprimir el "tatuaje". El resultado es realista, a prueba de agua y dura cerca de dos semanas.

A medida que los tatuajes de alheña y de papel arroz van penetrando los salones de la cultura popular, muchos de estos sitios están contratando artistas adiestrados en estas técnicas. Si está interesado, recurra a la sección amarilla del directorio telefónico para llamar a los salones de tatuaje cercanos, o de la zona metropolitana más próxima, y busque los que ofrezcan tatuajes de alheña o de papel arroz.

No vaya a sucumbir al mito de que puede obtener un tatuaje temporal si el artista inyecta el colorante en la capa epidérmica más superficial. No existe modo alguno de evitar que las agujas penetren hasta la segunda capa (la dermis) de la piel.

Perforaciones sin agujero. Hay dos clases de alhajas para el cuerpo que su adolescente puede comprar para hacer la prueba de simular una perforación, sin hacer en realidad ningún agujero en el cuerpo. La primera es la variedad tipo broche, que funciona como los bien conocidos aretes que se sujetan a presión en el lóbulo de la oreja pero que se hacen específicamente para la oreja, la nariz o el labio. También hay anillos magnéticos que se sujetan a la región corporal supuestamente "perforada", gracias a imanes que hay en el anillo. Las pequeñas tiendas exclusivas New Age ("Nueva Época") suelen ser los mejores sitios para encontrar estos anillos.

DAR EL SALTO DEFINITIVO

Una vez que su hijo adolescente conozca los hechos y decida proceder a hacerse un tatuaje o una perforación, no se mantenga ajeno al acto. Aunque es probable que no quiera que usted lo acompañe al procedimiento, ayúdelo a buscar un lugar donde el procedimiento se lleve a cabo en forma segura y limpia. Dígale esto:

"Sé que tienes en la mente una imagen de lo bien que se te va a ver, y yo también quiero que así sea. Por eso, voy a ayudarte a encontrar un sitio donde puedas sentir confianza de que no echarán a perder el trabajo y de que no contraerás ninguna enfermedad."

Aliente a su joven adolescente a hacer llamadas o visitas a salones de tatuajes o perforaciones, o bien ofrézcale hacer esta investigación preliminar usted mismo. Cuando se comunique con un establecimiento, hágales estas preguntas:

- "¿Qué clase de preparación tiene la persona que hace el tatuaje o la perforación?" Todo tatuaje y toda perforación debe ser realizada por un profesional; nunca por alguien que no haya recibido adiestramiento especial, porque si el procedimiento se efectúa en forma indebida, puede causar una lesión permanente al importante tejido nervioso o muscular o a algún órgano.

- "¿Usan ustedes una aguja nueva para cada cliente? ¿Qué clase de limpieza practican con el resto de su equipo?

Es absolutamente esencial que el equipo se esterilice, porque cuando se usa una aguja no esterilizada para el tatuaje o la perforación corporal, puede contraerse VIH, hepatitis y otras enfermedades que se contagian por la sangre. El equipo para esterilizar se llama autoclave y debe ser reglamentario en todos los establecimientos de tatuajes y perforaciones. Además, el cliente tiene derecho a insistir en que el experto use una aguja nueva. En algunos sitios esto es ya una regla; en otros, hay que insistir en que se observe. Pida que le enseñen el paquete de las agujas.

El tatuaje y las perforaciones corporales están actualmente de moda. El año entrante, la tendencia puede ser hacia algo más "impresionante" , más "audaz" o quizá más "normal". ¿Quién puede decirlo? Sin embargo, la tarea de los padres de familia sigue siendo la misma. Tienen el derecho a investigar y a decidir lo que consideren mejor para sus hijos. Cualquiera que sea su decisión, lo mejor es siempre hablar del asunto, promover el diálogo y cerciorarse de que sus hijos sean conscientes de que usted los ama y tiene interés en su bienestar.

LECTURAS ADICIONALES

Especialmente para adolescentes

KAUET, HERBERT, *Coward's Guide to Body Piercing* ("Guía de perforaciones corporales para cobardes"), Boston America, Boston, 1996.

REYBOLD, LAURA, *Everything You Need to Know About the Dangers of Tattooing and Body Piercing* ("Todo lo que debe saberse acerca de los peligros de los tatuajes y las perforaciones"), Rosen Publishing Group, Nueva York, 1996.

WILKINSON, BETH, *Coping with the Dangers of Tattooing, Body Piercing, and Branding* ("Enfrentar los peligros de los tatuajes, las perforaciones y las marcas"), Rosen Publishing Group, Nueva York, 1998.

TERCERA PARTE

Las preocupaciones de los adolescentes

La competencia

–¡Detesto este equipo! –dijo a gritos Jane, una chica de quince años, mientras arrojaba sus zapatos con tacos hacia la gaveta–. Son insoportables. ¡Con razón nunca ganamos! Nadie sabe jugar. No me pasan la pelota... Entonces, ¿qué objeto tiene? No quiero que nadie me vuelva a ver con esta bola de fracasadas.

Cuando Jane se calmó, su madre la llamó a la cocina para platicar con ella. Jane tenía mucho que aprender sobre el valor de las competencias atléticas, además de ganar y perder.

Competir significa compararse con otros, lo mismo en atletismo que en el trabajo escolar, en la familia o en los concursos de baile o de piano. En cualquier terreno, la competencia puede impulsar a alguien a alcanzar su más alto nivel posible. La competencia es parte integral de nuestra sociedad. Es una constante a lo largo de los años en que vamos creciendo, y tenemos que competir por una pareja, por un empleo, por promociones, por reconocimiento, por ocupar un lugar en el mundo. Muy a menudo durante los años de desarrollo son las experiencias personales con la competencia las que modelan nuestras actitudes y nuestra capacidad para avanzar en estas situaciones.

Para muchos, esas experiencias se adquieren en el terreno del atletismo. Ahí la meta es lograr una buena forma física y aprender lecciones de espíritu deportivo, de autodisciplina y de autocontrol.

Éstas son las cosas por las que vale la pena alentar a los adolescentes a participar en los deportes, en una época de su vida en la que muchos preferirían conseguir un empleo o salir con amistades.

En cuanto a las jovencitas, hay otras razones más por las que conviene fomentar la participación atlética. La *Women's Sports Foundation* ("Fundación Deportiva Femenil") afirma que las mujeres que de jóvenes fueron activas en los deportes sienten más confianza en sí mismas, un mayor nivel de autoestima y más orgullo hacia su persona en lo físico y en lo social, que quienes de niñas fueron sedentarias. La investigación de la fundación hace pensar también que es menos probable que las jóvenes que participan en los deportes se involucren en el consumo de drogas o se embaracen, y que hay entre ellas más probabilidades de que lleguen a concluir la secundaria y la preparatoria que las chicas que no eran deportistas. Todas éstas son buenas razones para participar en las actividades atléticas.

Para mantener a los jóvenes activos y comprometidos, es posible que los padres tengan que sostener conversaciones formales con ellos sobre expectativas, metas y actitudes frente a la vida. Los jóvenes necesitan saber que los deportes significan más que simplemente ganar un juego.

CÓMO HABLAR DE LA COMPETENCIA

El mejor modo de abordar el tema de la competencia es hablar primero de *otras* personas. Aproveche las figuras del atletismo profesional como modelos de un buen o un mal espíritu deportivo. Hable con sus hijos de la conducta que se ve entre los atletas y pregúnteles qué harían ellos en la misma situación. Las páginas deportivas le proporcionarán muchas historias sobre las cuales hablar. Cuando el basquetbolista Latrell Sprewell atacó a su entrenador y lo suspendieron durante toda la temporada, se discutió mucho la gravedad del castigo. Cuando el beisbolista Roberto Alomar escupió a un árbitro, la prensa entera se volcó sobre el incidente. Esta clase de situaciones brinda a los padres de familia muy buenas oportunidades para hablar con sus hijos adolescentes sobre los efectos de los deportes, por encima de las puntuaciones finales del juego.

Usted puede también dar lecciones sobre modos de competir hablando con sus hijos de otros jugadores de su propio equipo o de su liga. Nunca hable mal de otro jugador ni lo critique; es mejor señalar los ejemplos de buena o mala conducta. Si un jugador es muy altanero y juzga a los demás, usted podría limitarse a decir:

"Es una pena que Juan sienta la necesidad de decir a todos lo bueno que es. Creo que su actitud resta mérito a su talento atlético. Ser un buen atleta nunca da a la persona el derecho a ridiculizar o humillar a nadie."

Cuando vea a un jugador "estrella" que alienta y apoya a su equipo, haga que su hijo se fije en esa persona, y usted –por su parte– demuestre su admiración por esas cualidades. Las actividades deportivas le brindarán muchas oportunidades de hablar de los aspectos buenos y malos de cualquier clase de competición.

Cuando hable con su hijo adolescente de su actuación atlética personal, antes de decir nada piense bien en lo siguiente:

- Lo mismo si ha ganado que si ha perdido el juego, no trate de comentar los detalles de su actuación mientras las emociones se encuentren todavía en un nivel alto. En ese momento, conviene seguir la ruta que su hijo marque, y darle tiempo para serenarse.

- No dé lecciones. En los años de la adolescencia, los que tienen el mayor ascendiente son los entrenadores. Si usted insiste en analizar cada jugada y cada movimiento que su adolescente haga, estará hablando con la pared. En esas edades, la mayoría de los adolescentes recurre al entrenador para pedir consejo.
- Si espera que el adolescente revele un buen espíritu deportivo, cuide de hacer lo mismo cuando hable del juego. No hable mal de otros jugadores. No critique a los árbitros. No haga comentarios negativos sobre los entrenadores. Diga sólo lo que querría que sus hijos repitieran a los demás. Así es como van a aprender a ser buenos deportistas, a aceptar lo sucedido sin necesidad de culpar a los demás, a aprovechar lo positivo de una experiencia y a prepararse para el siguiente encuentro.

HABLE DE LOS ASPECTOS POSITIVOS DE LA COMPETENCIA

Para cuando los jóvenes están en edad de ir a la preparatoria, muchos han perdido ya de vista los beneficios de la competición, fuera de ganar o perder. Compiten sólo por la gloria de ganar, y se dejan llevar por la ira cuando pierden. Asegúrese de que sus hijos adolescentes entiendan que hay también buenas razones psicológicas y sociológicas para participar en el atletismo. La *Women's Sport Foundation* propone la siguiente lista de beneficios que sus jóvenes deben conocer bien:

- Cuidar la salud: la actividad física fortalece todo el cuerpo, y un organismo fuerte puede luchar contra la enfermedad.

- Combatir la obesidad: una de las principales razones del exceso de grasa en el cuerpo es la falta de ejercicio. Los deportes y el ejercicio mantienen a la persona esbelta y firme.
- Controlar el enojo y la ansiedad: el ejercicio es el mejor tranquilizante natural, y un factor eficaz de serenidad.
- Comer y dormir bien: la nutrición y el descanso adecuados mejoran todos los aspectos de la vida.
- Aprender a aceptar la crítica: ésta es una lección que todos necesitamos aprender para mejorar nuestra actuación.
- Superar la timidez: aprender a ser asertivo, a tomar decisiones.
- Aprender a competir, pero siendo cooperativo y trabajando con otros para alcanzar una meta.
- Aprender a aceptar el éxito lo mismo que el fracaso: la autoestima no depende de que siempre se logre la victoria.
- Aprender a ser responsable: cómo fijarse metas y jerarquizar valores.
- Conocer a nuevos amigos y evitar el tedio.
- Poder hablar de deportes con amigos: éste es un popular tema de discusión e interés.

HABLE DE LOS ASPECTOS NEGATIVOS DE LA COMPETENCIA

La competición atlética tiene mucho a su favor, pero muestra también aspectos negativos que hay que reconocer y de los que hay que ocuparse. Si desea que sus hijos tengan experiencias positivas con la actividad atlética, hable con ellos cuando vea indicios de actitudes negativas en los certámenes deportivos.

Jóvenes que no saben perder

No es raro ver que un atleta arroja al suelo el equipo de juego, insulta al contrincante y patea la banca después de perder un juego. Si esto es lo que hace su hijo, es hora de que usted intervenga y le haga ver que esto es inaceptable.

Ante todo reconozca que no es divertido perder, pero luego hágale ver que su conducta no es la de un buen deportista. Dígale algo como esto:

"Sé que te sientes enojado y decepcionado, pero el modo como actúas cuando pierdes no está bien. Si quieres seguir jugando, tienes que aprender a hacerlo con más espíritu deportivo. Aprender a perder tiene la misma importancia que aprender a ganar. Después del próximo juego que pierdas, quiero verte salir de la cancha en silencio y sin hacer un berrinche. Eso me hará sentir muy orgulloso de ti."

Jóvenes que se agotan con el esfuerzo

Durante este siglo, los psicólogos han estudiado los riesgos de participar en programas de deportes organizados. Han advertido a los padres de familia, a los entrenadores y a los maestros de educación física que hay efectos negativos en las competencias emprendidas con un celo excesivo, en los entrenamientos que implican demasiado esfuerzo y en la presión que se ejerce sobre los jugadores con expectativas demasiado exigentes. Todo esto conduce a lo que hoy llamamos esfuerzo extenuante.

El agotamiento deportivo no es causado por la simple participación en los juegos, sino por el ambiente de competencia y por la urgencia de ganar a toda costa, que los adultos imponen a los jóvenes atletas. La causan los padres de familia o los entrenadores que ponen demasiada presión (consciente o inconscientemente) en los jóvenes, para que se conviertan en "estrellas" del deporte. Hay padres que dan rienda suelta a sus propias fantasías y sueños de gloria, presionando a los chicos, estorbando a los entrenadores y al equipo, promoviendo tiempos de práctica excesivos y, a veces, haciendo enormes sacrificios financieros (incluso mudándose para estar cerca del entrenador, o en una región geográfica más propicia). Al principio, todo esto complace a los jóvenes; éstos desean sobresalir en algo, llamar la atención, ganar, ser personas especiales. Sin embargo, es frecuente que queden agotados en los años de su adolescencia, cuando comienzan a ser más independientes en su manera de pensar.

Si desde un principio los padres de familia y los entrenadores dieran prioridad al placer del deporte, al aprendizaje de habilidades, al trabajo en equipo con amigos y al buen espíritu deportivo, por encima de la preocupación por ganar y por convertirse en "estrellas", serían muchos más los jóvenes y atletas que permanecerían en programas deportivos y seguirían activos diez, veinte y hasta treinta años después.

Hay atletas más inclinados que otros a sucumbir al agotamiento. Los atletas sumamente susceptibles suelen ser triunfadores consumados que se esfuerzan por alcanzar metas elevadas, a veces irreales. Tienden a dedicar enormes cantidades de tiempo y de esfuerzo al logro de esas metas. No suelen reaccionar bien ante la crítica, es posible que su sistema de apoyo sea débil y a menudo los agobiará el tedio si el régimen de entrenamiento es muy repetitivo.

Existen señales de agotamiento deportivo que indicarán a los padres de familia que es hora de prestar atención al régimen de adiestramiento de su joven deportista y a su propia actitud, que puede estar contribuyendo a la tensión y a la presión deportivas. Estén atentos a estas señales:

Falta de autoestima.
Ansiedad.
Depresión.

Fatiga.
Insomnios.
Distanciamiento.
Disminución de los resultados atléticos.
Lesiones crónicas.
Actitud cínica y crítica hacia el deporte.

El doctor David Feigley, director del *Youth Research Council at the Rutgers University* ("Consejo de Investigación Juvenil en la Universidad de Rutgers"), en Nueva Jersey, ha estudiado el "desgaste deportivo" y advierte que el agotamiento no debe confundirse con la deserción. Él sostiene que los jóvenes abandonan los deportes por muchas razones que son bastante comunes. Algunos desertan de un deporte para iniciarse en otro. Otros lo abandonan para dedicarse a otras actividades. (Esto es más frecuente, sobre todo, en los años de la adolescencia, cuando los jóvenes son más independientes y tienen más opciones para emplear su tiempo.) Otros más se alejan del deporte porque conceden mayor prioridad a otras cosas: quizá desean pasar más tiempo con amistades o trabajar a fin de ahorrar dinero para la universidad.

El agotamiento –dice el doctor Feigley– es diferente: se relaciona específicamente con la tensión. Los jóvenes atletas sucumben a él cuando se sienten emocionalmente exhaustos y atrapados en una situación de la que no tienen control. En una palabra, la dosis ha sido excesiva. Los jóvenes que se entrenan cinco días a la semana y doce meses al año pueden llegar a un punto en que sencillamente ya no quieren hacerlo, y punto. Entre las edades de trece y quince años, cuando los jóvenes empiezan a razonar más como adultos, a menudo deciden que ya han tenido suficiente.

El agotamiento parece ocurrir con la máxima frecuencia en los jóvenes a quienes más interesa el deporte. Sucede, sobre todo, en deportes que requieren un entrenamiento riguroso todo el año, como la gimnasia, el tenis, el patinaje y la natación. Sucede asimismo a atletas que tienen entrenadores o padres que fijan metas irreales.

El doctor Feigley hace algunas sugerencias que podrían servir a los padres de familia para ayudar a su hijo adolescente a evitar el agotamiento:

- Busque formas de conceder cierta autonomía a los adolescentes. Cuando sea posible, permita que ellos mismos organicen su horario de prácticas. Deje que elijan un día de la semana para no practicar, si así lo desean. Permita que sientan que tienen el control acerca de si desean o no dedicarse a esa actividad. Todo esto convierte la razón de practicar (aunque sólo sea una vez) en una decisión automotivada.
- Permita mayor flexibilidad en el horario de prácticas. Los adolescentes resienten el tiempo que dedican al deporte cuando éste interfiere en otros aspectos importantes de su vida. Ellos necesitan poder abreviar, omitir o cambiar cierta práctica cuando tienen que estudiar, cuando todos sus amigos van a asistir a una función escolar o cuando la abuela viene de visita desde otra ciudad. Todo esto reduce la sensación de quedar atrapado sin salida alguna.
- Deles un descanso. Los atletas de alto nivel y de todo el año necesitan un descanso en su adiestramiento para mantener vivas la fuerza y la concentración. Necesitan descansar y recuperarse al menos varias semanas al año, para regresar física y psicológicamente fortalecidos. Si su hijo da señales de agotamiento, pregúntele si le gustaría tomar un descanso al terminar la temporada deportiva. Saber que se tiene la perspectiva de un final puede ser precisamente lo que necesita para mantenerse en buenas condiciones.

- Intente entrenamientos cruzados. Permitir que los jóvenes se dediquen a deportes diferentes reaviva a menudo su interés en el deporte principal y los conserva en buena condición física. Ésta puede ser una solución difícil, porque el día del "atleta triple" está pasando rápidamente a la historia. Para jóvenes que compiten en niveles elevados, los entrenadores de hoy insisten a menudo en la exclusividad. No quieren que sus atletas se dediquen a otros deportes, ni siquiera fuera de temporada. Sin embargo, los padres pueden hablar con el entrenador y averiguar si ésta es una solución factible al problema del agotamiento de su hijo.

- Trabaje en la buena administración del tiempo. Los jóvenes que sobresalen en un deporte suelen triunfar también en otros, y no son muy buenos para decir que no. Hay oficiales de clase, miembros de club, líderes estudiantiles, miembros de la iglesia, etcétera. Ayude a sus hijos a programar sus eventos para crear un tiempo libre, de modo que no haya tanta tensión y conflicto. Quizá podrían elegir alguna otra actividad a la que dedicaran menos tiempo. Tal vez podrían renunciar a ser presidente o capitán de ciertos grupos, o al menos convenir en no agregar a su día nuevas responsabilidades.

- Intervenga en la vida de la escuela de sus hijos. Elegir a maestros que sean organizados y capaces de trabajar dentro del horario deportivo de su hijo es algo que puede reducir considerablemente la presión por sobresalir en lo deportivo y en lo académico. Hable con el consejero de su hijo al principio del ciclo escolar, cuando empieza a organizarse el horario del siguiente año. Pueden trabajar juntos para crear un horario que ayude a reducir la tensión. ¿Tiene opción a elegir maestros? ¿Puede pasar tiempo en un salón de estudio? ¿Puede tomar las clases más importantes y difíciles a mitad del día, para no faltar a ellas si tiene que salir más temprano para un torneo, o si está cansado en la mañana después de un certamen realizado a altas horas de la noche el día anterior? ¿Puede obtener crédito mediante algún tipo de programa para dotados y talentosos por el tiempo dedicado a un deporte de alto nivel? Infórmese de estas posibilidades, las cuales pueden significar una gran diferencia.

Jóvenes que se muestran excesivamente frustrados cuando pierden

Si para su hijo ganar es todo y la meta suprema del deporte, usted acabará a menudo con un joven infeliz y frustrado. Si a su hijo lo altera demasiado la derrota, eso podría deberse a su estilo de competir. Los psicólogos del deporte sostienen que todos los jóvenes tienen uno de dos estilos de competir: el *orientado a resultados*, que causa altos niveles de frustración. Los jóvenes que lo adoptan se juzgan a sí mismos por los resultados que obtienen. "Si gano, es que soy bueno –razonan–; si pierdo, quiere decir que no lo soy". Esto hace que las derrotas deportivas sean sumamente frustrantes, sobre todo si el adolescente piensa que sólo cuando gana es digno de amor. Los padres oirán lamentos como éstos: "Soy un desastre; un bueno para nada. Ni siquiera debería estar jugando en este equipo".

Si su hijo usa expresiones como ésas, usted puede esforzarse por atraerlo hacia el estilo de competir *orientado a la actuación*. Los deportistas que adoptan este estilo dan por supuesto que son bastante buenos para sobresalir en determinado momento, y se juzgan según los grados de mejoría personal logrados: "Hoy perdí el encuentro, pero no cometí una doble falta como la semana pasada".

La diferencia entre estos dos estilos de competir es la

misma que hay entre un adolescente que dice: "Estoy orgulloso del contrincante al que logré vencer, y del nivel que ocupo ahora", y el que dice: "Estoy orgulloso de lo que logré hacer". La diferencia puede parecer insignificante, pero revela muchísimo en cuanto a actitud. Si alguien está satisfecho sólo por haber derrotado a otro, se sentirá humillado cuando avance de un nivel deportivo a otro superior y –aunque sin duda sus habilidades hayan mejorado– no obstante, quede atrás en el escalafón. Pasar de la cumbre de los principiantes al nivel inferior de los avanzados es causa de que muchos jóvenes deserten por vergüenza y frustración. El fenómeno de doce años que avanza a la siguiente división, y que todos esperan que sea un triunfador instantáneo, se castigará mentalmente cuando compruebe que quienes acaparan la atención son compañeros de juego físicamente mayores y más fuertes. Eso se debe a que el chico hace juicios sobre su valía personal basándose en el lugar que ocupa en la escala, en vez de considerar sus logros.

Pruebe con sus hijos adolescentes los siguientes diálogos para promover el estilo de competencia orientado a la actuación:

- Trate de eliminar la obsesión de ser el mejor jugador. En vez de eso, insista en la importancia de hacer el máximo esfuerzo y de mostrar buen espíritu deportivo. Diga: "Perder puede ser muy frustrante, pero aun en los juegos que se pierden se aprende algo que ayuda a actuar mejor en los partidos futuros".
- Encuentre un motivo para aplaudir y animar. Elogie el esfuerzo y la actitud. Dígale: "Me da mucho gusto ver que no bajas la cabeza por haber fallado ese punto. Hiciste tu mejor tiro, y eso es lo que cuenta".
- Evite preguntar: "¿Ganaste?" Mejor concéntrese en el logro personal. Pregunte: "¿Qué tal jugaste hoy?"

- Esté pendiente de las señales de tensión excesiva: pérdida de equipo, retrasos continuos los días de juego, enfermedad el día del partido.
- Ayúdelo a desarrollar la capacidad de recuperación que permite al joven evaluar sus esfuerzos desde afuera, como algo distinto de su persona. Dígale: "Pudieron haberte puesto 'fuera'; pero eso no quiere decir que te ame menos".
- Ayude también a su hijo adolescente a alcanzar metas de automejoramiento en sus sesiones de práctica. Dígale cosas como éstas: "¿Podrías lograr más golpes de revés hacia el lado izquierdo de la cancha de tenis?" "¿Podrías mejorar tu tiro libre de 70 a 75 por ciento?" "¿Podrías reducir tu tiempo de pérdida en un 1 por ciento?" Los jóvenes que se fijan metas personales pueden ver sus logros, cualquiera que sea el nivel en que se hallen. La práctica se vuelve más amena en esa forma.
- Ayude a sus hijos a sentirse bien, ganen o pierdan, para que no confundan la actuación con la valía personal. Dígales: "Vamos a comer una hamburguesa para festejar lo buen jugador que eres".

Jóvenes que tienen miedo de competir

El temor a cometer errores y a sentirse humillado aleja a muchos jóvenes de los campos deportivos. (Esto resulta especialmente desconcertante cuando se trata de un adolescente que ha sido muy activo en los deportes en años anteriores.) Si su hijo se muestra temeroso de competir, considere que puede haber varias razones para que sienta ese miedo:

La causa puede ser el desarrollo de tendencias perfeccionistas que hacen que la persona se aleje de aquello que no puede hacer a la perfección.

La causa puede ser la obsesión reciente de mostrarse ecuánime en todo momento.

Otra causa puede ser la sensación de inseguridad en muchos aspectos, la cual provoca el retraimiento del adolescente hasta que adquiere una conciencia más clara del propio yo.

En fin, puede suceder cuando un antiguo jugador "estrella" se siente eclipsado por el hecho de que algunos compañeros de juego han alcanzado su nivel y adquirido su habilidad, y él siente que ya no tiene oportunidad de "brillar".

Cualquiera que sea la causa, el temor a fracasar es muy real, y los padres deben darse tiempo para ayudar a sus hijos a superar este obstáculo. Lo que parece una ironía es que precisamente el fracaso suele ser el que imparte las mejores lecciones sobre el éxito. Por eso es importante que nuestros adolescentes aprendan que los fracasos son parte inevitable y provechosa de la vida.

Hable del fracaso. Cuando sus hijos hablan de sus fracasos y errores en las actividades diarias, esté atento a cualquier tendencia a culpar a otros o a darse por vencido con demasiada facilidad. Si tienen problemas en la escuela, culpan al maestro o dicen: ¿"para qué sirve todo esto"? Si un trabajo escolar resulta muy deficiente, ¿culpan a los materiales o se dan por vencidos en un arrebato de enojo? Si pierden un juego, ¿culpan a los compañeros de equipo o deciden que simplemente ellos mismos fallaron? Si sus hijos están reaccionando en esta forma, es posible que crean que fracasar en una o dos cosas los convierte en un fracaso total. Los perfeccionistas, en especial, piensan que su valía personal depende de factores externos, como podría ser el obtener buenos resultados en todo lo que hacen. Estos adolescentes necesitan aprender a valorar el lado positivo del fracaso.

Los errores son una parte positiva de la vida diaria de todo ser humano; por eso no es difícil encontrar oportunidades de hablar de este tema:

- Cuando su hijo lleva a la casa un escrito de la escuela con un error –por ejemplo–, no se enfoque sólo en la calificación: hable del error. Dígale algo como esto: "Cometer errores es uno de los caminos para aprender. Así que vamos a ver qué puedes aprender de este error". Luego, ayúdelo a encontrar la respuesta correcta.
- Si su hijo trata de armar un proyecto de trabajo y la estructura de éste se derrumba aun antes de terminarlo, anímelo a aprovechar ese hecho en forma constructiva. Pregúntele: "¿Por qué crees que se haya caído?" "¿Qué cosa puedes hacer de otro modo la próxima vez?" "A ver, haz otro intento".

Hable de sus propios fracasos. Los padres pueden alentar a sus hijos a correr el riesgo de fracasar, hablando de su propia experiencia con los riesgos a los que se han expuesto y admitiendo sus errores y fracasos. Podría contar a sus hijos aquel episodio de cuando quiso ser presidente de su clase y perdió, o cuando intentó ser parte de un equipo y no llenó los requisitos, o cuando pretendió construir un aeroplano a escala por sí solo pero descubrió que necesitaba ayuda. El reconocimiento de estas experiencias da al adolescente el permiso de fracasar también.

Ayude a sus hijos a ejercitarse en el fracaso. Todos necesitan aprender y aceptar que nadie puede ser el número uno en todo lo que hace; que nadie puede ganar siempre, y que es posible disfrutar de un juego aunque no se logre la victoria. En pocas palabras, es humano fracasar y cometer errores, pero esta imperfección no disminuye nuestra valía personal ni reduce nuestras oportunidades de tener éxito en el futuro.

Una manera de enseñar esta lección es provocar situaciones en las que ocasionalmente permita que su hijo fracase. Si están jugando baraja u otro juego de mesa –por ejemplo– no siempre deje que ellos ganen. Si juegan tenis o baloncesto, no les dé siempre ventaja. Deje que los jóvenes experimenten la decepción de perder, en un ambiente protegido. Luego anímelos a hacer otro intento. Estas pequeñas lecciones son las que dan a nuestros hijos la confianza y la perseverancia que necesitan para dominar tareas difíciles y para ir en pos de metas desafiantes en la vida.

Cuando su hijo da aunque sea un pequeño paso al frente en el arte de sobreponerse al miedo de competir, no pierda la ocasión de comentarlo. Llámele la atención en cuanto al hecho de que lo más importante es el esfuerzo, no el resultado. Podría decirle: "Me parece que tu golpe de revés fue mucho más fuerte hoy". O bien: "Estás mejorando mucho en cuanto a pensar bien antes de mover tus piezas en el ajedrez". Estas palabras de aliento premian el esfuerzo y la superación, cualquiera que sea el resultado final del juego.

Si su adolescente no se incorpora a un equipo deportivo, y usted cree que se debe al miedo, podría proponer un enfoque diferente de la meta. Anime a sus jóvenes adolescentes a hacer la prueba con un deporte individual (como carrera en pista, natación, tenis, boliche, gimnasia), en el que puedan concentrar su atención en la autosuperación más que en el triunfo del equipo. Estos deportes dan a mucha gente la oportunidad de competir, de mantenerse en buena condición física y de aprender nuevas habilidades, sin la presión que en ocasiones se vincula a los deportes de equipo.

Jóvenes que consumen drogas para mejorar su actuación

Esta clase de drogas no son, por sí solas, malas o peligrosas.

Forman un grupo de potentes sustancias sintéticas llamadas esteroides anabólicos, que remedan la hormona sexual masculina, la testosterona, la cual se produce en forma natural en los testículos del varón. Son drogas que se prescriben legalmente para el tratamiento de ciertos tipos de enfermedades y padecimientos.

Los esteroides se vuelven nocivos para la salud, y aun mortales, cuando se toman sin vigilancia médica y en forma ilegal, con el fin de aumentar el tamaño del cuerpo y mejorar los resultados deportivos. Se desconoce el número exacto de atletas que abusan de los esteroides, porque éstos se toman ilegalmente y por lo mismo ninguna publicación habla de ellos. Sin embargo, como los equipos colegiales, profesionales y olímpicos han comenzado a exigir la prueba de esteroides antes de las competencias, el gran número de atletas que los consumen está empezando a hacerse público. En vista de que el uso de esteroides entre los modelos de tipo atlético y los ídolos deportivos no deja de aparecer en los encabezados de periódicos y revistas, resulta fácil comprobar que el consumo de estas drogas no se limita ya a los gimnasios sucios y malolientes, donde los fisicoculturistas obsesivos se llenan de ellas secretamente en oscuros rincones. El abuso de esteroides se ha introducido subrepticiamente en todos los deportes de Estados Unidos y es práctica manifiesta en los balnearios de lujo, en los centros de acondicionamiento físico, en los gimnasios locales y aun en los vestidores de las escuelas secundarias y preparatorias. De hecho, una encuesta descubrió que el 6.6 por ciento de los varones a punto de graduarse de preparatoria ha usado esteroides y que el 40 por ciento de estos jóvenes empezó a consumir estas drogas antes de cumplir dieciséis años.

¿Por qué jóvenes atletas talentosos consumen esteroides, cuando jamás pensaron en recurrir al alcohol, la cocaína o la mariguana? Parte de la compleja respuesta radica en la índole de las competencias deportivas. En esa clase de ambientes, los atletas caen a veces en la tentación de modificar su constitución física y su tamaño para mejorar su actuación, impresionar a los colegas, complacer a los entrenadores y a los padres de familia, y superar a sus contrincantes (o al menos ponerse a su nivel, si creen que ellos también consumen drogas). Los atletas no ven más que los aspectos positivos: una sensación de euforia, una actitud agresiva y vigorosa, músculos muy desarrollados con menos tiempo de entrenamiento, y aumento de energía y de velocidad.

Lo que los adolescentes no consideran son los cambios corporales negativos que puede causar el abuso de esteroides. Por eso necesitan oír que sus padres son conscientes de la tentación de consumirlos, pero que además saben lo peligrosos que son. Dígales lo que sus amigos no les dirán: que tan pronto como el usuario deja de tomar la droga, el peso del cuerpo y la masa muscular adicionales se pierden muy pronto y que, en cambio, muchos de los efectos negativos permanecen. Hable a sus hijos de estos efectos secundarios negativos (seleccionados de una larga lista):

Problemas psicológicos, entre ellos depresiones, tensión nerviosa, irritabilidad, hostilidad, agresión, problemas de sueño, decepciones y aun tendencias al suicidio.

Problemas físicos, entre ellos acné, desarrollo de los pechos en los varones, cáncer del hígado, disminución del semen, padecimientos del corazón, vellosidad corporal y calvicie en las mujeres, piel y cabello aceitosos, atrofia del desarrollo y esterilidad.

Hable con sus hijos adolescentes de estos otros dos aspectos del consumo de esteroides, que los afectarán:

Problemas en la carrera. Dígales: “Los equipos universitarios no quieren atletas si los resultados de su actuación deportiva se deben al 'jugo' y no a su habilidad natural". (Y esos equipos someten a prueba de esteroides a sus atletas.)

Problemas éticos. Diga a sus hijos: "Consumir esteroides es un embuste, es tratar de engañar en el deporte, engañar a los compañeros y engañar al propio cuerpo".

El uso de esteroides es un problema grave que se intenta soslayar en cualquier discusión sobre desempeño en el deporte. Los padres deben sacar el tema a la luz y cerciorarse de que sus jóvenes atletas sepan que, por el amor que les tienen, van a insistir en un examen de sangre tan pronto como sospechen que en el desarrollo de su musculatura y en su actuación física hay algo más que trabajo y esfuerzo arduos.

PIENSE EN EL PAPEL QUE DEBE DESEMPEÑAR

Los padres de familia necesitan examinarse con detenimiento y analizar sus sentimientos sobre los deportes, si esperan influir en las ideas de sus hijos sobre las competencias atléticas. Lo que los padres digan y hagan en los eventos deportivos de los jóvenes les revelará a éstos mucho más que todo lo que puedan decirles en una tranquila conversación. Ustedes necesitan prometerse que acatarán con toda fidelidad el siguiente código no oficial de conducta para los padres delineado por la *National Association for Sport and Physical Education*, *NASPE* ("Asociación Nacional para el Deporte y la Educación Física"). Se trata de normas de sentido común, pero algunos padres de familia necesitan recordarlas:

- Durante el partido, permanecer sentados en las tribunas.
- No gritar instrucciones ni críticas a los atletas.

- Abstenerse de hacer comentarios negativos sobre los jugadores, los padres del equipo contrario, los oficiales o los administradores de la liga.
- No hacer nada que pueda ir en detrimento del gozo que sus hijos encontrarán en el deporte.

No es ningún secreto que hay padres que presionan demasiado. Estos padres convierten cada momento de la vida de sus hijos en una afanosa búsqueda de hacer nada menos que *lo mejor de lo mejor*. Esto enfrenta a los jóvenes a sus propias dificultades perfeccionistas, en donde perder es una tragedia y ganar es lo único que importa. Dialogue sinceramente consigo mismo y pregúntese: "¿De quién son exactamente los deseos que se satisfacen cuando mi hijo está compitiendo?" Si el joven compite por darle gusto a usted, ninguno de los dos acabará feliz y satisfecho.

No permita que su necesidad personal de tener un atleta triunfador presione a sus adolescentes a actuar. Aliéntelos a examinarse interiormente para descubrir su motivación personal y su deseo de éxito. Una vez hecho esto, retírese y conviértase en un espectador sereno.

HABLE DE LAS LECCIONES DE LA DERROTA

Por mucho que usted insista en el aspecto positivo, los adolescentes siempre se sentirán decepcionados cuando pierdan en un evento deportivo. Esto es normal. Es parte de la vida. H. J. Saunders, de la *Youth Fitness Coalition* ("Coalición de Acondicionamiento Físico Juvenil") aconseja a los padres decir lo siguiente: "A nadie le gusta perder, pero todos tenemos que enfrentarnos a esa realidad. Reconoce el aspecto negativo, pero sigue adelante. El hecho de que hayas perdido un juego no quiere decir que seas un fracaso en la vida. Es más, de hecho nos fortalecemos cada vez que nos reponemos de una derrota".

Todos los deportistas adolescentes necesitan saber que los triunfadores en la vida no son sólo los que se vuelven "el número uno"; no son sólo los que ganan, sino los que salen de una competición con un buen sentido de autodisciplina y de autoestima, los que pueden enfrentarse a un reto, correr un riesgo, aceptar la responsabilidad y perseverar para vencer los obstáculos. Ésas son las recompensas de un buen certamen: lo mismo si se pierde que si se gana.

Aunque los programas deportivos para adolescentes a menudo dan mayor énfasis al triunfo y a las marcas individuales y de equipo que el que dan (o deberían dar) las ligas, eso no suprime la razón básica para participar en los deportes escolares. Sólo una fracción minúscula de los atletas egresados de la preparatoria sigue practicando el atletismo a nivel universitario, y sólo una fracción minúscula de éstos avanza hasta el atletismo profesional. Por eso, tiene sentido que los padres de familia ayuden a sus hijos a concentrar la atención en algo más que lograr la victoria.

LECTURAS ADICIONALES

Murphy, Shane, *The Cheers and the Tears: A Positive Alternative to the Dark Side of Youth Sports* ("Los vítores y las lágrimas: una alternativa positiva al lado oscuro de los deportes juveniles"), Jossey-Bass, San Francisco, 1999.

Las sectas

El artículo sobre la salvación eterna para adolescentes llamó la atención de Joanne, joven de quince años, muy activa en el grupo de estudios bíblicos para jóvenes de su iglesia. Joanne envió los datos requeridos para obtener una suscripción gratuita, y en breve empezó a llegarle una gran cantidad de información que le dio una confianza que nunca había conocido y también ideas profundas que impresionaron a sus compañeros. Hasta su familia estaba complacida al ver el interés que la chica tenía en la vida de Jesucristo.

Sin embargo, lo que comenzó como una inocente curiosidad no tardó en convertirse en obsesión. Joanne pasaba más tiempo estudiando la Biblia y aislándose de sus amistades y de la familia. Su actitud también empezó a cambiar. Actuaba como si conociera un secreto que nadie entendería. Cuando le hacían preguntas al respecto, contestaba con evasivas, explicando que "sólo aquellos que han sido llamados" pueden comprender la verdad.

Joanne se graduó de preparatoria y entró en la universidad. Estando ahí, dos "ancianos" fueron a visitarla*

* Grado o nivel jerárquico en algunas denominaciones religiosas (N. del E.)

> *y la invitaron a asistir a sus oficios religiosos, ofreciendo llevarla personalmente. Joanne se había comprometido. Cambió su modo de vestir y su dieta. Hacía oración, ayunaba y meditaba sobre la literatura de la secta. Convino en renunciar a su vida social fuera del grupo, desistió de sus actividades "mundanas" y dedicó su tiempo libre a colectar dinero para la iglesia. Además, estuvo de acuerdo en abandonar a su madre y a su padre y a cualquier otra persona fuera de la secta.*

Todo esto sucedió en forma tan gradual e inocente que la familia de Joanne no acabó de darse cuenta cabal de la influencia que la secta ejercía sobre su hija sino cuando ella les informó que no volvería a verlos jamás. Cuando llegó a ese extremo, era ya demasiado tarde. El adoctrinamiento había sido tan profundo que no hubo conversaciones ni súplicas que lograran hacerla cambiar de modo de pensar.

Ésta es una historia muy común de la pertenencia a una secta. Lo más temible de estos grupos es que los adolescentes y los adultos jóvenes son el blanco principal de los reclutadores. Cuando el doctor Michael Langone –director del *Cultic Studies Journal* ("Revista de Estudios sobre las Sectas"), y director ejecutivo de la *America's Family Foundation* ("Fundación para la Familia Estadounidense")– hizo una encuesta a 308 antiguos miembros de 101 cultos diferentes, averiguó que el 43 por ciento de ellos habían sido reclutados siendo estudiantes: el 10 por ciento eran alumnos de la preparatoria, el 27 por ciento estudiantes universitarios y el 6 por ciento estudiantes ya graduados. De este grupo, el 38 por ciento desertó de la escuela después de haber ingresado a la secta. Los reclutadores saben que los jóvenes constituyen el sector más vulnerable a la influencia del culto, porque son los que ponen en tela de juicio el mundo y hacen cambios en su estilo de vida. Las sectas o cultos y sus tácticas de reclutamiento son temas de los que todos los adolescentes necesitan estar bien informados.

LAS SECTAS EN ESTADOS UNIDOS

Las sectas más conocidas y crueles ocuparon la primera plana de los periódicos y conmovieron a la población con su carácter macabro: el culto extraterrestre de la "Entrada al Cielo" ordenó, en 1997, el suicidio en masa de treinta y nueve miembros; el grupo "Templo del Pueblo", dirigido por Jim Jones, celebró los notorios asesinatos-suicidios en masa; y los "Davidianos Sectarios" de David Koresh fueron inmolados en un incendio en Waco, Texas. ¿Quiénes son todos estos individuos? ¿Pandillas de "deschavetados"? ¿Bandas de excéntricos? ¿Hatos de ingenuos? ¿Catervas de gente estúpida? ¿Qué es lo que puede hacer que una persona en su sano juicio se incorpore a una secta?

La verdad es que los cultos no son una rareza y que sus miembros, a primera vista, no suelen verse en nada diferentes de usted o de mí. El doctor Langone hace un cálculo conservador de aproximadamente cinco mil sectas diferentes en Estados Unidos, que aseguran tener un total de dos a tres millones de miembros. Algunos son cultos religiosos neocristianos; otros, cultos religiosos hindúes y orientales. Hay sectas de ocultistas, hechiceros y satánicos, y cultos llamados místicos. Existen los cultos Zen y otros filosófico-místicos de origen sino-japonés. También se encuentran sectas raciales, así como sectas adoradoras de los platillos voladores y del espacio exterior. Se conocen cultos llamados psicológicos o psicoterapéuticos y cultos políticos, además de cultos de autosuficiencia y automejoramiento y cultos de sistemas de vida. (Muchos cultos caben dentro de diversas categorías.) Y los expertos sospechan que el número de sectas aumentará a medida que ingresemos al nuevo milenio.

CÓMO SE RECLUTA A LOS ADOLESCENTES EN ESTAS SECTAS

¿Cómo es que las sectas consiguen que jóvenes sanos e inteligentes se alejen de sus seres queridos para incorporarse a su grupo? Lo sorprendente es que los métodos de reclutar y adoctrinar de las sectas no son formas exóticas de control de la mente. Todo lo que usan son los métodos bien conocidos de influencia social, pero en dosis excesivas.

Su adolescente no se incorpora a un "culto". Lo que hace es unirse a un interesante grupo de individuos que le prometen felicidad eterna. Los miembros le ofrecen amistad instantánea, respeto a sus aportaciones, una identidad, seguridad y un horario diario organizado. El grupo ofrece llenar todas las lagunas que pueda haber en la vida del adolescente.

Ahora bien, esas lagunas pueden ser causadas por cualquiera de las muchas situaciones de la vida: un cambio de casa o de escuela, padres que se divorcian o la terminación de un romance. Estas lagunas plantean dificultades especiales para los jóvenes a quienes la escuela les parece superficial, o para aquellos que tienen poca vida social o viven en familias mal avenidas. Las sectas les prometen rectificar ese mundo. Ofrecen una ruta sencilla para la felicidad: "Sígueme –proclaman los líderes del culto–. Yo conozco la senda de la felicidad, la paz, la seguridad y la salvación".

El problema de esta presunta "solución" es que la oferta es sólo temporal. Es una técnica de manipulación que se emplea para lograr la incorporación de personas vulnerables. Cuando esto ocurre, tales personas quedan atrapadas en un ambiente poderoso y persuasivo que restringe sus opciones a tal grado que ya no pueden evaluar la realidad de su situación. Los que están afuera pueden ver que el grupo es una influencia nociva, pero los recién reclutados no lo notan.

Todas las personas, pero sobre todo los adolescentes que son emocionalmente vulnerables, necesitan ciertas cosas que les hagan sentirse individuos completos y satisfechos. Las sectas saben cuáles son esas cosas, y las ofrecen de manera ilimitada. Lo que ofrecen es:

- Un sentido de comunidad y de metas e ideas compartidas por todos.
- La necesidad de satisfacción interior y la experiencia directa de valores espirituales.
- El sentimiento de una vida con sentido y de un propósito para vivirla.
- Una estructura externa sólida que promueve la separación en individuos que son demasiado dependientes de sus padres.

Sin embargo, precisamente aquello que atrae a los jóvenes hacia las sectas es lo que nos da la voz de alerta para mantener a nuestros hijos alejados de los cultos.

CÓMO MANTENER A LOS HIJOS ALEJADOS DE LAS SECTAS

Las sectas son un fenómeno que siempre tendremos entre nosotros: tanto los grupos grandes y bien organizados como los más pequeños, que parecen brotar de la nada en cada esquina. Existen como parte de ciertos sectores marginales de nuestra sociedad, y no van a desaparecer. Sin embargo, transmiten mensajes vitales que tienen algo que enseñarnos en cuanto a la protección de nuestros hijos. Aquí el énfasis debe ponerse en la prevención. Hablar con los adolescentes en forma abierta, constante y amorosa les dará la coraza emocional que necesitan para resistir a la atracción de los cultos.

La premisa de este libro es que las familias que hablan de asuntos importantes son familias que establecen un vínculo de solidez y de amor. Es poco probable que esta clase de vínculo se rompa como resultado de la charlatanería persuasiva del reclutador de un culto.

Los padres deben esforzarse en dar a sus hijos lo que los cultos les prometen:

Amor incondicional. Digan todos los días a sus hijos adolescentes: "Te amo". Aun los adolescentes retraídos, malhumorados y beligerantes necesitan oír esto todos los días.

Aceptación. Cuando su hijo adolescente hace experimentos con algún estilo extravagante de ropa o de música, no lo critique. Limítese a decirle algo parecido a esto: "En lo personal, no me gusta tu aspecto, pero sé que en el fondo eres un gran muchacho".

Comprensión. Cuando usted esté en desacuerdo con algo, no insista en demostrar que tiene la razón. Es preferible intentar otro medio: "No estoy de acuerdo contigo, pero háblame más de esto porque quiero entender tu punto de vista".

Interés. Cuando vea a su hijo adolescente triste o malhumorado, no haga caso omiso de sus sentimientos con la vana esperanza de que desaparezcan. Demuéstrele su interés con expresiones amables. Dígale: "Te noto abatido. ¿Puedo hacer algo para ayudarte? ¿Te gustaría que habláramos de lo que te aflige? Tengo todo el tiempo del mundo para escucharte. Si tienes necesidad de algo, puedes recurrir a mí".

Éstas son las mismas preguntas que el reclutador de alguna secta le hará al adolescente deprimido. Cerciórese de que el suyo oiga primero estas palabras en su casa.

Espiritualidad. Existe un viejo refrán que explica por qué es importante dar a sus hijos adolescentes una base espiritual en la que puedan encontrar apoyo: "El que no tiene algo por qué luchar, acabará por sucumbir a cualquier cosa". Una base espiritual no tiene que cimentarse necesariamente en la iglesia o en la sinagoga, pero si usted se siente confuso en cuestiones de moralidad, de valores espirituales y del sentido de la vida, será más fácil que sus hijos se dejen arrebatar por el tipo de líder de culto que les dice que viven en un mundo frío y cruel en el que nadie se interesa por ellos.

Por esta razón, cerciórese de que su hijo sepa las cosas en que usted cree, y lo vea llevarlas a la práctica. Aproveche las experiencias diarias para hablar de sus creencias:

- Si ven un reportaje que aborde el tema de la honestidad, exprese su opinión al respecto: "Yo pienso que la honestidad es esencial para una relación de mutua confianza. Por eso, siempre seré honesto contigo y espero que tú lo seas conmigo".
- Si usted hace una obra de caridad, deje que todas las personas de su casa se enteren de ella: "Recoge todas las prendas de ropa que ya no uses y ponlas en el desván. Voy a donarlas a la campaña local de ropa para necesitados".
- Si usted es testigo de un acto de bondad espontáneo, no deje de señalarlo y de hablar de ello: "¿Te fijaste en el señor que ayudó a la pobre anciana a poner sus bolsas de comestibles en el auto? ¡Qué estimulante es ver que hay personas que realmente se interesan en ayudar a gente desconocida!"

Demuestre a sus hijos que usted es partidario de algo, para que tengan menos probabilidad de sucumbir a las promesas de las sectas.

MÁS VALE PREVENIR QUE LAMENTAR

La participación en los cultos es uno de los temas que no podemos soslayar, y cruzamos los dedos con la esperanza de que nuestros hijos no acaben siendo víctimas de ellos. Es un problema que debe salir a la luz y del que hay que hablar. Lo ideal es que se haga antes de que se presente el peligro. Si los adolescentes están robustecidos con el conocimiento de las realidades, se hallarán en mejor posición para resistir a las técnicas de engaño y coacción de las sectas. Discuta los siguientes temas con sus hijos, en conversaciones espontáneas que permitan a éstos ser naturalmente inquisitivos y formular preguntas:

Creencias básicas

Comienza a hablar de la existencia de las sectas con los conocidos e infamantes ejemplos de grupos como la "Entrada al Cielo" o el "Templo del Pueblo" de Jim Jones. Luego, explique que existen también cultos menores y menos conocidos en cualquier vecindario. Cerciórese de que sus hijos conozcan las verdades:

- Una secta es un grupo que viola los derechos de sus miembros, les hace daño por medio de técnicas abusivas de control de la mente, y se distingue de un grupo normal social o religioso porque somete a sus miembros a privaciones físicas, mentales o financieras para mantenerlos dentro del grupo.
- Los miembros de la secta se asocian bajo un líder carismático.
- Las sectas se valen de tácticas engañosas en sus procesos de adoctrinamiento, entre ellos inducir un trance, cantos prolongados, interrogatorios detallados, largas conferencias y sermones, o rutinas de trabajo agotadoras para suprimir dudas e imponer el cumplimiento.

- La mayoría de las sectas obligan a sus miembros a conseguir dinero, a trabajar gratis, a pedir limosna y a reclutar a nuevos miembros.
- El peligro de las sectas consiste en la devoción irracional que fomentan, la cual rompe los vínculos con la familia y los amigos, crea una dependencia total hacia el grupo en cuanto a identidad e impone gravámenes muy altos para quienes desean salirse, creándoles fobias al daño, al fracaso y al aislamiento personal.

Tácticas de reclutamiento

El reclutamiento no se practica sólo en los aeropuertos y en las esquinas de las calles. Los reclutadores trabajan en las escuelas, en los eventos deportivos y en los salones de videojuegos, en revistas y en la red electrónica mundial. Concentran su atención en los adolescentes que se ven solitarios o tristes. Entablan conversaciones que muestran gran interés y amor. Hacen arreglos para volver a reunirse. El proceso suele ser lento y requerir tiempo. Cuando el reclutador se ha mostrado fidedigno y se ha ganado la confianza del adolescente, se invita a éste a una "junta".

Las habilidades de raciocinio crítico pueden aprovecharse como armas sólidas de defensa contra los reclutadores de las sectas. La *American Family Foundation* ("Fundación para la Familia Estadounidense") ofrece a los jóvenes la siguiente lista para ayudarlos a reconocer las tácticas y las situaciones comunes de reclutamiento de los cultos. En conversaciones informales y durante los momentos "didácticos", advierta a sus hijos que estén en guardia contra lo siguiente:

- Gente que se muestra excesiva o indebidamente amistosa. Las amistades auténticas se forman a lo largo del tiempo.

- Gente con respuestas o soluciones simplistas a problemas mundiales complejos.
- Gente que hace invitaciones a comidas, conferencias y talleres gratuitos.
- Gente que presiona para que la persona haga algo que en realidad no quiere hacer. No debe existir temor de decir "no".
- Gente que es confusa ó evasiva. ¡Si ocultan algo, ha de ser porque no quieren que los demás lo sepan!
- Gente que trata de sacar ventaja de la decencia humana básica del interlocutor. Que sus hijos tengan presente que no siempre se tiene la obligación de corresponder en la misma forma a una muestra de amabilidad, sobre todo si lleva la intención de manipularlos.
- Gente que asegura ser "idéntica a ellos". Esto no es, a menudo, más que un truco para suprimir la actitud vigilante.
- Gente que asegura confiadamente poder ayudar a resolver problemas ajenos, en especial cuando saben muy poco de la persona con la que hablan.
- Gente que se da aires de salvadora de la humanidad, de iluminadora del mundo o de conocedora de la senda de la felicidad. Si sus pretensiones parecen demasiado buenas para ser ciertas, ¡lo más probable es que sean falsas!
- Gente que parece estar siempre "feliz", aun cuando el sentido común sugiera otra cosa.
- Gente que pretende que ellos mismos o su grupo son "realmente algo especial". La arrogancia es mucho más común que la superioridad genuina.
- Gente que asegura que "hay que destruir la mente para encontrar a Dios", o que "el demonio trabaja por medio de la mente", o bien que hace a un lado la mente en cualquier otra forma. La mente de la persona es su

defensa fundamental contra la manipulación psicológica. ¡Los jóvenes necesitan proteger la propia!

Comente el concepto de religión

Aunque no todas las sectas se basan en religiones, muchas sí lo hacen, por eso es importante explicar a sus jóvenes la diferencia entre secta y religión tradicional. Los padres pueden insistir en que las religiones tradicionales se dirigen a un Ser Supremo para recibir dirección y gracia. Trabajan unidas por el bien de la sociedad y por la esperanza de vida eterna. Están abiertas a todos. Alientan a los posibles miembros a pensar con cuidado antes de unirse a ellas. No impulsan a sus miembros a desconocer a su familia.

En cambio, la mayoría de los cultos buscan un líder humano carismático, que obre de una manera autoritaria y que inspire una devoción ciega (a menudo de carácter sexual). Los miembros entregan su dinero, su afecto y su lealtad a esa persona, que los despoja de su identidad y de su familia.

Técnicas de adoctrinamiento

Los líderes de cultos son muy hábiles para controlar la mente. Con gran pericia se apoderan de la libre voluntad y de la autoestima de la persona. Las técnicas específicas que usan para atrapar a sus miembros y apoderarse de la mente de éstos son muchas y muy variadas, pero para un diálogo en términos generales, usted puede decir a su hijo adolescente que las sectas aplican las siguientes técnicas de adoctrinamiento:

Presentación inicial engañosa del nombre del grupo y sus propósitos.
Aislamiento de la familia y los amigos.
Privación de sueño.

Dietas deficientes en proteínas (con alto contenido de azúcares y harinas).
Rituales exóticos que elevan las emociones del grupo a un clímax de gran intensidad.
Agotamiento y fatiga físicos para reducir la conciencia y la capacidad de pensar en forma independiente.
"Bombardeos de amor": es decir, respuesta a las necesidades emocionales y sociales del individuo, abrumándolo de atención, amor, apoyo de sus semejantes y aprobación personal.
Falta de privacidad.
Continua supervisión en un ambiente totalmente controlado en el que no se permite ninguna información adversa al grupo.

Una de las tácticas preventivas más eficaces contra el adoctrinamiento es permitir el desarrollo de una mente sólida e independiente. Fomente la autonomía y el raciocinio independiente en sus hijos, dándoles la oportunidad de tomar sus propias decisiones. Deje que elijan a sus amigos, que escojan su ropa y que disfruten de su música predilecta. Cuanto más puedan pensar por sí mismos, menos probable será que permitan que líderes de cultos dirijan su vida.

¿CUÁL ES EL PROBLEMA?

Lo más probable es que al principio el adolescente no entienda por qué tantas precauciones contra las sectas. Es posible que razone diciéndose que si alguien quiere pertenecer a un nuevo grupo de amistades que lo hacen sentirse a gusto, ¿por qué no habría de hacerlo? Ésta debe ser la esencia del diálogo entre padres e hijos. Los adolescentes necesitan saber que las sectas son destructivas por muchas razones. Cualquiera de las siguientes es suficiente para mantenerse lejos de aquéllas. Que el adolescente sepa que los cultos...

- Usan técnicas manipulativas y contrarias a la ética para reclutar y conservar a sus miembros.
- Provocan altos niveles de culpabilidad y de ansiedad.
- Inducen estados de tipo trance que pueden cancelar el sano juicio y acentuar la disponibilidad a la sugestión.
- Causan cambios radicales en la personalidad de los miembros, que inhiben el normal desarrollo psicológico y social.
- Destruyen las relaciones familiares.
- Provocan daños físicos, psicológicos y financieros a sus miembros.
- Promueven valores y formas de conducta ilegales y antisociales.
- No permiten que sus miembros expresen dudas o pongan en tela de juicio "verdades" indiscutibles.
- Tienen una visión paranoica del mundo exterior como esencialmente malo, y ejercen intensas presiones de grupo para obtener sumisión.

La pertenencia a una secta es algo muy serio. La mayoría de sus miembros se mantienen dentro de la secta un promedio de cinco años: es demasiado tiempo para estar aislado de la familia y los amigos. Y muchos que logran salir, lo hacen llevando consigo cicatrices psicológicas que los acompañan toda la vida.

¿QUÉ HACER SI SU HIJO ES RECLUTADO POR UNA SECTA?

Si sospecha que su hijo adolescente es ya parte de una secta, busque los síntomas típicos que, según los expertos, casi siempre están presentes en los miembros de estos grupos. Las siguientes señales suelen ser los primeros rasgos significativos:

- Alteración del estilo de vida.
- Cambio de metas.
- Separación de la familia y los amigos.
- Demarcación repentina entre todo lo que es bueno y debido del lado del culto, y todo lo que es malo, del otro lado.

No pierda la serenidad

Es preciso que los padres se mantengan serenos, sensatos y pacientes (cosa difícil de lograr cuando se sienten desesperados por el bienestar de sus hijos). El enojo y la histeria no hacen más que confirmar los temores de los jóvenes, contribuyendo a impulsarlos más hacia las sectas.

- No ataque al grupo. Evite los insultos y la insistencia en el uso de la palabra *secta*. Este enfoque puede ser contraproducente si la propaganda del grupo está apenas comenzando a cautivar al adolescente, ya que puede contener nociones filosóficas y metas muy impresionantes y grandilocuentes.
- Conserve una actitud mental abierta y evite las posturas rígidas. Las opiniones que pueden parecer heréticas no necesariamente son destructivas. Enfóquese más bien a la restricción que las sectas imponen a la libre elección mediante la manipulación y el engaño.
- Comente la situación en forma sincera, respetuosa y congruente, pero sin convertirse en juez. Si estalla en lágrimas o desencadena ataques, su hijo se cerrará a todo y le quitará cualquier oportunidad de abrirle los ojos.

Haga preguntas

Antes de someter al adolescente a un examen, averigüe lo más que pueda sobre el grupo, para poder hablar de él en forma inteligente. Vea si puede conseguir la literatura del grupo, para conocerlo por sí mismo. Llame a la *American Family Foundation* (que aparece en la lista al final de capítulo): ellos tienen información sobre ciertos grupos específicos.

Cuando se sienta bien preparado para hablar con su hijo, interróguelo con serenidad e interés genuino. Pregunte cosas como éstas:

"¿Tienen juntas abiertas al público, para que yo pueda asistir?" (Las juntas de las sectas *siempre* son cerradas.)

"¿Te han dicho que tus padres no comprenderían las verdades que ellos profesan?"

"¿Pretenden hacerte creer que te aman más que tu propia familia?"

"¿Te han advertido que tu familia llamaría "secta" al grupo?"

"¿Te han dicho que te tomes el tiempo necesario para considerar las alternativas y para consultar con aquellos cuyo juicio te parece fidedigno?" (Es muy posible que no obtenga una respuesta franca a esta pregunta, pero podría hacer pensar al adolescente en la forma en que están presionándolo para que se comprometa con demasiada precipitación.)

No entre en discusiones

Usted no convencerá a su hijo de que su nuevo grupo de amigos es perverso. Sin embargo, las respuestas a las preguntas anteriores lograrán dos cosas: 1) le darán la información que usted necesita para saber si su joven hijo ya han sido reclutado por un culto, y 2) si se encuentra al principio del proceso de adoctrinamiento, pueden dar al adolescente una razón para poner en tela de juicio un compromiso más serio de su parte.

Consiga ayuda

Si su hijo ya es parte de una secta que trabaja mediante el control de la mente, usted necesitará ayuda profesional para tratar de arrancarlo de las garras del culto. El joven requiere de un terapeuta capacitado especialmente en el proceso de control de la mente y del lavado de cerebro, y que tenga conocimiento del contenido específico del grupo al que el joven pertenece, para poder identificar el lenguaje empleado, las palabras clave, las enseñanzas filosóficas, los tipos específicos de control de la conducta aplicados y las exigencias a las que el adolescente haya sido sometido.

Si el adolescente ha abandonado el hogar y está por completo a merced de la secta, usted podría considerar un proceso llamado de "desprogramación". Los "desprogramadores" son agentes de fuerza contratados por padres de familia para rescatar a sus hijos. El "desprogramador" "secuestrará" al joven y lo aislará, para contrarrestar los efectos del lavado de cerebro. Este método ha sido motivo de gran controversia y ha provocado muchas demandas legales por parte de las familias, pero no deja de ser una opción.

Una vez que el adolescente regresa a casa, los diálogos familiares no son ya un combate en plan de igualdad contra las tácticas psicológicas usadas por el culto. Consiga ayuda profesional llamando a la *American Family Foundation*. Ellos lo remitirán a un terapeuta del lugar donde usted vive, especializado en asesoría profesional para estos casos.

RECURSOS

American Family Foundation, AFF ("Fundación para la Familia Norteamericana").
P. O. Box 2265
Bonita Springs, FL 34133
(914) 533-5420
Sitio en la red (*Web Site*): http://www.csj.org

La AFF es una organización dedicada a la investigación profesional y educativa, fundada en 1979 para ayudar a víctimas de las sectas y a sus familias por medio del estudio de los cultos y de su manipulación psicológica. El sitio en la red contiene listas de recursos, enlaces con otras organizaciones, un índice de grupos del *Cult Observer* de la AFF, extractos del *Cultic Studies Journal* de la AFF e información práctica adicional.

LECTURAS ADICIONALES

Especialmente para adolescentes

BARDEN, RENARDO, *Cults* ("Sectas"), Rourke, Vero Beach, Fla., 1990.

COHEN, DANIEL, *Cults* ("Sectas"), Mill Brook Press, Highland Park, N.J., 1994.

PORTERFIELD, KAY MARIE, *Straight Talk About Cults* ("Hablar honestamente acerca de las sectas"), Datos de archivo, Nueva York, 1997.

La depresión

La costumbre de Jennifer era enfrascarse en crudas discusiones con su papá. Éste se preparó para el ataque cuando le advirtió que tenía que estar de regreso en casa a las diez de la noche. Pero esta vez, Jennifer lo sorprendió con su reacción: "Está bien –dijo, suspirando–. En realidad no me importa". Por un lado, su papá se sintió aliviado al pensar que esa noche no habría combate a gritos, pero por otro lado sintió cierta preocupación. A últimas fechas, Jennifer se había mostrado sumamente triste y taciturna. Permanecía en su alcoba el fin de semana completo, no había comido mucho los dos últimos días y hasta había regalado a su hermana menor su muy querida colección de discos compactos. Y luego... esa reacción que no parecía en absoluto provenir de Jennifer. Cuando su padre le preguntó: "¿Sucede algo, Jennifer?", la chica contestó: "Nada". ¿Qué puede decirse ante semejante respuesta?

Todas las personas sufren de depresión en algún momento de su vida. Sentirse abatido o triste es una reacción normal a las tensiones de la vida diaria. Es tan normal como sentirse feliz o lleno de esperanzas. Sin embargo, es probable que los adolescentes no tengan las experiencias vitales necesarias para saber que sentirse deprimido no es el fin del mundo. Hablar de estos sentimientos aun cuando los jóvenes digan que no sucede nada, es el primer paso para ayudarlos a enfrentar la depresión, antes que la congoja les sugiera ideas suicidas.

CUÁNDO HABLAR DE LA DEPRESIÓN

Normalmente, en los adolescentes la depresión la desencadena una experiencia perturbadora: la muerte de un abuelo, el divorcio de los padres, el cambio de ciudad, de residencia o de escuela, la ruptura de una relación o incluso el perder en una competencia deportiva importante. Este tipo de experiencias debe alertar a los padres para que vigilen cualquier signo de depresión, entre los que se incluyen los siguientes:

Tristeza persistente, ansiedad o desánimo.
Sentimientos de desesperanza, pesimismo.
Sentimientos de culpa, nula autoestima, desesperanza.
Pérdida del interés o del placer en las actividades cotidianas.
Perturbaciones del sueño (insomnio, despertarse muy temprano en la mañana o dormir demasiado).
Energía disminuida, fatiga, estar "a la baja".
Falta de descanso, irritabilidad.
Dificultad para concentrarse, para recordar o para tomar decisiones.

En ocasiones, los trastornos depresivos pueden enmascararse como síntomas físicos persistentes que no responden al tratamiento, como dolor de cabeza, dolor de pecho o estómago, fatiga, mareos, trastornos digestivos y dolor crónico.

Existen asimismo otros signos de depresión que son más comunes en uno que en otro género: los chicos deprimidos a menudo reaccionan al dolor de la depresión terminando con sus amistades, mostrando indiferencia hacia las tareas escolares y renegando del mundo. Por su parte, las jóvenes deprimidas a menudo se castigan a sí mismas, juguetean con la comida, dejan de comer o se lamentan en voz alta de sus culpas y fallas. Todas estas actitudes son gritos de auxilio que no deben ignorarse.

CÓMO HABLAR DE LA DEPRESIÓN

Al ver que su hijo es presa de la depresión, un padre o madre podría pensar que lo mejor es respetar su intimidad y esperar en silencio a que pasen los momentos de tristeza. Pero si los síntomas de depresión son evidentes, lo más atinado es pensar que el adolescente espera que usted le diga algo que demuestre que ha notado algo y que está preocupado por su angustia.

Cuando mencione el tema, tenga presente lo siguiente:

Tome la iniciativa. Un adolescente deprimido puede desear hablar, pero no sabrá cómo empezar. No tema ser directo: "He notado que últimamente te ves retraído (enfadado, triste, u otra cosa). Vamos a hablar de lo que sientes". O simplemente pregúntele: "Hijo, ¿eres feliz?"

Identifíquese con sus sentimientos (no ofrezca soluciones). Si el adolescente se abre con usted, no se precipite a proponer una solución fácil. Es mejor que le haga ver que comprende su situación: "A veces, ingresar a una nueva escuela puede ser muy difícil. Entiendo por qué sientes que nunca volverás a ser feliz".

Respete los sentimientos de dolor. Las emociones del adolescente son importantes para él. Aun cuando a usted le parezcan superficiales, tómelas en serio y dedique tiempo a ayudarlo a especificarlas: "Esto debe realmente herirte. ¿Piensas que estás muy triste o más bien enojado por ello?"

Brinde empatía. Relate alguna historia de su vida que revele a su hijo no sólo que comprende su aflicción, sino también que el dolor va a pasar y la vida proseguirá.

Tenga con él una conversación para buscar conjuntamente soluciones (en vez de dictarlas). Usted podrá ayudar al adolescente a aprender el mejor modo de afrontar la depresión, alentándolo a pensar en formas de valerse por sí mismo. Puede sugerirle que reduzca el nivel de sus expectativas (en especial si tiende a ser perfeccionista); que cambie algunas cosas de sus proyectos o del ambiente que lo rodea. Puede proponerle que pase más tiempo con sus amistades o en alguna actividad física; o que organice algún paseo como entretenimiento. Anímelo a mencionar cualquier idea que se le ocurra espontáneamente, recordándole que no tiene que hacer todas las cosas que usted le plantee. Explíquele que se trata simplemente de proponer muchas ideas, con la esperanza de que un par de ellas funcione.

Si escucha con atención a su hijo, le brinda apoyo y lo ayuda a pensar en formas de hacer frente a la situación y recobrar cierto control de ésta, es posible que la depresión se resuelva por sí sola. En la mayoría de los casos, las actitudes depresivas suelen durar sólo unas cuantas horas o días, y son valiosas experiencias didácticas. Todos necesitamos aprender que la tristeza es parte de la vida lo mismo que la felicidad. Pero si esa actitud permanece, es posible que su hijo esté experimentando una profunda y desesperante depresión denominada depresión clínica.

RECONOCER LA DEPRESIÓN CLÍNICA

En la depresión clínica, los sentimientos de desesperación son mucho más profundos y destructivos que aquellos que acompañan las manifestaciones más comunes de depresión que experimentamos todos. Aunque esta clase de depresión puede también desencadenarse a partir de alguna experiencia perturbadora, suelen ser los sentimientos profundos de inutilidad y falta de autoestima los que constituyen el cimiento de la causa aparente.

Si algunos o todos los síntomas de depresión perduran más de un par de semanas o constituyen un obstáculo para la actividad ordinaria, el adolescente necesita ayuda profesional. No vacile en buscarla. La depresión es un trastorno complejo en el que intervienen muchas causas. El hecho de que su hijo esté deprimido no significa que usted sea un mal padre o madre; tampoco significa que él sea una persona emocionalmente débil. Lo que revela es que el joven tiene dificultades con alguna de las numerosas emociones de la vida. También es posible que el adolescente esté manifestando una tendencia hereditaria que lo hace más susceptible a los vaivenes de la vida. Cualquiera que sea la causa, los padres no deben soslayar los primeros indicios de depresión clínica. Es triste decirlo, pero, si la depresión grave no recibe tratamiento, con demasiada frecuencia conduce al suicidio entre los adolescentes.

SUICIDIO

La depresión devastadora es la razón principal por la que la gente se quita la vida. Se sienten solos y devorados por la tristeza, y no saben cómo relacionarse con los demás ni encontrar alivio para la angustia que los agobia. En estas circunstancias, algunos empiezan a ver la muerte como su única salida posible.

Esto no quiere decir que toda persona deprimida cometa suicidio o lo intente, o siquiera piense en él; tampoco significa que todos los suicidios se producen como resultado de alguna depresión. Pero un gran número de suicidios y de intentos de suicidio entre los jóvenes pueden estar vinculados con un estado de depresión grave.

Un total de cerca de medio millón de adolescentes en todo el mundo intenta suicidarse cada año. Esto significa que cada sesenta segundos, un adolescente intenta quitarse la vida; y uno de cada doscientos lo logra. Estas cifras son aterradoras. Revelan que el suicidio destruye muchas más vidas de adolescentes y jóvenes adultos que las muy temidas enfermedades cancerígenas y del corazón. Las únicas causas de muerte entre los jóvenes que superan esas cifras funestas son los accidentes y los homicidios. Para los adultos, esas estadísticas son especialmente asombrosas, porque quisiéramos creer que los años de la adolescencia de nuestros hijos son despreocupados, divertidos y excitantes. Sin embargo, la verdad es que la diversión va de la mano con presiones y temores tan fuertes, que en el caso de algunos adolescentes están muy por encima de las alegrías de la vida.

En casi todos los casos, el suicidio es el último recurso para una supuesta solución. Es el clamor supremo de ayuda cuando todo lo demás ha fallado. Un intento de suicidio es un modo de gritar a voz en cuello: "¡Oigan, mírenme, ayúdenme! ¡No puedo seguir así... Escúchenme para que pueda vivir!" El suicidio se convierte en una vía de comunicación cuando todas las demás se han deteriorado. (El proceso para comunicarse mediante el suicidio es diferente entre los varones y las jovencitas. De todos los intentos de suicidio, el 90 por ciento son obra de chicas, pero de todos los suicidios consumados, el 70 por ciento son varones.)

Si usted ha llegado a la conclusión de que su hijo está deprimido, es necesario que le hable del suicidio. Sacar sin tardanza a la luz este lúgubre tema, hace ver al adolescente que usted está escuchando sus súplicas de ayuda disfrazadas.

MITOS EN TORNO AL SUICIDIO

Antes de empezar a hablar sobre el suicidio, tómese un poco de tiempo para aclarar sus propios sentimientos y disipar algunos mitos comunes que acompañan a los suicidios:

Mito: No debe hablarse de suicidio a una persona deprimida: es tanto como sugerirle ideas.
Realidad: Si el suicidio está ya en la mente del adolescente, es esencial traerlo a la superficie. Esto elimina de inmediato el velo de misterio y de secreto que puede hacer que el suicidio sea atractivo para un joven en esa edad. Si su hijo no está pensando en suicidarse, mencionar el hecho de que algunos adolescentes consideran que es una solución a la depresión, sencillamente revela al adolescente que usted entiende que su generación tiene sentimientos muy reales e intensos. Servirá para demostrar que a usted no le horroriza ni le parece repugnante la idea, sino que está dispuesto a hablar de ella. El suicidio es tema de muchas canciones populares, de música de vídeos y de películas dirigidas a la juventud. Proponer el tema cuando el adolescente está ya deprimido no es ponerle en la cabeza una nueva idea.

Mito: La gente que habla de suicidio nunca lo comete.
Realidad: Hablar de suicidio es una advertencia: tómela en serio. Si su joven hijo exclama "¡Quisiera estar muerto!", no ponga oídos sordos a ese clamor. Acérquese a él cuando esté un poco más tranquilo y hablen de los sentimientos que pu-

dieran haber sido la causa de tal manifestación. (Vea la siguiente sección para sugerencias sobre lo que hay que decir.)

Mito: Un intento frustrado de suicidio avergonzará tanto a la persona, que no lo repetirá.
Realidad: Las estadísticas del suicidio demuestran que esto es falso. El primer intento es el más difícil de hacer. Una vez superada esa dificultad, lo más probable es que la persona que no recibe ayuda lo intente de nuevo.

Mito: La felicidad después de una depresión aleja el riesgo del suicidio.
Realidad: A menudo ocurre que la gente intenta o de hecho comete el suicido después de un periodo de calma y felicidad. Los amigos comentan: "Me sorprendió tanto, porque al fin había logrado superar la depresión". Es frecuente que a la decisión de optar por la muerte le siga un estado de felicidad. Esto pone fin a la lucha interna e infunde una sensación de paz. No hay que dejarse engañar por un cambio positivo en el humor.

Mito: La gente que intenta el suicidio desea morir.
Realidad: Mucha gente que intenta el suicidio no tiene intenciones de morir. Están pidiendo a gritos que los ayuden, y para eso se valen de un método de suicidio que les da la máxima oportunidad de rescate. Es posible que ingieran una pequeña dosis de píldoras que difícilmente podría ser mortal. Abren la llave del gas en un recinto cerrado, pero dejan abierta una rendija en la ventana. Se hacen cortes superficiales en los vasos sanguíneos de la muñeca. (Los que están más decididos a morir suelen servirse de métodos más violentos y destructores, como armas de fuego o ahorcamiento.)

Sin embargo, la línea divisoria es apenas perceptible: muchos individuos cuya meta verdadera no era morir, de hecho perecen, y muchos más son salvados después del intento más violento.

CÓMO HABLAR DEL SUICIDIO

Puede ser muy difícil encontrar las palabras exactas para hablar del suicidio. Las siguientes sugerencias le ayudarán a tocar el tema con sensibilidad y amor.

Haga preguntas

Sea franco, y pregunte sin ambages a su hijo si está pensando en el suicidio. A menudo es un alivio para el adolescente reconocer que abriga semejantes ideas. Cuando usted lo menciona, le abre precisamente la puerta que necesita para hablar de sus sentimientos "secretos". La respuesta a esta pregunta servirá también para que usted evalúe la gravedad de la situación.

Cuando aborde el tema, proceda poco a poco. Haga preguntas como éstas:

"Últimamente me das la impresión de tener poco ánimo. ¿Te sientes deprimido?"

"¿Te parece a veces que la vida no vale la pena?"

"¿Has pensado alguna vez en ponerle fin a todo, quitándote la vida?"

"¿Has llegado a preguntarte cómo lo harías?"

"¿No querrías hablar con alguien que esté capacitado para ayudar a jóvenes adolescentes a manejar esta clase de sentimientos?"

Escuche

La medida más útil es escuchar. Escuche con toda atención. Siéntese mirando de frente a su hijo. Mírelo a los ojos. Escuche con compasión, no en calidad de juez. No interrumpa; limítese a escuchar. Es preciso que permita al adolescente poner de manifiesto su problema, antes de que usted empiece a analizarlo. Dele libertad para mostrarse enojado, herido y desesperanzado, antes de ofrecerle consejos para afrontar la situación. Tener tiempo de ventilar estos sentimientos es un primer paso para enfrentarlos.

Si el adolescente le dice que no está pensando en el suicido, no insista. (¡Es muy posible que ni siquiera se le haya ocurrido!) Sin embargo, aproveche la oportunidad para compartir lo que sabe de otros jóvenes que se inclinan al suicidio para resolver su depresión. Utilice las estadísticas proporcionadas en este capítulo para explicar por qué le hizo esa pregunta primero. Luego, continúe la conversación con las sugerencias que aparecen a continuación. Todos los adolescentes necesitan saber que sus padres se interesan por ellos y que hay muchos modos constructivos de resolver problemas.

Demuéstrele su interés por él

Para contrarrestar los sentimientos de inutilidad, diga a su hijo que lo ama y que no está solo en esa situación. Dígale que lo ama por ser quien es y no por lo que logra. Manténgase cerca durante esta temporada difícil y siga dándole muestras de su interés por él.

Equilibre las emociones con razones

El adolescente necesita que usted se mantenga firme y razonable. Aunque actúe como una persona comprensible y compasiva, usted puede ser también la voz de la razón que llega hasta el desequilibrado marco emocional de su mente. Entre las cosas que podría decirle están las siguientes:

"Los problemas son temporales y las cosas cambiarán."

"En este momento te sientes muy mal, pero no puedes saber cómo te sentirás dentro de uno o cinco años."

"Muchos otros se han sentido del modo que te sientes tú; luego superan ese sentimiento o reciben ayuda mediante asesoría profesional, y continúan llevando una vida feliz."

"No es locura ni extravagancia sentirse tan deprimido. Muchas personas pasan por esta experiencia en un momento u otro de su vida."

SER CUIDADOSO CON LO QUE SE DICE

El suicidio es un tema delicado; por ello, piense bien antes de responder, cuando el adolescente le dice a gritos: "¡Te pesará cuando me veas muerto!" Procure evitar estos errores comunes cuando hable del suicidio con su hijo.

No actúe conmocionado ni asustado: "¡Oh, Dios mío, no digas semejante cosa!"

No trate de infundir confianza: "No hay por qué preocuparse".

No trate de infundirle vergüenza por tener semejante idea: "El suicidio es una cobardía. Tú has gozado de una buena vida. Debería avergonzarte el solo hecho de pensar semejante cosa".

No lo considere una fanfarronada: "No digas semejante estupidez. Tú sabes que no vas a darte muerte". Ni tampoco: "Anda, pues, quítate la vida si crees que eso te sirva de algo".

No trate el problema a la ligera: "Vamos, hombre, tus problemas no son tan graves".

No trate de analizar la razón: "Estás diciendo esto sólo para atraer mi atención". Ni tampoco: "Te pones siempre demasiado dramático".

No trate de soslayar o minimizar el problema: "Anda, una buena noche con un sueño tranquilizador te hará sentirte mejor en la mañana".

CONSEGUIR AYUDA PROFESIONAL

Aunque usted tenga éxito en lograr que el adolescente le hable de sus sentimientos suicidas, es importante buscar ayuda profesional. Aun cuando el joven, quien le ha manifestado sus ideas suicidas, le dé las gracias más sinceras por el interés que usted le ha demostrado, y le garantice que se siente ya mucho mejor, no abandone el propósito de obtener ayuda profesional para él. Muchos adolescentes engañan deliberadamente a quienes tratan de ayudarlos, portándose como si la crisis hubiera sido superada. La verdad es que siempre que haya existido un riesgo de suicidio, es necesario conseguir ayuda de un centro para la prevención del suicidio (que no es difícil encontrar en las sociedades modernas), de una línea telefónica de emergencia (que muchas veces puede encontrarse en el directorio telefónico), de la asesoría profesional que ofrezca la escuela, o de un profesional de la salud mental. Si el adolescente rechaza esta clase de ayuda, búsquela usted mismo, pidiendo consejo sobre el modo de manejar la situación. No suspenda las conversaciones con su hijo. Cuando los jóvenes se muestran más obstinados y difíciles, es cuando más necesitan la ayuda de sus padres.

RECURSOS

Covenant House NINELINE
(800) 999-9999
Intervención en casos de crisis y servicios de referencia y de información para adolescentes con problemas y sus familias.

Mental Health Net ("Red de Salud Mental")
Sitio en la Red: http//www.cmhc.com
Guía general en línea para problemas de salud mental

Youth Crisis Hotline ("Línea Telefónica de Emergencia para Jóvenes")
(800) 448-4663
Asesoría profesional y referencias para adolescentes en estado de crisis

LECTURAS ADICIONALES

HERSKOWITZ, JOEL, *Is Your Child Depressed?* ("¿Su hijo padece depresión?"). Nueva York: Warner Books, 1988.

WILLIAMS, KATE., *A Parent's Guide for Suicidal and Depressed Teens* ("Guía de los padres para adolescentes suicidas y deprimidos") Hazelden, Center City, Minn., 1995.

Especialmente para adolescentes

MALONEY, MICHAEL, y otros, *Straight Talk About Anxiety and Depression* ("Conversación sincera acerca de la ansiedad y la depresión"), Datos de archivo, Nueva York, 1991.

SILVERSTEIN, ALVIN, VIRGINIA NUNN y LAURA NUNN, *Depression* ("Depresión"), Enslow, Springfield, N.J., 1997.

La ética, los valores morales y la religión

Los amigos de Jake estaban muy emocionados. Tenían las respuestas al examen final del viernes. "Ven con nosotros, Jake –gritó Miguel por teléfono–; estamos haciendo una copia y celebrando. No hay para qué quedarse encerrado en casa estudiando toda la semana". Jake vaciló. Sabía que no era correcto hacer trampa en un examen, pero... todos los demás iban a sacar buenas calificaciones sin estudiar, ¿por qué no hacerlo él también?

Los adolescentes afrontan a menudo dilemas de muy difícil solución. Están descubriendo que ser "un buen chico" no significa ya tener el cuarto limpio o hacer a tiempo la tarea; hoy significa hacer frente a situaciones éticas arduas y optar por lo que es debido, aunque no sea ni popular ni fácil. Ésta es probablemente la tarea más difícil que se plantea a nuestros hijos en la adolescencia. No pueden cumplirla a menos que sepan, con seguridad, que los valores morales y religiosos no son anticuados. Necesitan saber que estos valores constituyen el fundamento de nuestra civilización, que son los que hacen que nuestra sociedad funcione. Son la esencia de una vida buena y feliz.

Sin embargo, ¿cómo van a saber esto los jóvenes? La televisión actual, la música, las revistas, las novelas y los periódicos los bombardean con mensajes inmorales. Sus amigos se encuentran en el mismo predicamento; los vecinos se mantienen detrás de puertas cerradas; su familia de extensión suele vivir bastante retirada. Hay una sola persona que puede transmitir la importancia de los rasgos de un carácter positivo y de los valores morales, y esa persona es usted. Si se quiere que los adolescentes asimilen estas cosas, necesitan saber bien lo que son. Es preciso que las vean manifestadas claramente en palabra y obra.

Hay muchos rasgos del carácter, de ética y de valores morales que sin duda alguna usted quiere inculcar a sus hijos. Aquí hemos seleccionado la amabilidad, la integridad, la honradez, la perseverancia y el optimismo. Los ofrecemos como ejemplos y alentamos a los padres a utilizar estas ideas como trampolín para lanzarse luego a otros valores que son importantes para su familia en particular.

Debemos hacer antes una advertencia. Aun cuando los padres sean modelos de altas creencias morales y se esfuercen con empeño por transmitirlas a sus hijos adolescentes, es posible que ellos no sean receptivos a todas sus ideas. No se desalienten. Como los jóvenes insisten tanto en separarse de ustedes, pueden pensar que deben rebelarse contra lo que ustedes juzgan bueno. Sin embargo, sus lecciones no son letra muerta. Por medio de su ejemplo y de diálogos francos, ustedes les brindan la base de convicciones que volverán a surgir cuando pase su etapa de rebelión. Ofrézcanles esta base firme, sin que importe si la quieren o no. Ésta se mantendrá siempre firme, como punto de referencia en el futuro.

CÓMO Y CUÁNDO HABLAR DE RASGOS DEL CARÁCTER Y DE VALORES MORALES

Sin haber hecho más que observar y escuchar, sus hijos adolescentes han adquirido durante años conocimientos sobre rasgos del carácter y valores morales que son importantes para los padres. Han podido captar también sus normas éticas personales y saben qué es lo que usted valora. Pero ahora, cuando empieza a desarrollárseles un espíritu independiente, es un buen momento para hablar de estas cosas, con el propósito de sacar a la luz lo que usted supone que saben, pero de lo que nunca han hablado.

El modo como su voz resuena con más fuerza y claridad es su propio ejemplo. No se haga la ilusión de que puede hablar de rasgos del carácter y de valores morales y actuar de una manera que contradiga su mensaje. Una vez que la perspectiva que tienen sus hijos del mundo y de lo que lo hace funcionar se asemeja más a la de los adultos, el método de enseñanza basado en el adagio "Haz lo que te digo, no lo que me veas hacer" destruirá cualquier esperanza de guiarlos hasta niveles morales elevados. Si hasta este momento usted no ha sido un buen modelo de ética y de valores, es la hora de comenzar a serlo. No es demasiado tarde; todavía hay tiempo. Si usted ha llevado una vida tranquila y moral, ésta es la hora de hablar de lo que hace y por qué lo hace. Nadie más muestra a sus hijos lo debido y lo indebido, o lo que es bueno y lo que es malo: es tarea de usted y de nadie más.

Los altibajos de la vida diaria le brindan un gran número de oportunidades de suscitar diálogos sobre rasgos del carácter y valores morales. Cuando usted oiga a sus hijos hablar en tono cruel de otro adolescente, cuando vea a su hijo luchando por tomar una decisión o cuando haya sido herido por la crueldad de otros, aproveche estas experiencias como momentos didácticos. Cada una de las secciones que siguen propone un ejemplo de dilema de todos los días que puede aprovecharse para entablar un buen diálogo. La mayoría no tiene respuestas "debidas" o "indebidas"; simplemente ofrecen temas de discusión. Además, mantienen sus ojos y oídos abiertos a todo lo que sucede en la vida de su hijo, lo cual abrirá la puerta para más intercambios de corazón a corazón.

QUÉ DECIR ACERCA DE LA AMABILIDAD

La amabilidad es la capacidad de mostrar interés, armonía emocional y comprensión hacia los demás. Significa poner las necesidades y los deseos de otros en primer lugar. ¿Podría imaginarse lo que sucedería si las generaciones futuras no tuvieran idea de la amabilidad? ¡Qué ardua sería la vida para todos. Su joven hijo o hija necesita ver el valor de la amabilidad todos los días.

Sus hijos aprenden a tratar a los demás con amabilidad, de dos maneras: 1) viendo cómo tratan sus padres a otras personas; 2) viendo cómo los tratan sus propios padres.

Hable del modo como usted trata a los demás

¿Cuántas oportunidades tiene usted cada día de tratar con amabilidad a los demás, fuera del círculo de la familia? En medio del vértigo de la vida familiar, es posible que usted piense que hay pocas oportunidades, pero en realidad las hay a centenares. Aprovechar siquiera unas cuantas hablará muy bien de su punto de vista sobre la amabilidad.

Usted dicta volúmenes enteros sobre la amabilidad cuando se ofrece a ayudar a los demás. La amabilidad significa que a usted le interesa algo fuera de su propio yo. Le da ánimo para salir de sí mismo y ayudar a los demás. Le exige no concentrarse en su propia persona. El mejor modo de enseñar estas lecciones es trabajar en unión con otros en busca de un bien común. Si es ya voluntario en alguna causa, hable del trabajo que desempeña. Explique por qué lo hace. Lleve consigo a su hijo cuando sea posible. Además, anímelo a desarrollar en sí mismo el espíritu de servicio voluntario. Los horarios de los adolescentes pueden estar llenos de actividades, pero siempre hay algún grupo u organización que puede aprovechar un par de manos serviciales con cualquier horario disponible. Los voluntarios se ocupan en cientos de campos cívicos y sociales; los adolescentes podrían disfrutar los del cuidado de la salud, la política, la protección ambiental, la educación, la conciencia sobre las drogas, o ayudar a los que tienen hambre o carecen de hogar. (El trabajo voluntario tiene además el beneficio personal de dar a los jóvenes experiencia en campos que luego podrían atraerlos hacia una carrera.) Llame al centro de servicios sociales que más le atraiga, o que le inspire más confianza. Ellos podrán guiarlo por buen camino.

Usted habla a sus hijos de la amabilidad cada vez que se comunica con otras personas. Mostramos amabilidad no sólo en los esfuerzos mayores de ofrecer ayuda a los menos afortunados, sino también en toda clase de intercambio social. Cuando la vendedora de una tienda le dice "Que pase un buen día", mírela a los ojos antes de salir de prisa y contéstele "Lo mismo le deseo". Cuando alguien quiere atravesársele por delante en medio del tráfico, en vez de lanzarle una maldición, comente: "Esta persona parece tener más prisa que yo; será mejor que la deje pasar". Cuando un agente de ventas por teléfono llama para hacerle una oferta que no le interesa, no azote la bocina, dejándolo con la palabra en la boca. Más bien procure que su negativa sea cortés: "Gracias por llamarme, pero la oferta no me interesa. Que pase usted muy buen día. Hasta luego". Cada vez que habla con otra persona y sus hijos lo escuchan, usted está hablando también con ellos.

Usted habla de amabilidad con sus hijos cada vez que habla de otras personas. En las conversaciones familiares, haga el máximo esfuerzo por hablar con amabilidad de los demás o, en el peor de los casos, no diga nada. Los adolescentes aprenden a criticar, a condenar o a murmurar sobre los demás, siguiendo el ejemplo que usted les da. No ponga a los demás membretes como *estúpido*, *perverso*, *perezoso* o *bueno para nada*. En cambio, si elogia a otras personas y encuentra lo bueno que hay en ellos, sus jóvenes hijos aprenderán a afirmar y a celebrar la dignidad y valía de los demás seres humanos.

Hable del modo como trata a sus adolescentes

Aunque nunca va a decirles: "En este momento estoy tratándote con amabilidad; así es como tú debes tratar a los demás", su forma de actuar transmite claramente este mensaje. Para que los jóvenes sean amables con los demás, deben sentirse seguros, valiosos y respetados en su persona. Usted colma a sus hijos de estos sentimientos cada vez que se muestra amable con ellos; cada vez que escucha sus ideas y reconoce sus sentimientos; cada vez que les dice: "Sé que esto es importante para ti, así que vamos a hablar de ello".

Hable de los dilemas diarios en los que interviene la amabilidad

- Diga a sus hijos que ha leído algo sobre cierto joven que se suicidó porque sus compañeros de clase no dejaban de burlarse de su obesidad. Pregunte a sus hijos:

"¿Por qué crees que los adolescentes pueden ser tan crueles con un compañero?"
"¿Sucede esto en tu escuela?"
"¿Qué harías tú si tus amigos empezaran a burlarse de un compañero o compañera por su aspecto físico?"

- Cuente a sus hijos que algunas amigas suyas habían empezado a murmurar en contra de otra amiga que no estaba presente. Pregúnteles: "¿Qué crees que debía haber hecho yo en esas circunstancias?" "¿Qué harías tú?"
- Diga a sus jóvenes hijos que hay una campaña para donar sangre en el banco local. Pregúnteles: "¿Crees que deba dar sangre?" O, si tienen edad suficiente para donarla ellos, pregunte: "¿Quieres donar sangre?"

QUÉ DECIR ACERCA DE LA INTEGRIDAD

Ser persona íntegra significa ser internamente el mismo individuo que se pretende ser a la vista de todos. Es una actitud que infunde paz interior y conquista la admiración de los demás. Todos los días tenemos muchas oportunidades de enseñar los fundamentos de la integridad, de distinguir lo debido de lo indebido, lo honesto de lo deshonesto, con el ejemplo y la enseñanza.

Tener integridad significa ser digno de fe y fiel a la propia palabra. Sus hijos adolescentes viven en un mundo en el que "Te llamo después" equivale a decir "nunca"; o bien "Nos vemos a las ocho" significa "Es probable que esté ahí... cuando llegue". Es un mundo en el que "Te prometo" no quiere decir nada. Usted puede demostrar con su ejemplo y sus expectativas que éste no es el modo de actuar de una persona que pretende ser íntegra. Si usted anuncia: "Paso por ti a las dos", cúmplalo. Si promete: "Estaré presente en tu juego el sábado", no falte. Nuestros hijos reciben una imagen torcida de la honradez y la confiabilidad cuando oyen a menudo expresiones como éstas: "Sé que te prometí llevarte al centro comercial hoy en la noche, pero estoy demasiado cansado. Tú lo entiendes, ¿verdad? Te prometo que lo haremos la semana entrante". O bien: "Sé que te dije que iría a verte actuar, pero el jefe nos convocó a una junta de último momento y el tráfico me impidió llegar. Tú sabes cómo suceden estas cosas". Y así sucesivamente.

La parte más difícil de enseñar integridad a los jóvenes es el aspecto de blanco y negro descrito en el viejo adagio: "No hay grados de honradez: o eres o no eres honrado". Esto es difícil de aceptar cuando todos a nuestro alrededor progresan a base de encontrar razones para su falta de honradez en actos que les dan alguna ventaja sobre los demás: hacer trampas en los exámenes, consumir esteroides para mejorar los resultados atléticos, mentir para salirse con la suya, y otras cosas por el estilo. Usted puede ayudar a sus hijos manteniéndose firme en circunstancias como ésas y repitiéndoles a menudo: lo que está mal hecho es malo, por más que todos lo hagan. Lo que es bueno es lo debido, aunque nadie lo haga".

Hable de los dilemas diarios que implican integridad

- Cuente a sus hijos que oyó que dos chicos encontraron 500 dólares abandonados en el parque. Los niños entregaron el dinero a la policía, pero los demás chicos del vecindario a los que se hizo una entrevista dijeron que entregar el dinero, en vez de quedarse con él, había sido una locura. Luego, pregunte a sus hijos adolescentes: "¿Qué opinas tú?" (Éste fue un episodio real que apareció en las noticias del día.)

- Diga a sus hijos que fue de compras hoy y que la vendedora se equivocó al darle el cambio. Pregúnteles qué creen que debía haber hecho usted. ¿Qué hacer si era demasiado cambio? ¿Qué hacer si era menos de lo debido?
- Diga a sus hijos adolescentes que usted conoce a una persona a la que su jefe pidió que mintiera a un cliente. Pregúnteles: "¿Creen ustedes que debía haberlo hecho para conservar su empleo?" ¿Existe alguna situación en la que mentir sea la solución apropiada?
- Pregunte a sus hijos adolescentes: "¿Qué harías si tu amiga te llamara y te dijera que tenía las respuestas al examen del día siguiente?"

QUÉ DECIR ACERCA DE LA RESPONSABILIDAD

El sentido de responsabilidad hace que debamos dar cuenta de nuestros actos y, por lo mismo, que seamos fidedignos. Es cada vez más difícil que esta característica se desarrolle en nuestros jóvenes, porque están creciendo en un mundo en el que nadie es responsable de nada. Nadie resulta personalmente culpable de nada, según las noticias: yo no soy responsable porque soy pobre; o no lo soy porque adquirí la riqueza con demasiada rapidez y a muy temprana edad. No soy responsable porque se abusó de mí, porque no tuve privilegios o porque los tuve en demasía. No fue responsabilidad mía, porque ingerí demasiada azúcar; o porque mis padres me consentían todo, o porque me exigían demasiado.

Las excusas son interminables. Los adolescentes necesitan la ayuda de sus padres para darse cuenta de que el modo valeroso y correcto de actuar es asumir la responsabilidad de los propios actos.

Cerciórese de que las reglas en su casa sean claras. Diga a sus jóvenes hijos:

"Si se te cae algo, levántalo. Si rompes algo, reponlo. Si ensucias algo, límpialo."

"Todo lo que se hace tiene consecuencias. Afronta las consecuencias de lo que hagas tú, sin culpar a los demás."

"No niegues tus acciones. Si hiciste algo, ten el valor de decirlo."

Hable de los dilemas de todos los días en los que interviene la responsabilidad

- Hable con sus hijos del caso sucedido en Florida cuando un joven reo se declaró inocente y culpó al exceso de azúcar en ciertas golosinas de haber perdido el control. Pregunte a sus hijos si creen que ésa era una defensa razonable.
- Señale la basura que se encuentra en los costados del camino o en los parques y pregunte a su hijo adolescente sobre quién recae la responsabilidad de limpiarla.
- Si el adolescente obtiene resultados deficientes en un trabajo escolar, no deje de preguntarle quién tiene la culpa de que eso haya sucedido. La respuesta le revelará mucho sobre el punto de vista que el adolescente tiene de la responsabilidad personal.
- Pregunte al adolescente si sabe por qué se pide a los jóvenes que desempeñen tareas domésticas.

QUÉ DECIR ACERCA DE LA PERSEVERANCIA

La perseverancia hace que sucedan las cosas. Nos impulsa a intentar algo de nuevo cuando fallamos. Gracias a ella nos levantamos cuando caemos. La perseverancia nos mantiene fuera del grupo llamado de los "desertores". No es algo que siempre brota naturalmente. La respuesta rápida a un reto puede ser desistir, pero, con la ayuda de los padres, los adolescentes pueden aprender a seguir haciendo esfuerzos cuando tropiezan con alguna adversidad. "No te desanimes" es más que una expresión de aliento para alguien que tropieza con alguna calamidad o dificultad: es un consejo sabio para cualquiera que trata de hacer el bien en el mundo.

Hable de los dilemas diarios en los que interviene la perseverancia

- Pregunte a su hijo adolescente si cree que está bien que un jugador de pelota se salga de un equipo a mitad de la temporada, porque éste no ha ganado un solo juego.
- Pregunte a su hijo adolescente si conoce a una persona que sea en verdad inteligente pero que obtenga malas calificaciones en la escuela. Si la conoce, pregúntele por qué cree que haya quien no procure hacer su mejor esfuerzo por lograr algo.
- Pregunte a su hijo adolescente por qué hay siempre gente que persevera e intenta algo una y otra vez, cuando es evidente que es más fácil desistir si se encuentran dificultades.

QUÉ DECIR ACERCA DEL OPTIMISMO

El optimismo propicia la recuperación aun en medio de los reveses. Permite que un hijo alcance y aun supere las metas y las expectativas. En cambio, el pesimismo puede hacer a un menor insensible a los placeres de la vida e impedirle lograr sus objetivos. Incluso puede ir en detrimento de su salud física.

Martin Selegman, psicólogo de la Universidad de Pensilvania y coautor de la obra *The Optimistic Child* ("El chico optimista") ha pasado más de veinticinco años investigando por qué hay individuos motivados y optimistas, mientras que otros se desaniman con facilidad. Según Seligman, el modo como los individuos responden a las contrariedades –con optimismo o con pesimismo– es un indicador bastante exacto del éxito que logran en la escuela, en los deportes y en ciertos campos laborales. Este investigador ha observado también que los niños optimistas tienden a pensar que cualquier adversidad, como una calificación que resultó más baja de lo esperado, es temporal –el resultado de una circunstancia determinada, como podría ser no haber estudiado lo suficiente–. Los niños pesimistas tienden a experimentar cualquier contrariedad como algo permanente: para ellos, una baja calificación es reflejo de su falta general de inteligencia y capacidad.

Es posible fomentar el propio ánimo optimista si se dedica un rato diario a perfeccionar estos tres pasos hacia un modo de pensar más positivo:

1. Reconocer los pensamientos que se agitan en la mente cuando uno se siente mal. Por ejemplo, si cuando le avisan que hay que quedarse a trabajar tarde para terminar un informe, usted en el acto piensa: "¡Cómo detesto este trabajo! ¡Nunca puedo llegar a tiempo a casa!"
2. Evaluar estos pensamientos automáticos: si lo hace, verá que en realidad no son exactos. Detenga pensamientos como: "detesto ese trabajo", y pregúntese si de verdad es así.

3. Generar explicaciones más precisas cuando suceden cosas desagradables. Use estas explicaciones para desafiar sus pensamientos automáticos. Adapte sus sentimientos para aceptar que le repugna tener que trabajar hasta tarde, pero que el trabajo en sí no es tan malo y que de hecho usted no trabaja hasta tarde más que unos cuantos días al mes.

Con tres rápidos pasos mentales, usted habrá cambiado una reacción pesimista irracional en otra optimista basada en la realidad. (Los optimistas no siempre están felices con todo lo que les sucede, ¡pero tienen la habilidad mental de impedir que las contrariedades diarias se conviertan en catástrofes mentales!)

Una vez que haya captado el secreto de detener los pensamientos negativos y desafiarlos, dé al adolescente la oportunidad de hacer también la prueba. Cuando él se enfrente a un problema o un reto, guíelo para que reconozca su estilo optimista o pesimista de responder a él.

Suponga que su hijo tiene mucha tarea por hacer y se queja diciendo: "¡Cómo aborrezco la escuela; nunca tengo oportunidad de pasar un buen rato con mis amigos!" Ayúdelo a enfocarse en el problema real y en el modo de resolverlo:

1. Identifique el problema real: ¿efectivamente *aborrece* la escuela, o simplemente le enoja no poder pasar un rato con sus amigos precisamente esa tarde?
2. Poner en tela de juicio la idea de que *nunca* puede darse el gusto de pasar un rato con los amigos.
3. Pensar en las consecuencias reales de trabajar más con la tarea escolar. Ayúdelo a ver que se sentirá más feliz cuando vaya a la escuela mejor preparado. Además, podrá pasar un buen rato con los amigos un poco más tarde, o al día siguiente.

Ayude a sus hijos a aplicar este ejercicio de los tres pasos siempre que escuche razonamientos pesimistas. Se requiere un poco de tiempo para darse clara cuenta de que la primera cosa que "relampaguea" en la mente puede muy bien no ser un cuadro real de la situación.

Hable de los dilemas diarios en los que interviene el optimismo

- Pregunte al adolescente por qué cree que gente que nunca ha ganado una sola lotería sigue comprando billetes.
- Pregúntele si cree que la gente debería hacer planes para casarse al aire libre, cuando se sabe que no es posible estar seguro del buen tiempo.
- Pregunte al adolescente si, después de tener cinco experiencias adversas seguidas, debería esperar a que la siguiente fuera buena o mala.

HABLAR DE RELIGIÓN

Es indudable que encontraremos resistencia cuando tratemos de infundir en nuestros adolescentes rasgos admirables de carácter, ética y valores morales. Ellos querrán saber: "¿Qué necesidad tengo de actuar de modo diferente al de mis amigos?" "¿Por qué tengo que hacer lo que es debido, cuando a todos los demás les resulta tan fácil hacer a un lado la honradez?" Las respuestas a esta clase de preguntas pueden originarse en muchos terrenos: uno de ellos puede ser la firme creencia de los padres en el valor de una vida moral y ética, por sí sola; otro puede ser el de sus convicciones religiosas. En algunas familias, la fe en un poder supremo y en una vida de espiritualidad ofrece normas sólidas para tomar decisiones éticas y morales. En otras familias, lo que brinda la respuesta es la tradición de una religión organizada. Si usted ha educado a sus hijos dentro de una comunidad religiosa, la sección que sigue le ayudará a encontrar la respuesta a esas preguntas cuando sus hijos adolescentes empiecen a poner su propia fe en tela de juicio.

La investigación revela que los jóvenes que heredan de sus padres el don de la fe están en posición de ventaja sobre los que no lo han recibido. Uno de los estudios hechos al respecto fue la encuesta emprendida por el doctor Peter L. Benson, presidente del *Search Institute* ("Instituto de Investigación") de Minneápolis, entre cuarenta y siete mil estudiantes de los grados del sexto de primaria hasta el último de preparatoria. En este estudio, el doctor Benson comprobó que cuanto más aumenta la participación de un niño en las prácticas religiosas, tanto más disminuyen todos los tipos de conducta de alto riesgo. Averiguó también que hay menos consumo de drogas, menos conducta antisocial, menos actividad sexual y, en cambio, más capacidad de compasión y de servicio voluntario en los menores que practican su fe. Muchos expertos convienen en que los valores infundidos por la mayoría de las religiones, como son el amor, la misericordia y la amabilidad, se transmiten con más facilidad dentro de un contexto religioso.

Además, hay otras buenas noticias para los adolescentes con fe. Un estudio aparecido en el *Journal of Youth and Adolescence* ("Periódico de la Juventud y la Adolescencia") dio a conocer el hecho de que entre los adolescentes que asistían con frecuencia a la iglesia y que consideraban su religión como algo que da sentido a la vida, había menos incidencia de depresión que en sus compañeros. Estos investigadores comprobaron que la religión es una fuerza positiva en la vida de los adolescentes.

Para muchos padres, las convicciones morales con base religiosa y los códigos de lo debido y lo indebido son una herencia que transmiten a sus hijos. Sin embargo, ¿cómo se relacionan los adolescentes con la religión familiar? Ésta es una pregunta que hay que tratar de contestar para ayudar a los adolescentes a continuar en su crecimiento espiritual durante estos años de rebelión y de dudas. Desde luego, los detalles de las conversaciones entre los padres y los jóvenes variarán según sus creencias religiosas; pero si ustedes han creado una familia con bases sólidas en la religión y se preguntan cómo pueden mantener saludables las relaciones de su hijo con la fe, los siguientes apartados le ofrecerán un buen punto de partida.

Hable de sus propias creencias

El mejor sitio para iniciar una conversación sobre la religión es enfocándola en sí mismo y en sus propias creencias. Usted no puede suponer que sus hijos conocen estas cosas: es preciso que hable de su fe en voz alta:

- Cerciórese de hablar con sus hijos del sustento que usted ha encontrado en las experiencias religiosas diarias. Cuando se sienta triste o angustiado, diga: "No sé de lo que sería capaz en momentos como éste, si no contara con Dios para hablar con Él".
- Hable de Dios como de alguien que está siempre presente en usted, no como de alguien que está lejos y es inaccesible. Diga a sus hijos: "¡Me sorprendo hablando con Dios tan a menudo durante el día! Y cada vez compruebo más lo bien que sabe escuchar".
- Hábleles de sus convicciones religiosas y de los valores que norman su vida. "Cuando no recibo respuesta a mis oraciones, sigo teniendo fe en que Dios me ha escuchado y supongo que me responde de modo distinto al que yo esperaba en mi petición".
- Cuando se tiene que tomar una decisión de importancia, que sus hijos sepan que usted cree en el poder de

la oración. Dígales: "Estoy pidiéndole a Dios que me ilumine en este trance. Tengo la seguridad de que me ayudará a decidir lo que conviene hacer".

Si usted no vive su religión, el adolescente concluirá que no es un valor importante en la familia. En ese caso, usted tiene muy poca oportunidad de convencer a su hijo de que practique la fe con algún sentido de creencia o convicción personal.

Hable del valor de la fe

Al igual que en todo lo demás, los adolescentes quieren saber qué ventaja sacarán de la religión. Cuando hable de ella, cerciórese de explicar el valor de la fe:

- La fe religiosa satisface la necesidad de tener algo en qué creer y que dé sentido a la vida y la muerte.
- La religión ofrece un sentido único de justicia: el de saber que al final, el bien se premia y el mal se castiga.
- La religión brinda consuelo y reconforta en la adversidad.
- La fe en Dios nos recuerda que somos objeto de amor y de un valor inestimable. (Esto puede estimular la autoestima del adolescente y promover su respeto por la vida.)
- La religión promueve la hermandad de todo el género humano.

Hable de las dudas

Los adolescentes dudan de todo lo que escuchan decir a los adultos. Es su modo de desprenderse de la dependencia y de proyectarse mentalmente para crear su propia vida. La religión no suele escapar a ese afán crítico de destruir de la adolescencia. Esto es normal. No se desespere si el adolescente dice: "Yo no creo en Dios". Dele la oportunidad de exponer sus dudas y formular preguntas, en un ambiente que promueva la jornada espiritual. Las dudas de un adolescente no son una blasfemia, sino que constituyen una forma de crecimiento. Dele la libertad de hacer cualquier pregunta que quiera. Si usted es paciente y comprensivo, y continúa dando un ejemplo decidido de su fe, el adolescente obtendrá por el lado de la duda, una fe firme y satisfactoria en lo personal.

Si el adolescente dice: "Sólo porque tú crees en Dios, no quiere decir que yo también tengo que creer".
Contéstele: "Eso es cierto. Tú tienes que decidir por ti mismo si crees en Dios. Si no crees, ¿puedes decirme por qué? ¿Qué razones tienes?"

Si el adolescente dice: "Yo no encuentro ningún beneficio en los servicios religiosos".
Contéstele: "No se trata de que obtengas algo de ellos, sino de que contribuyas con algo. Ése es el propósito de un servicio religioso". (A esta observación debe seguirle una revisión de lo que un individuo puede aportar al servicio religioso.)

Si el adolescente dice: "¿Por qué existe el mal en el mundo?"
Contéstele: "Dios nos ha dado el libre albedrío para escoger el bien o el mal, y aunque nos fortalecemos cuando optamos por el bien, hay gente que no lo sigue".

Si el adolescente dice: "¿Cómo es posible que un Dios amoroso permita la pobreza, la enfermedad y la guerra?"
Contéstele: "Eso tampoco yo lo entiendo, pero tengo fe en que Dios sabe lo que hace".
Si el adolescente dice: "¿Para qué voy a ir a la iglesia, donde se reúne mucha gente hipócrita? Después veo miembros de la congregación que tienen conductas incorrectas durante la semana y luego van a hacer oración el fin de semana".

Contéstele: "Aun la gente religiosa no deja de ser humana. Luchan, pero a veces hacen lo que no deben. Sólo con la ayuda de Dios pueden encontrar el camino de la honradez; por eso es bueno que regresen a la oración".

Si el adolescente hace una pregunta que usted simplemente no puede contestar, reconózcalo sin temor. Contéstele:

"Ésa es una pregunta que los pueblos se han hecho desde el principio de los tiempo. ¿Cuál crees que pueda ser la respuesta? Veamos si se puede investigar este problema y encontrarle una respuesta."

La religión es un regalo que hacemos a nuestros hijos. No podemos saber qué harán con él, pero sabemos que si lo aceptan, mejoran mucho su comprensión del sitio que ocupan en el mundo y adquieren un sentido de entereza espiritual y una base firme de consuelo y seguridad a la que pueden volver en cualquier momento que lo necesiten.

LECTURAS ADICIONALES

Coles, Robert, *The Moral Intelligence of Children* ("La inteligencia moral de los niños"), Random House, Nueva York, 1998.

Dosick, Wayne, *Golden Rules* ("Reglas doradas"), Harper San Francisco, San Francisco, 1995.

Higgins, Kevin y Phil Landrum, *Guiding Your Teen to a Faith That Lasts*. ("Guíe a su hijo a una fe duradera"), Discovery House, Grand Rapids, Mich., 1994.

Lee, Steve y Chop Clark, *Boys to Men: How Fathers Can Help Build Character in Their Sons*. ("Jóvenes a adultos: cómo pueden los padres ayudar a modelar el carácter de sus hijos"), Moody Press, Chicago, 1995.

Especialmente para adolescentes

CANFIELD, JACK y otros, *Chicken Soup for the Teenage Soul* ("Sopa de pollo para el alma adolescente"), Health Communications, Deerfield Beach, Fla., 1997.

DI GERONIMO, THERESA FOY, *A Student's Guide to Volunteering* ("Guía hacia el voluntariado para estudiantes"), Career Press, Franklin Lakes, N.J., 1995.

SHELLENBERGER, SUSIE, *Camp, Car Washes, Heaven, and Hell [Pretty Important Ideas on Living God's Way*) ("Banalidades, lavados de autos, Cielo e Infierno [ideas muy importantes sobre seguir el camino de Dios"]). Bethany House, Minneapolis, Minn., 1996.

Las pandillas

Las señales por toda la ciudad eran inevitables: pandillas de adolescentes definían su respectivo territorio. Había toda clase de graffiti *y en las bardas de las calles, pleitos en los eventos deportivos de la escuela preparatoria y jóvenes con chamarras de mezclilla en las esquinas. En medio de todo eso, Sue Jonas notó que su hijo garabateaba símbolos de pandilla en los forros de sus libros de texto. Cuando le advirtió que las pandillas eran peligrosas, el muchacho se rió ¿Qué otra cosa podía decir Sue?*

¿QUÉ ES UNA PANDILLA?

La historia de las pandillas es ya vieja. Sócrates se quejaba de las pandillas en Grecia cuatrocientos años antes de Cristo. Desde entonces, la historia está llena de relatos sobre bandas de jóvenes que hacen presa de personas más débiles que ellos. Éste no es ningún consuelo para un padre o madre cuyo hijo adolescente se une a una pandilla, ni tampoco para las agencias encargadas de hacer cumplir la ley, que tratan de tener bajo control las averías que ocasionan las pandillas. En Estados Unidos, el Departamento de Justicia calcula que aproximadamente entre ciento veinticinco y doscientos cincuenta mil jóvenes son miembros de pandillas. Esta cifra no incluye otra de setecientos cincuenta mil "quiero ser", que son los aspirantes a miembros de la pandilla.

La pertenencia a una pandilla no se limita a determinados tipos de individuos. Cualquier persona –hombre o mujer, rico o de pocos ingresos, proveniente de una familia funcional o disfuncional– puede ingresar a la pandilla. Pandillas bien organizadas y conocidas están fundando capítulos en miles de pequeñas ciudades, mientras que otros grupos de imitadores florecen en poblaciones menores y zonas suburbanas. La policía observa que la edad de los miembros de las pandillas va disminuyendo. Solían ser un problema relacionado con estudiantes de preparatoria; actualmente es frecuente que recluten jóvenes de secundaria y hasta de escuela elemental. La popularidad nacional de la música pandillera del *rap*, que glorifica la violencia, el abuso de la mujer y el desprecio a la autoridad, ha contribuido a difundir la cultura de las pandillas, cruzando toda frontera económica, social, racial, geográfica y de clase.

Tratemos de definir lo que entendemos por *pandilla*. En 1991 el *National Crime Prevention Council* ("Consejo Nacional para la Prevención del Crimen") hizo una encuesta de más de setenta programas de prevención de pandillas, usando las cinco siguientes categorías:

1. *Pandillas callejeras tradicionales*, como los llamados *Bloods*, *Grips*, *El Rukns* o *Black Gangster Disciples*.
2. *Pandillas de vecindario* (que reciben diversos nombres). Éstas suelen ser más informales y no tienen una región o territorio propio.
3. *Pandillas étnicas*, en las que la aceptación de sus miembros se basa en tradiciones culturales o bien en la identidad o herencia étnica.

4. *Pandillas de narcotraficantes*, formadas u organizadas actualmente con el fin de obtener ingresos mediante el comercio de drogas.
5. *Pandillas guiadas por el odio*, a las que suele motivar alguna forma de prejuicio étnico, racial o social (los *Skinheads* ("Cabezas rapadas") se consideran parte del grupo de odio que está creciendo más rápidamente, no sólo en Estados Unidos sino también en otros países, y que está formado casi exclusivamente por individuos de edades entre los dieciséis y los veinticinco años.)

Las pandillas pueden incluir también grupos menores, menos notorios, en cualquier vecindario o escuela preparatoria. Entre estos grupos se cuentan también las fraternidades masculinas y femeninas de las preparatorias y cualquier otro grupo menos organizado que merodea por la ciudad o por las calles de zonas suburbanas. Aun los adolescentes que ingresan a cultos satánicos se clasifican a menudo como pandillas más que como sectas, porque la mayoría de los adolescentes se entretienen con el satanismo como medio de rebelión social más que como un compromiso de índole religiosa. (Véase "Sectas", para más información.) El Consejo Nacional para la Prevención del Crimen define el término *pandilla* como grupo de personas vinculadas entre sí por una promesa de fidelidad, con exclusión de los demás, para propósitos comunes, y que se dedican a actividades violentas, ilegales, antisociales o criminales. La policía que patrulla las calles dice que las pandillas actuales están quitándose el membrete de "pandillas" y adoptando el nombre de *organización* o *asociación callejera*. Cualquiera que sea el nombre, este tema nos proporciona materia importante para hablar con nuestros adolescentes. Representa una situación peligrosa e ilegal, que nuestros hijos deben conocer antes de encontrarse demasiado metidos en ella sin poder salirse.

POR QUÉ LOS ADOLESCENTES SE INCORPORAN A PANDILLAS

Para poder decir a sus jóvenes hijos por qué no deben pertenecer a una pandilla, los padres de familia necesitan tomarse un tiempo para considerar por qué los adolescentes querrían ser miembros de esta clase de grupos. De hecho, hay muchas razones legítimas que se relacionan con las necesidades psicológicas de cualquier adolescente. Lo que los reclutadores de pandillas prometen no es ni excepcional ni exótico. Sus promesas atañen a necesidades humanas fundamentales. Los chicos sienten la necesidad de pertenecer a algo, de recibir apoyo y de que se preocupen por ellos. Para obtener estos beneficios, hay jóvenes que están dispuestos a arriesgar la vida. Los reclutadores de pandillas pueden enseñarnos algo si prestamos atención a lo que ofrecen en aspectos de la vida que son tan importantes para todos los jóvenes: identidad, aceptación, autoridad, sexualidad, poderío y seguridad.

Identidad y aceptación

Los años de la adolescencia son el tiempo en que una persona joven descubre la respuesta a dos importantes preguntas: ¿quién soy? y ¿quién soy, separado de mis padres y mi familia? Es un tiempo para desarrollar la conciencia de sí mismo y el interés por la propia persona. Es un tiempo en que la necesidad de ser parte de algo y sentirse seguro de sí mismo es apremiante. Y la realidad es que la autoestima y la aceptación de parte de los compañeros están íntimamente relacionadas. El apego a ellos ayuda al adolescente a desprenderse de viejos estilos relacionados con la familia. Por eso, muchos jóvenes prefieren pasar más tiempo con los amigos que con la familia.

Las pandillas brindan una identidad concreta a la que

los miembros pueden aferrarse. "Soy miembro de este grupo. Me visto como ellos. Me veo como uno de ellos y actúo como ellos. Los veo a ellos y sé quién soy". Las pandillas ofrecen también la oportunidad de pertenecer a un grupo íntimo de compañeros. Sus actividades atraen la atención de maestros, padres de familia y compañeros. El adolescente que era un estudiante invisible y ordinario, se pone el símbolo de una pandilla y se vuelve parte de un grupo de participantes activos, se convierte en alguien a quien se reconoce e incluso se teme. El sentimiento de pertenencia aumenta por la exclusión que practica la pandilla de los que no pertenecen a ella. Por eso las pandillas prosperan basadas en secretos, códigos ocultos, saludos de mano y símbolos.

Autoridad

Parte de la separación con respecto a la familia incluye pruebas que deben pasarse y rebelión contra la autoridad. En algunos adolescentes, estos aspectos revisten formas relativamente benignas, como poner a prueba la hora de regresar, o decir ciertas cosas que desafían la sensibilidad de los padres. Para otros adolescentes, la lucha contra la autoridad implica formas de conducta de alto riesgo, entre ellas actividades criminales, promiscuidad sexual, conducir un automóvil en forma peligrosa y consumir drogas.

Las pandillas ofrecen apoyo para actuar contra la autoridad. Animan a los adolescentes a desafiar las normas sociales y morales sólo por el placer del reto. Las pandillas prosperan aprovechando la necesidad de los adolescentes de desafiar a la autoridad, ya sea con actitudes de vagancia o traficando con drogas.

Sexualidad

Todos los adolescentes tienen una acentuada conciencia de su sexualidad. Necesitan experimentar con límites, conductas y formas de intimidad. Como las pandillas alientan a los miembros a desafiar las normas convencionales, la actividad sexual o el abuso de la misma se convierten en modos de actuar aceptados (y a veces requeridos).

Poder

El poder ejerce un atractivo magnético para muchos adolescentes. Viven en un mundo intermedio en el que ya no son niños, pero tampoco son adultos. Tienen madurez física, pero no emocional. Luchan, a través de su desarrollo, por lograr cierta separación de sus padres. Sin embargo, no tienen poder para lograr esta independencia. Después de todo, viven con sus padres, deben asistir a la escuela todos los días, sus ingresos son limitados, y tienen un límite de tiempo para volver a casa en la noche. Ante esta impotencia, todos los adolescentes buscan lugares donde puedan tener algún poder, alguna capacidad de influir en su ambiente.

Los miembros de las pandillas logran una sensación de poder de muchas maneras. Lo tienen sobre adultos y sobre compañeros que les temen. Lo tienen sobre las autoridades, a base de violar leyes y quedar impunes. Adquieren poderío mediante la libertad de entregarse a actividades siniestras, criminales o sexuales.

Seguridad

Si hay pandillas violentas en el vecindario de ustedes y de la escuela, los adolescentes pueden sentir la necesidad de incorporarse a alguna para protegerse de posibles daños. Las pandillas prometen seguridad y protección.

Aunque todos los adolescentes luchan con estos problemas de identidad, aceptación, autoridad, sexualidad, poderío y seguridad, no todos ingresan a pandillas que los ayuden a afrontarlos. Algunos encuentran fortaleza y aliento en la familia; otros se vuelven hacia los amigos cercanos. Unos recurren a actividades organizadas, como la banda, los grupos juveniles de la iglesia y los deportes. Sin embargo, los adolescentes cuyos recursos son mínimos o que son demasiado débiles para animarse a luchar, a menudo acaban siendo presa fácil de las pandillas. Cuando se pregunta a los jóvenes por qué se incorporaron a una pandilla, muchas veces sus razones son idénticas:

Tienen interés en mí.
Me prestan atención.
Me hacen sentir importante.
Me hacen sentir que soy parte activa.
Me brindan protección.

Los miembros de pandillas no desean en realidad más que lo que anhelan otros adolescentes, pero lo encuentran en sitios peligrosos.

POR QUÉ DEBEMOS HABLAR CON LOS ADOLESCENTES ACERCA DE LAS PANDILLAS

Que ningún padre o madre diga que las pandillas son algo "que no puede afectar a mis hijos". Según una encuesta publicada en 1998 por el *National Center for Education Stadistics* (Centro Nacional de Estadísticas en Educación"), en 1995 el número de adolescentes que informaron de pandillas en sus escuelas fue casi el doble del declarado en 1989. El autor observó que el aumento de pandillas ocurrió en toda clase de comunidades. Dondequiera que los jóvenes se agrupan sin otro propósito que el de causar problemas, existe la posibilidad de actividades pandilleriles. Es obligación de todos nosotros hablar de este problema con nuestros hijos.

Si hay pandillas en el vecindario o en las escuelas de la zona donde usted vive, es preciso que ayude a sus hijos a ver el lado negativo de ellas. Vistas a distancia, las pandillas ofrecen tantas cosas que los adolescentes necesitan, desde el punto de vista psicológico, que a los jóvenes les es indispensable la ayuda de los padres para tener una perspectiva que les permita ver más allá de la ilusión inmediata. Las siguientes ideas para entablar conversaciones deben darle un punto de partida para que su hijo empiece a hablar y a reflexionar seriamente. No se empeñe en agotar el tema en una sola conversación. Exponga un aspecto del problema y vea a dónde lo lleva el diálogo, antes de pasar al siguiente tema.

Hable de sus valores. Recuerde a sus hijos que viven en un país libre, donde la gente debe tener siempre el derecho de caminar sin miedo por las calles, y añada que las pandillas arrebatan a todos ese derecho. Recuérdeles que todos los individuos son iguales y que no hay razón para que nadie se vea intimidado. Insista luego en que las pandillas se colocan por encima de la ley y prosperan mediante la intimidación.

Hable de la violencia. Diga a sus hijos adolescentes: "Las pandillas no protejen a nadie de la violencia. Lo que hacen es causar violencia". Cuanto más crece una pandilla, más probabilidades tiene de ser violenta y de portar armas. Las pandillas menores empiezan con cuchillos, cadenas, navajas de rasurar y garrotes. Las mayores entran al terreno de las armas de fuego manuales, las pistolas y los rifles automáticos. Las pandillas violentas no portan armas sólo por hacer alarde, sino con el fin de usarlas. Las utilizan contra otros y también contra gente inocente que se atraviesa o que por casualidad se pone delante de ellos. La conclusión es que las pandillas pueden ser mortales. El jefe de la comandancia de Policía del condado de Los Ángeles estimó que las pandillas matan al menos a una persona de su ciudad cada día. Éste no es un modo seguro de vivir.

Hable del tráfico de drogas. Las pandillas más notorias son nada menos que cuadrillas organizadas de narcotraficantes. Aun las pandillas menores de pequeñas poblaciones suelen verse involucradas en el consumo y el tráfico de sustancias. Diga a sus hijos lo siguiente:

"Las drogas son ilegales y mortales. Si llegaras a pertenecer a una pandilla en la que se consumen o se venden drogas, acabarías en la cárcel... ¡o muerto! El dinero fácil que pudieras obtener o la exaltación que las drogas te producen no ameritan renunciar a lo que podrías hacer con tu vida en el futuro. Si te involucras con pandillas y drogas, te encontrarás en un callejón sin salida. No tienes a dónde ir". (Véase "Drogas", para más información.)

Hable de la exclusión y el odio. A una pandilla no puede pertenecer más que la persona "adecuada". Esta exclusión y el odio a los demás se llama prejuicio. Diga a sus hijos adolescentes: "El prejuicio fue lo que dio muerte a miles de judíos durante el Holocausto. El prejuicio fue lo que mató a Martin Luther King. El prejuicio es lo que desgarra un país, una ciudad o una escuela". Sea claro y firme. Diga a sus hijos "No quiero verte en un grupo lleno de prejuicios y odio". (Véase "Prejuicios", para más información.)

Explorar los efectos de las pandillas en el pueblo y en las comunidades. Haga ver a sus hijos que las pandillas afectan la calidad de vida de todos los habitantes. Las pandillas intimidan a los residentes. Esto significa que la gente busca refugio dentro de sus hogares y no siente ya seguridad en las calles. Ya no pasean por los parques. No disfrutan ya de la libertad básica para ir a donde les plazca, con seguridad. Hasta los comercios sufren las consecuencias. Como las pandillas merodean por las calles y alejan a la gente por el miedo que causan, los comercios pierden clientes. Las pandillas mayores a menudo imponen a los dueños de pequeños negocios su "protección" a cambio de dinero. Los miembros de pandillas roban repetidas veces a muchos comercios. Todo esto obliga a los comerciantes a cerrar su negocio o a salirse de la población, llevándose consigo los empleos y las oportunidades económicas que representan para la comunidad. Todos tenemos que pagar aquí un precio muy alto.

Hable de la libertad y la individualidad personal. *Diga a su hijo adolescente:* "Ahora que eres ya un joven (o una joven), has adquirido el derecho a tener cierta independencia y a pensar por ti mismo. Las pandillas te quitan ese derecho. Dejas de ser un individuo que puede decir: 'No, no quiero hacerlo'. Los miembros de la pandilla son propiedad del grupo, no personas libres".

Después de su explicación, simplifique las conclusiones. Dé a sus hijos tres razones muy válidas para mantenerse lejos de las pandillas. Dígales:

1. "Yo no apruebo las pandillas".
2. "No quiero verte herido o detenido por la ley".
3. "Te considero persona especial y digna de protección".

HABLAR CON ADOLESCENTES QUE YA ESTÁN INVOLUCRADOS EN UNA PANDILLA

El *National Crime Prevention Council* advierte que si usted nota los siguientes signos de pertenencia de su hijo a alguna pandilla, es tiempo de sospechar que se ha incorporado a ella:

Cambios en la clase de amistades.
Cambios en el modo de vestir, como ponerse siempre la misma combinación de colores.
Símbolos pandilleriles en los libros o en la ropa.
Tatuajes.
Actitud secreta en cuanto a actividades.
Dinero extra procedente de fuentes desconocidas.
Portación de armas.
Falta de interés en la escuela y la familia.
Ser arrestado o detenido por la policía.

Qué debe hacer

Si su hijo se ha involucrado en una pandilla, usted no dé marcha atrás, pero tampoco ataque. No tendrá esperanzas de razonar con él si le grita o le impone obligaciones. Adopte una actitud más tranquila y esté bien dispuesto a escuchar todo lo que pueda. Diga a su hijo: "Me interesa tu grupo. Háblame más de él". El propósito es iniciar alguna forma de diálogo.

Si el adolescente dice: "No son una pandilla".
Usted rebate: "¿Solamente se aceptan determinadas personas? ¿Sus reuniones son secretas? ¿Protegen lo que llaman su territorio?" Si las respuestas son afirmativas, se trata de una pandilla.

Si el adolescente dice: "Quiero pertenecer a esta organización".
Usted insiste: "Dame una razón. ¿Cuáles son los beneficios? ¿Qué peligros hay?"

Si el adolescente dice: "Tengo que ingresar a una pandilla por protección".

Usted argumenta: "Eso no es necesariamente cierto. La mayor parte de la violencia pandilleril se comete contra los miembros de otras pandillas. En tu pandilla te ves obligado a pelear con otros, que te identifican como blanco de sus ataques. No necesitas la protección de una pandilla mientras no pertenezcas a ella. Si quieres mantenerte alejado de situaciones peligrosas, lo que tienes que hacer es permanecer fuera de la pandilla. ¿Realmente quieres ser miembro de ella?"

Si el adolescente dice: "Como miembro de esta pandilla, ¡ya la hice!"
Usted argumenta: "No entiendo cómo puede ser eso. Tú sabes que la pandilla va a pedirte que hagas cosas peligrosas o ilegales. Hasta la vida puedes perder ahí. ¿En qué forma puedes decir que 'Ya la hiciste'?"

Si el adolescente dice: "Es que ellos son mis amigos".
Usted argumenta: "Los miembros de una pandilla no son verdaderos amigos. Los amigos no se imponen el uno al otro obligaciones de hacer cosas que son contra la ley. Los amigos dejan al amigo con la libertad de elegir. Los amigos quieren lo que es mejor en la vida, el uno para el otro. Los amigos se mantienen como tales sólo mientras así lo desean. Tienen libertad de encontrar otros amigos. En una pandilla, los miembros están a merced de los líderes. Yo a eso no le llamo amistad".

Si el adolescente dice: "Es que tú no me entiendes a mí ni a mis amigos".
Usted contesta: "Es muy probable que tengas toda la razón, pero en realidad quiero saber más de ustedes. Dame más información al respecto".

Si el adolescente dice: "Esto no es nada que te interese".
Usted rebate: "Eso no es cierto. Cualquier decisión que tú

tomes acerca de una pandilla, puede poner en peligro a todos los miembros de esta familia. Cualquier acción violenta dirigida contra ti puede venir directamente a la puerta de esta casa y afectar a tus hermanos y hermanas, así como a mí mismo. Claro que me interesa, porque soy tu padre (o tu madre) y tengo la responsabilidad legal y moral de tu bienestar. Es también asunto mío, porque te amo".

Siempre que sea posible, procure no pelear a causa de la pertenencia a la pandilla. Esto fortalece la determinación de su hijo de desafiarlo. Prefiera seguir escuchando. Dé respuestas como éstas: "Háblame más de eso", "¿por qué piensas de esa forma?", "¿qué crees que vaya a suceder?" Las respuestas a esta clase de preguntas ayudarán al adolescente a discernir sus propios sentimientos. Además, lo harán reflexionar y analizar los riesgos y los beneficios de pertenecer a la pandilla. Con la ayuda de usted, es posible que decida por sí mismo que tales beneficios no compensan el peligro.

UN PLAN DE ACCIÓN

Es muy importante que todos los padres de familia hablen con sus hijos del tema de las pandillas. Pero si éstas se encuentran ya en su vecindario o en sus escuelas, es también muy importante que usted actúe en forma tal que mantenga a sus hijos alejados de las pandillas. Muchos miembros de pandillas dicen que se incorporaron al grupo porque les ofrecía apoyo, interés personal y un sentido de orden y propósito. Todas éstas son cosas que la mayoría de los padres procura brindar a sus hijos. Lo más probable es que cuanto mejor satisfaga usted estas necesidades, tanto menos necesitarán sus hijos recurrir a estos grupos. Aquí le proponemos algunas habilidades para ejercer la patria potestad, que sugiere el *National Crime Prevention Council* y que son de especial importancia:

- Hable con su hijo y escúchelo. Dedique un tiempo especial a cada uno de sus hijos.
- Atribuya un gran valor a la educación y ayude a su hijo a obtener los mejores resultados posibles en la escuela. Haga todo lo posible por evitar la deserción escolar.
- Ayude a sus hijos a identificar modelos a imitar y héroes que sean positivos; sobre todo personas de su propia comunidad.
- Haga cuanto pueda por incluir a sus hijos en actividades de grupo positivas y supervisadas.
- Elogie a sus hijos por hacer bien las cosas y aliéntelos a dar siempre lo mejor de sí mismos, a llevar sus habilidades al máximo.
- Entérese de lo que hacen sus hijos y con quién andan. Conozca a sus amigos y a las familias de éstos.

El mejor modo en que usted puede actuar como la primera línea de defensa contra las pandillas es participar activamente en actividades comunitarias, cívicas y sociales que robustezcan la estructura familiar y ofrezcan a sus hijos una alternativa saludable a la pandilla. Usted no puede decirle: "No acudas a esa gente para satisfacer tus necesidades", sin tener ninguna otra opción que ofrecer. Para referencias a programas alternativos en la zona en que vive, o para contar con el consejo experto sobre el modo de mantener a los hijos fuera de las pandillas, puede comunicarse con Nelson Baez Associates (Vea "Recursos").

RECURSOS

National Crime Prevention Council ("Consejo Nacional para la Prevención del Crimen")
1700 K Street N.W. 2nd floor
Washington, DC 20006
(202) 466-6272

National Youth Gang Center Institute for Intergovernmental Research ("Centro Nacional de Pandillas Juveniles Instituto de Investigaciones Intergubernamentales")
P.O. Box 12729
Tallahassee, FL 32317
(904) 385-0600, ext. 2449 o 285

Nelson Baez Associates ("Nelson Baez Asociados")
733 Clinton Avenue
South Plainfield, NJ 07080
(908) 769-1664

LECTURAS ADICIONALES

Especialmente para adolescentes

BARDEN, RENARDO, *Gangs* ("Pandillas"), Rourke Corporation, Vero Beach, Fla., 1990.

WEBB, MARGOT, *Coping with Street Gangs* ("Enfrentar a las pandillas callejeras"), Rosen Publishing Group, Nueva York, 1990.

La homosexualidad

Los adolescentes saben ya lo que es la homosexualidad. Desde la primaria han estado oyendo palabras como "joto", "marica", "volteado", de un lado a otro de los patios de juego. Para esa edad, saben que esos nombres se usan para ridiculizar a los homosexuales. Es posible que hayan hablado del tema en clases sobre salud que trataban de la sexualidad o de la diversidad en las relaciones familiares. Es posible que en el televisor de su casa hayan visto a actores como Ellen DeGeneres, que se proclaman abiertamente homosexuales en plena televisión nacional. Probablemente hayan visto al personaje Ross, de la serie Friends[*] *("Amigos"), perder a su esposa, quien prefirió a su amante lesbiana. Además, si escuchan los noticiarios, saben todo lo relacionado con la controversia sobre la aceptación de homosexuales en las fuerzas armadas, o el juicio que se hizo al líder homosexual de los Boy Scouts. En estas circunstancias, usted podría preguntarse: "Entonces, ¿qué queda por decir?"*

¡Mucho, en verdad! Estos fragmentos de información pueden haberles llegado en forma desordenada y confusa, llena de conceptos erróneos. Aun cuando en la escuela de su hijo les hayan expuesto las realidades, no se les explicó lo que usted piensa al respecto, y cómo reac-

---

* Popular serie estadounidense de televisión. (N. del E.)

cionaría si su hijo le dijera: "Creo que soy homosexual". Usted necesita hablar.

¿QUÉ PIENSA USTED DE LA HOMOSEXUALIDAD?

Antes de tocar este tema con su hijo adolescente, deténgase a pensar en sus propios sentimientos. Si usted es un padre o madre heterosexual con opiniones negativas sobre la homosexualidad, es muy importante que haga un esfuerzo por explorar lo que siente a este respecto antes de hablar con sus hijos. El propósito de este capítulo no es tratar de cambiar sus convicciones; sólo abrigamos la esperanza de poder animarlo a que permita que sus hijos adopten una actitud más tolerante. A lo largo de su vida van a convivir, a trabajar y a tener relación con hombres y mujeres homosexuales. Algunos de ellos acabarán por descubrir su propia orientación homosexual. Sus años adultos serán más apacibles y productivos si no tienen que luchar contra los sentimientos homofóbicos.

Si usted tiene sentimientos muy arraigados en contra de la homosexualidad, considere por un momento la razón por la que piensa así. Muchas de las viejas creencias que hubieran podido influir en su criterio personal están cambiando. Por ejemplo, en 1973 la *American Psychiatric Association* ("Asociación Estadounidense de Psiquiatría") eliminó la homosexualidad de su lista de trastornos psicológicos, y en 1975 la *American Psychological Association* ("Asociación Estadounidense de Psicología") inició una intensa campaña para quitar a la homosexualidad el membrete de enfermedad mental. Así pues, no es –como usted hubiera podido pensar– una enfermedad psicológica. Además, muchas religiones están cambiando su norma tradicional de condenar la homosexualidad. Ahora prefieren definir a los homosexuales como "personas cuyo valor es sagrado". En una carta pastoral reciente, titulada "Always Our Children" ("Siempre hijos nuestros"), los obispos de la Iglesia católica romana de Estados Unidos instan a los padres de hijos homosexuales a amarlos y apoyarlos. Los obispos declaran que la orientación homosexual no se elige libremente, y que los padres de familia no deben rechazar a sus hijos homosexuales, en una sociedad llena de rechazos y discriminación. Quizá los puntos de vista de usted sobre la homosexualidad como una desviación o inmoralidad no estén al corriente de estos cambios. Cualesquiera que sean sus sentimientos personales, es para provecho de su adolescente el que le transmita una actitud tolerante, desapasionada y con la mayor naturalidad sobre la homosexualidad.

Si usted es un padre o madre heterosexual con una visión carente de prejuicios, podrá hablar con sus hijos adolescentes sobre la homosexualidad, sin ninguna tergiversación intencional. Sin embargo, debe verificar su actitud antes de hablar. Muchas personas heterosexuales bien intencionadas expresan compasión por la orientación sexual en sí, más que indignación por el prejuicio que suscita. Por ejemplo, es importante no presentar la homosexualidad como un "problema" que tienen algunas personas. Usted seguramente querrá tener cuidado de no insistir en las dificultades de índole social que experimenta el "pobre" homosexual. Los homosexuales no buscan la compasión de nadie; lo que necesitan es la aceptación natural como seres humanos.

Si usted es un padre o una madre homosexual, no cabe la menor duda de que debe hablar directamente con sus hijos sobre homosexualidad. Sin embargo, verá que, como la mayoría de los padres y por lo mismo, de nuestros lectores son gente heterosexual, es posible que la información de este capítulo no se ocupe de sus circunstancias personales. De cualquier modo, encontrará sin duda algunas palabras que le ayudarán a contestar las preguntas inevitables que le harán sus hijos.

¿POR QUÉ HABLAR DE LA HOMOSEXUALIDAD?

Los adolescentes tienen una curiosidad abrumadora sobre su propia identidad como varones y mujeres y sobre la aceptación que su incipiente sexualidad tendrá entre sus compañeros. Si llegan a captar la señal silenciosa de que el tema de la homosexualidad es tabú, supondrán que es "mala" y que está expuesta al ridículo cruel. Los prejuicios radicales contra los homosexuales (arraigados en los temores) empiezan en los años de la adolescencia con provocaciones insultantes. Ésta es la actitud que perpetúa el problema de la homofobia en las sociedades modernas. Si habla con sus hijos adolescentes, usted puede ser un factor positivo en la creación de un mundo futuro más tolerante y dispuesto a aceptar a los demás.

Hay jóvenes que durante los primeros años de la adolescencia hacen experimentos sexuales con amigos del mismo sexo, y les preocupa la posibilidad de ser homosexuales. Necesitan saber que éste es un tema del que se puede hablar. Una vez que se le pone a discusión, pueden recibir la confianza en sí mismos que necesitan para saber que esas experiencias no causan la homosexualidad (vea la siguiente información acerca de hablar de la homosexualidad con jóvenes menores de quince años).

No obstante su esfuerzo por pretender que saben todo lo necesario sobre los homosexuales, muchos adolescentes viven con ideas muy confusas. Suponen que todos los "jotos" caminan y hablan de manera ridícula. Pueden pensar que los homosexuales procuran convertir a los heterosexuales. Aplican a las lesbianas el estereotipo de "marimachos". Necesitan que alguien les expliquen el lado normal, muy humano y de experiencia diaria, de la gente homosexual.

Si el adolescente está luchando contra sus tendencias homosexuales, necesita saber que usted es una persona que sabe escuchar. Su perspectiva honrada y sincera del asunto le ayudará a evitar formar parte del número exageradamente grande de homosexuales varones, lesbianas, bisexuales y transexuales que podrían caer en la depresión, en el consumo de sustancias químicas peligrosas, en el abandono del hogar y en las tendencias suicidas. Un estudio publicado en 1998 por la Harvard Medical School ("Escuela de Medicina de Harvard") comprobó que los adolescentes homosexuales y bisexuales emprenden formas de conducta más peligrosas que sus compañeros heterosexuales. Entre esos riesgos se cuentan los intercambios sexuales antes de los trece años, el coito sin medidas de protección y el uso de cocaína, alcohol y mariguana antes de los trece años. Los autores dicen que los adolescentes homosexuales que tienen el mayor peligro de exponerse a riesgos son los que crecen sin el apoyo a su orientación sexual, sobre todo de parte de la familia. Si a su hijo le preocupa su sexualidad, es preciso que usted sepa que puede hablar de ella con "seguridad".

CÓMO Y CUÁNDO HABLAR DE LA HOMOSEXUALIDAD

Lo mismo que la sexualidad reproductora, la homosexualidad no es un tema que se preste a prolongadas conferencias sin previo aviso. Lo mejor es hablar de ella durante momentos didácticos. La televisión, la radio y los periódicos

–por ejemplo– hablan de ella a menudo. Cuando aparece en la pantalla de su televisor un boletín enfocado a la homosexualidad (como la presencia de homosexuales en las fuerzas armadas, entre los Boy Scouts o en el salón de clase), o se habla de ella en el radio de su automóvil, aproveche la oportunidad de iniciar un diálogo. Si ven a una pareja de homosexuales tomados de la mano, caminando en el parque, no distraiga la atención hacia otra cosa ni reprenda a sus hijos por demostrar curiosidad, con comentarios como "¡No te les quedes viendo!" Más bien aproveche la oportunidad para hablar de lo que tienen delante. En cualquier ocasión en que usted descubra un momento didáctico, podría sencillamente pregun tar: "¿Qué piensas de eso?" La respuesta de su hijo le señalará la dirección en la que debe continuar la conversación.

Cuando hable de homosexualidad, hágalo en forma espontánea. No lo convierta en una clase. No ponga emociones en el diálogo. Serénese y entable una conversación. Esta actitud dice más que sus palabras. Dice que usted está dispuesto a hablar de cualquier cosa, incluso de temas espinosos. Además, hable en forma directa. No ande con rodeos. No permita que sus inhibiciones o temores personales estorben el mensaje que quiere transmitir. Pero hable dando información adecuada a la edad: un adolescente más joven puede tener al respecto preocupaciones diferentes de las de otro de mayor edad (véase más adelante en este capítulo).

Cuando hable de homosexualidad con sus hijos adolescentes, es preciso que se cerciore de que ambos se refieren a lo mismo. Dese un minuto para repasar las definiciones de las palabras que usamos cuando tratamos de este asunto:

Homosexual: persona que física y emocionalmente se siente atraída hacia individuos de su mismo sexo.

Heterosexual: persona que física y emocionalmente se siente atraída hacia individuos del sexo opuesto.
Gay: palabra del caló para decir "homosexual."
Lesbiana: mujer homosexual.
Transexual: persona que siente que es del sexo opuesto y adopta la identidad de ese género.
GLTB: *gay*, lesbiana, transexual, bisexual.
Homofobia: temor excesivo o irracional hacia los homosexuales.

QUÉ DECIR ACERCA DE LA HOMOSEXUALIDAD

Es probable que sus hijos adolescentes tengan muchas preguntas sobre la homosexualidad. Las que siguen son ejemplos de lo que podrían preguntarle o de lo que ellos se cuestionan a sí mismos en silencio.

Pregunta del adolescente: "¿Por qué algunas personas son homosexuales?"
Respuesta de usted: "Nadie sabe con certeza a qué se debe esto. Algunos científicos piensan que las personas nacen homosexuales o heterosexuales. Otros creen que algo sucede en la vida de una persona que la impulsa hacia la preferencia homosexual. De un modo u otro, no es algo de lo que debe culparse a nadie".

Pregunta del adolescente: "¿Hay muchos homosexuales?"
Respuesta de usted: "Se calcula que un diez por ciento de la población es homosexual. Eso significa que en Estados Unidos, por ejemplo, son unos veinticinco millones de individuos".

Pregunta del adolescente: "¿Los homosexuales son gente normal?"
Respuesta de usted: "Sí. La homosexualidad es otra forma de

vida. No es indicio de enfermedad mental. Es lamentable que mucha gente se aferre todavía al viejo concepto de que los homosexuales tienen un desequilibrio mental. La investigación revela que, si no se les persigue, no tienen más problemas psicológicos que los heterosexuales".

Pregunta del adolescente: "¿Por qué se burla la gente de los homosexuales?"
Respuesta de usted: "La mayoría de la población es heterosexual. La gente tiende a temer lo que no entiende, y a veces manejan su miedo humillando a cualquiera que sea diferente de ellos. Por eso, muchos homosexuales no dicen a nadie quiénes son en realidad. Tienen temor del ridículo y del aislamiento".

Pregunta del adolescente: "¿Son los homosexuales diferentes de todos los demás?"
Respuesta de usted: "Lo único que los hace diferentes es su preferencia sexual. Por lo demás, piensan y sienten exactamente lo mismo que las demás personas. Profesan amor a su familia, quieren tener amigos, tienen planes para su futuro... Ni más ni menos que como cualquier otra persona".

Pregunta del adolescente: "¿Qué razón tendría alguien para querer ser homosexual?"
Respuesta de usted: "La homosexualidad no es algo que el individuo elige. Se trata simplemente de lo que es. Si la gente tuviera opción a elegir, es probable que no hubiera ningún homosexual, porque la sociedad hace muy difícil serlo".

Pregunta del adolescente: "¿Cuándo sabe uno que es homosexual?"
Respuesta de usted: "Éste es un asunto muy individual. Puedo decirte que consta que muchos varones homosexuales y

lesbianas sintieron algo 'diferente' en sí mismos a edad tan temprana como los cuatro o cinco años. Hay un estudio que dice que la edad en la que la mayoría reconoce su homosexualidad es entre los catorce y los dieciséis años los varones, y entre los dieciséis y los diecinueve las mujeres. Pero éstos son sólo promedios; la realidad es que cada persona es única y diferente".

Pregunta del adolescente: "Me molesta que mis amigos en la escuela se burlen de este muchacho por ser homosexual. ¿Qué debo hacer?"
Respuesta de usted: "Tienes razón al creer que nadie debe ser motivo de ridículo por ser quien es. También sabes que se necesita valor para defender lo que uno cree que es lo correcto. Si tus sentimientos a este respecto son fuertes, debes defenderlos. Puedes interrumpir comentarios y chistes contra los homosexuales, y decir a tus amigos que estas cosas son ofensivas, injustas y nocivas".

QUÉ DECIR SI SU HIJO ADOLESCENTE ES HOMOFÓBICO

Es posible que el adolescente tenga ya sentimientos negativos muy fuertes en cuanto a los homosexuales. La base de esos sentimientos es miedo: un miedo personal (necesito estar seguro de mi propia heterosexualidad), miedo al ridículo (necesito que mis amigos sepan que soy heterosexual) y miedo a lo diferente (son "jotos" y los detesto). Usted no va a cambiar la mente de su hijo con sólo darle una conferencia sobre la tolerancia. Los sentimientos homofóbicos pueden ser muy intensos y son una carga pesada que uno lleva consigo. Lo que necesita es lograr que su adolescente le hable de estos sentimientos antes que usted le tape la boca diciéndole "Te equivocas". Los sentimientos no están equivocados, simplemente son eso: sentimientos.

Si su hijo adolescente hace un comentario que a usted le despierta sospechas de homofobia, pida más información sobre los sentimientos en que se apoya. No se erija en juez; simplemente haga preguntas de sondeo, que abran la puerta al diálogo, como las siguientes:

"¿Qué es lo que te hace decir eso?"
"¿Conoces a personas homosexuales?"
"¿Por qué te disgustan los homosexuales?"

Después de haber escuchado –sin juzgar– las opiniones de su hijo es hora de que proponga las suyas: no en plan de debate, sino simplemente como otro punto de vista. Puede decir a su adolescente que los sentimientos de usted son diferentes. Podría decir que usted ve a los homosexuales como seres humanos, como personas que tienen mucho que aportar al mundo. Podría incluso nombrar a algunos que han conquistado la admiración general. (Se dan varios ejemplos más adelante en este capítulo.)

En esta clase de diálogo exento de controversia, el adolescente aprenderá muchas cosas; entre ellas, que no hay nada malo en no estar de acuerdo con usted. Aprenderá que sus sentimientos no son universales. Aprenderá que puede haber razones para reconsiderar sus convicciones. Usted no va a convertir a nadie con un simple diálogo, pero sí abrirá la puerta a nuevas ideas.

QUÉ DECIR SI SU HIJO ADOLESCENTE DECIDE ABRIRSE CON USTED

Si su hijo le espeta sin rodeos que es homosexual, nuestro mejor consejo es que no reaccione de inmediato. Respire profundamente y trate de captar la situación lo mejor posible. Su primera respuesta dependerá de la edad de su hijo.

Hablar con adolescentes de quince años o menos

Si su hijo tiene menos de quince años, usted tendrá que dejarle espacio para que hable y exponga sus convicciones y sus temores. Permita que llore si lo desea, y que le exponga todo lo que siente. Luego, sin negar ninguno de sus sentimientos, aliéntelo a no ponerse aún el membrete. Dígale:

"La atracción hacia el mismo sexo puede no ser una señal de homosexualidad. He leído eso, porque muchos jóvenes adolescentes experimentan un fuerte apremio sexual en un momento en que quizá no se sientan a gusto ni siquiera hablando con miembros del sexo opuesto, e inconscientemente prefieren dirigir sus sentimientos hacia miembros de su mismo género. Los expertos explican que para la mayoría de los jóvenes se trata de una fase del desarrollo que acabarán por superar y que, llegado el momento, entablarán relaciones estables con personas del sexo opuesto. Unas cuantas experiencias homosexuales prematuras no convierten al individuo en homosexual."

Si quiere ratificar su explicación con una estadística, puede decirle que investigadores de la *Harvard School of Public Health* ("Escuela de Salud Pública") de Harvard y del *Center for Health Policy Studies* ("Centro para Estudios de Políticas de Salud") en Washington descubrieron que en Estados Unidos el 20.8 por ciento de los hombres y el 17.8 por ciento de las mujeres encuestadas declararon haber actuado como homosexuales o haber sentido esta clase de atracción, desde los quince años de edad. Considerando que sólo un diez por ciento de la población es homosexual, estas cifras revelan que muchos heterosexuales experimentan relaciones con personas de su mismo sexo.

Antes de terminar la conversación, diga a su hijo cuánto le ha complacido que se sintiera a gusto confiando en usted. Asegúrele su amor, cualquiera que sea su preferencia sexual, y dígale que si sigue preocupándole la idea, siempre que él lo desee, usted estará dispuesto a volver a hablar del tema.

Esta respuesta tranquila y racional a lo que podría significar una crisis emocional para su hijo le ayudará a afrontar mejor las preocupaciones relativas a su incipiente sexualidad.

Hablar con adolescentes de más de quince años de edad

Cuando un adolescente mayor habla con sus padres de sentimientos de homosexualidad, el asunto debe tomarse con absoluta seriedad. A esta edad, el adolescente puede haber pasado ya años preocupándose y preguntándose de qué se trata. Ese momento de confesión es preparado durante mucho tiempo y hay que recibirlo con sensibilidad e interés. Es verdad que algunos adolescentes mayores se sienten aún confusos acerca de su orientación sexual, y necesitan tiempo para darse cuenta de que sus sentimientos hacia individuos del mismo sexo son parte natural del crecimiento y no una indicación de su identificación sexual real. Pero ahora usted debe considerar la posibilidad de que su hijo o hija sea homosexual o lesbiana.

Es muy común que los padres reaccionen con sentimientos de culpa y enojo al tener que enfrentarse a la homosexualidad de un hijo. Muchos tratan de negar que lo sea realmente, o de encontrar alguien o algo a quien culpar por ello (a menudo a sí mismos). Por desgracia, la mitad de los jóvenes homosexuales o lesbianas entrevistados declararon que sus padres los habían rechazado a causa de su orientación sexual. No permita que esto suceda en su hogar. Los hijos no deben ser rechazados por lo que son.

Cuando piense en lo que ha de decir a su hijo adolescente, tenga presente que los individuos no eligen sus preferencias sexuales y que no se trata de convencerlos de lo contrario. Considere estos datos recopilados por el *Hetrick-Martin Institute* ("Instituto Hetrick-Martin"), que ilustran la profunda raíz biológica de la homosexualidad:

- En un estudio de 161 hombres homosexuales con hermanos gemelos o adoptivos, el 52 por ciento de los hermanos gemelos idénticos, el 22 por ciento de los hermanos gemelos y el 11 por ciento de los hermanos adoptivos eran homosexuales. Esto apoya la teoría del vínculo biológico.
- Un estudio de hermanas gemelas lesbianas llegó a resultados semejantes: entre las gemelas idénticas de las lesbianas, la probabilidad de ser lesbianas o bisexuales era tres veces mayor que la de sus hermanas gemelas.
- En un estudio comparativo del tejido cerebral de diecinueve hombres homosexuales y dieciséis heterosexuales, había entre los dos grupos una diferencia significativa en el tamaño de un puñado de células del hipotálamo (que es la región del cerebro que interviene en las respuestas sexuales).
- En un estudio de 979 hombres homosexuales y 477 heterosexuales, la mayoría dijo que su orientación sexual se había definido antes de la adolescencia.

Proponemos las siguientes directrices para apoyar a los padres de familia respecto a lo que deben decir para ayudar a su hijo adolescente.

Exprese su amor. Cualquiera que sea la orientación sexual de su hijo, él sigue siendo esa persona maravillosa a la que usted ha amado y de la que se ha sentido tan orgulloso durante muchos años. El amor incondicional que usted le manifieste le brindará un refugio seguro para descubrir su genuina identidad y asegurará el vínculo entre ustedes dos. Como no es fácil para un homosexual vivir en sociedad, su hijo necesita más que nunca el amor y la aceptación de sus padres. La proximidad con la familia es muy importante para los homosexuales. Como la mayoría de ellos no va a formar una familia propia, necesitan mantener lazos muy fuertes con sus padres y parientes. Asegure a su hijo adolescente que sigue siendo amado y que usted lo tratará del mismo modo, sin importar las preferencias que tenga. "Yo te amaré siempre" es la respuesta más sólida que un padre o una madre puede dar a su hijo.

Sea comprensivo. Es posible que usted no entienda los sentimientos de su hijo sobre sus preferencias sexuales, pero no debe ridiculizarlo, culparlo o presentarle una perspectiva moral, ni gritarle, haciéndolo sentir diferente debido a su orientación sexual. Un diálogo auténtico requiere escuchar al hijo y tratar de entender lo que piensa y siente. (No hay peligro alguno de que la actitud de comprensión fomente la homosexualidad. La preferencia sexual no puede producirse mediante un diálogo.) Los padres pueden ayudar a su adolescente a discernir sus sentimientos (y a fomentar su comprensión personal de la situación), haciéndole preguntas como éstas:

"¿Qué quieres decir con *gay*?"
"¿Todas tus fantasías sexuales giran en torno al mismo sexo?"
"¿Te sientes alguna vez atraído hacia miembros del sexo opuesto?"
"¿Cómo te sientes en cuanto a tu preferencia sexual?"
"¿Sabías que estos sentimientos de atracción hacia al-

guien del mismo sexo son muy normales para quien es homosexual?"

Ofrezca guía profesional. Es probable que su hijo adolescente esté muy dispuesto a hablar abierta y francamente de estos asuntos con usted, si le demuestra tolerancia y deseo de entender. Aunque éste es un paso muy importante en la dirección correcta, algunos adolescentes necesitarán todavía ayuda profesional, sobre todo si experimentan "pánico homosexual". La psicoterapia puede ayudar a una persona confusa o ansiosa a explorar las raíces de su identidad sexual, sus sentimientos y sus relaciones y a aceptarse a sí misma. (La psicoterapia no puede cambiar la orientación sexual natural de un individuo.)

Sea franco. Si le perturba la orientación sexual de su hijo adolescente, sea franco en cuanto a sus sentimientos, pero no juzgue a su hijo ni insista en decir que su punto de vista es el único correcto. Esto conduce a amargas discusiones y puede dar por resultado un distanciamiento permanente. Más bien concéntrese en sus propios sentimientos. Debido al estigma que para nuestras sociedades significa la homosexualidad aún hoy día, es posible que a usted le cause tristeza esta revelación. Bajo ese velo de tristeza puede ocultarse el temor de que la vida de ese hijo sea a menudo solitaria y triste, porque se desvía de lo que la mayoría de la gente piensa que deben ser las relaciones entre adultos. Usted puede aceptarlo en estos términos: "Me acongoja, pero sigo amándote igual". Es posible que usted sienta culpa o lamente la pérdida de sus sueños respecto a los nietos. Hable de estos sentimientos, pero sin hacer responsable de ellos a su hijo. Usted es el dueño de esos sentimientos y es usted mismo quien debe afrontarlos, sin culpar a sus hijos ni transmitirles sus sentimientos de culpa.

Sea tolerante. Los padres no pueden cambiar de la noche a la mañana sus opiniones y sentimientos, pero, aunque estén luchando con sus emociones, deben esforzarse por ser tolerantes. Sin el apoyo familiar, los adolescentes homosexuales no tienen a quien dirigirse. Los estudiantes del Instituto Hetrick-Martin (una escuela pública alternativa para homosexuales, lesbianas, bisexuales y transexuales), en Nueva York, atestiguan que la vida es ya bastante difícil para los jóvenes como ellos, para que además pierdan el amor de sus padres. Estos estudiantes dicen que han sido víctimas de ataques físicos de sus compañeros y de amenazas de sus maestros. Han perdido amigos, el deseo de asistir a la escuela y la autoestima. Sus relatos cuentan con el apoyo de un estudio publicado en el *Journal of Homosexuality* ("Revista de homosexualidad"), que ha averiguado que el 80 por ciento de la juventud lesbiana, homosexual y bisexual declara tener graves problemas de aislamiento. Lo experimentan en los ámbitos social (porque no tienen a nadie con quien hablar), emocional (porque se sienten distanciados de la familia y de sus compañeros), y cognoscitivo (porque carecen de acceso a una buena información sobre la orientación sexual y la homosexualidad). Por ello, al menos su hogar debe ser un refugio seguro, libre de censuras, un sitio en el cual el adolescente pueda hacer las paces con la persona que realmente es.

Salga en busca de información. No trate de resolver solo este problema. Las bibliotecas y las librerías están repletas de información que le ayudará a entender lo que su adolescente está viviendo y el modo en que puede apoyarlo. Hay también organizaciones que prestan apoyo a los adolescentes homosexuales y a sus familias. (Vea "Recursos" y "Lecturas adicionales", al final de este capítulo.) Salga a buscar las fuentes de información que puedan ayudarle.

Ofrezca esperanza. Los homosexuales son seres humanos que tienen mucho que dar al mundo y a los demás. Si su hijo adolescente es homosexual, usted puede ayudarlo a ver que su vida es tan promisoria como lo era antes de ser consciente de su orientación sexual personal. Conviene que usted busque información respecto a personas lesbianas y homosexuales que han hecho aportaciones muy valiosas, y la compartan con sus jóvenes adolescentes. Para empezar, entre los homosexuales o bisexuales históricamente famosos se cuentan Sócrates, Leonardo da Vinci, Miguel Ángel, Walt Whitman, Herman Melville, Tennessee Williams, George Washington Carver y Leonard Bernstein. Muchas estrellas de películas y numerosos atletas triunfadores han sido homosexuales o bisexuales. Comparta esta información con su hijo adolescente. Es muy difícil para los adolescentes homosexuales abrigar sentimientos positivos y llenos de esperanza sobre su futuro, cuando sus compañeros se burlan de ellos. Dele una razón para que vea el porvenir con esperanza.

Lo mismo si su adolescente es heterosexual que si es homosexual, no deje de explicarle que la homosexualidad no es buena ni mala en sí misma: constituye una orientación sexual que no tiene nada que ver con lo que vale la persona como ser humano. Esta actitud prepara a sus hijos a vivir en forma pacífica con toda clase de personas en este mundo.

RECURSOS

Parents, Families and Friends of Lesbians and Gays (PFLAG)
("Padres, Familias y Amigos de Lesbianas y Homosexuales")
1101 14th Street N.W., Suite 1030

Washington, DC 20005
(202) 638-4200, ext. 213
Sitio en la Red: http://www.pflag.org

Esta organización promueve la salud y el bienestar de personas homosexuales, lesbianas y bisexuales, y de sus familias y amigos. PFLAG fue fundada en 1981 y está actualmente organizada en cuatrocientas comunidades en todos los estados de la Unión Americana, con sesenta y cinco mil miembros de familias.

Hetrick-Martin Institute
("Instituto Hetrick-Martin")
2 Astor Place. Nueva York, NY 10003
(212) 674-2400

Organización de servicios sociales, educativos y jurídicos a favor de la juventud lesbiana, homosexual, bisexual y transexual, de jóvenes vagabundos y de jóvenes que abandonan el hogar, así como de la juventud con VIH.

National Youth Advocacy Coalition (NYAC) ("Coalición Nacional de Defensa de la Juventud")
1711 Connecticut Avenue N.W., Suite 206
Washington, DC 20009
(202) 319-7596

Coalición de más de cien organizaciones que trabajan unidas para poner fin a la discriminación en contra de la juventud lesbiana, homosexual, bisexual y transexual, y para asegurar su bienestar físico y emocional.

National Gay and Lesbian Task Force Policy Institute ("Instituto Nacional de Políticas de Fuerza de Tarea de Homo-

sexuales y Lesbianas")
1734 14th Street N.W.
Washington, DC 20005

LECTURAS ADICIONALES

COWAN, THOMAS, *Gay Men and Women Who Enriched the World.* ("Hombres y mujeres homosexuales que enriquecieron al mundo"), Mulvey, New Canaan, Conn., 1988.

Especialmente para adolescentes

DUNBAR, ROBERT, *Homosexuality.* ("Homosexualidad"), Enslow, Springfield, N.J., 1995.

POLLACK, RACHEL y CHERYL SCHWARTZ, *Journey Out: A Guide for and About Lesbian, Gay, and Bisexual Teens* (Salir a la luz: guía para y sobre adolescentes lesbianas, gays y bisexuales"), Viking Children's Books, Nueva York, 1995.

SUTTON, ROGER y LISA EBRIGHT, *Hearing Us Out: Voices from the Gay and Lesbian Community.* ("Escúchennos: voces de la comunidad lesbiana y gay"), Little, Brown, Nueva York, 1997.

La pornografía

Trish, una chica de quince años, hacía una investigación para un informe escolar sobre VIH/SIDA. Consiguió libros en la biblioteca; entrevistó a su tío, que era doctor; y consultó las páginas de la Red mundial. Sabedora de que los homosexuales están en grave peligro de contraer el VIH, Trish pensó que podía buscar en la Red bajo el término de hombres *homosexuales. En cuestión de segundos, se le ofreció un despliegue de 4,260 "sitios" con nombres de una vulgaridad repugnante. Se quedó delante de la pantalla de la computadora, contemplando atónita fotos a color de hombres entregados a actos sexuales que jamás había siquiera imaginado. Sabía que había tropezado con algo que sus padres no aprobarían, pero la curiosidad le impidió apagar la computadora.*

Los adolescentes viven en un mundo en el que es muy fácil el acceso a material sexual explícito en las revistas, los libros y la televisión, las películas, las videocintas y la Internet. Es prácticamente imposible proteger a los jóvenes de todas las formas de pornografía que se publican, porque están tan cerca como el ratón de la computadora. Sin embargo, hay que redoblar esfuerzos por mantener la pornografía alejada de nuestros hogares y por ayudar a nuestros hijos a entender su índole insidiosa y anormal. Es un hecho que la pornografía puede ser nociva para la sexualidad en desarrollo, si se le ve sin explicación; sin embargo, el hecho es que un estudio canadiense averiguó que los adolescentes recurren a imágenes pornográficas más que los adultos.

Jóvenes como Trish deberían saber que pueden hablar con sus padres sobre el material pornográfico que convierte nuestro mundo en un muladar. Nuestros hijos lo sabrían, si nosotros fuéramos los primeros en hablarles del tema y en autorizarlos a hacernos preguntas sobre este delicado asunto.

HABLAR DEL CAMBIO DE ASPECTO POR EL QUE PASA LA PORNOGRAFÍA

Es importante entender cómo ha cambiado de aspecto la pornografía. El material explícito no se limita ya a las revistas de muchachas desnudas que jóvenes de quince años podían ocultar bajo la cama. Hoy, la tendencia de la pornografía es hacia cuadros que presentan violencia sexual, degradación y humillación más que desnudez. Los temas comunes son el sadismo, el incesto, la pedofilia, la violación y hasta el asesinato. El humorismo de revistas como *Playboy* se centra en bromas sobre mujeres drogadas (o ebrias) y luego violadas, sobre violaciones tumultuarias, sobre la castración, sobre el adulterio e incluso sobre mujeres y niños sometidos a tormento y a la muerte sacrificial. Por ejemplo en su libro *"Soft Porn" Plays Hardball* ("La 'pornografía ligera' juega a la pelota"), la doctora Judith Reisman describe una caricatura en la que el lector ve a Blancanieves sonriente y confiadamente dormida en su camita. Los siete enanitos están a lo largo de la cama, mientras uno pide que se haga una votación: "¡Todos los que estén a favor de una orgía, digan 'hi-ho'!" Esto es lo que se dice a los lectores que es divertido y ameno.

Estas formas de pornografía afectan de diferentes maneras la actitud de los niños sobre el sexo. Lo presentan como despersonalizado y reducido a una función mecánica, vacía de sentimientos. Ofrecen un cuadro del sexo sin dignidad, sin respeto y sin amor. La pornografía glorifica el hedonismo y el egocentrismo más que el amor, la ternura y el compromiso. Hace pensar que no hay nada fuera de lo común en dar un trato brutal a otras personas, sobre todo mujeres y niños. El sexo agresivo se presenta como normal y excitante.

No se trata de valores abstractos. Los estudios han demostrado que hay una clara correlación entre las ventas de objetos pornográficos y los crímenes de violencia sexual al comienzo de la década de los años ochenta y durante la década de los noventa. Lo lamentable es que los adolescentes, que por principio de cuentas son ingenuos e impresionables, se vuelven a menudo hacia la pornografía para averiguar el modo de tener relaciones sexuales. Lo que aprenden es que "todo mundo" disfruta el contacto sexual oral, anal y genital, libre de enfermedades y sin problemas, con parejas múltiples, promiscuas. Suponen que los actos de violencia sexual y de degradación son normales, comunes e inocuos.

HABLAR ACERCA DE LA DESNUDEZ

No será nada difícil encontrar oportunidades para hablar de la desnudez en los medios de comunicación. La semidesnudez es la norma en todos lados, desde los programas de TV y los videos musicales, hasta los anuncios en los autobuses. Lo mejor es iniciar un diálogo con un comentario positivo sobre el cuerpo humano. Los padres de familia podrían decir: "Es cierto, el cuerpo de la mujer y el del hombre son muy hermosos". Podría recordarse a los hijos

…des museos de arte están llenos de cuadros y … cuerpos desnudos, y luego explicarles:

"Sin embargo, cuando la desnudez se presenta en público sólo para provocar la excitación sexual –que es un asunto privado y personal– se le llama pornografía, la cual no se dirige a los jóvenes. Es más: vender material pornográfico a menores de edad es contrario a la ley, porque no se trata de algo que 'simplemente es objeto de diversión'; la pornografía es basura y es ilegal."

HABLAR ACERCA DEL ACTO SEXUAL

Cuando usted oiga hablar de una revista, película o videocinta en las que haya sexo gráfico, aproveche la oportunidad para hablar a sus hijos adolescentes de la diferencia entre el acto sexual en la vida real y las descripciones pornográficas del mismo. Diga a sus hijos que, aunque el coito es un acto perfectamente normal, lo que esas imágenes (o escenas de películas) presentan se considera pornografía porque les falta el elemento más importantes del acto sexual humano: la emoción. Esta clase de pornografía hace pensar que el coito es impersonal y carente de amor y de compasión, y no es así.

Los adolescentes no tienen normas para juzgar lo debido y lo indebido en este campo; por eso, enséñeles lo que usted cree. Dígales:

"La pornografía convierte algo que es delicado y hermoso en feo y repugnante. Una de las cosas que nos distingue de los animales es que los seres humanos no lo practicamos en público. Quienes lo hacen así, no están ejercitándose en la clase de relación amorosa que ustedes querrán tener cuando se enamoren."

Luego, haga que sus hijos sepan que el sexo en sí mismo no es algo prohibido. Dígales:

"Con mucho gusto contestaré cualquier pregunta que puedas tener sobre el acto sexual o, si lo prefieres, puedo procurarte libros bien escritos al respecto; pero es muy importante que entiendas que lo que es bueno y agradable sobre la sexualidad humana no es lo que aparece en los materiales pornográficos."

Si llega a caer en manos de los adolescentes material pornográfico que presenta lo que llamamos actos sexuales "normales", el objetivo de los padres es explicar que, si bien tanto hombres como mujeres efectivamente tienen cuerpos hermosos, y aunque el acto sexual es una actividad muy normal y universal, no debe exhibirse para la diversión de los demás. Este mensaje debe transmitirse sin enojo: se trata de una lección cuyo objeto es ayudar a los jóvenes a ver la sexualidad humana en su debida perspectiva; no hay que oscurecerla con el manto de la culpabilidad.

HABLAR ACERCA DE LA PORNOGRAFÍA INFANTIL, DE LA BRUTALIDAD Y DE LA VIOLENCIA SEXUAL

Los padres necesitarán adoptar un enfoque muy diferente cuando hablen de actos "anormales" como la pornografía infantil, la brutalidad o los actos sexuales violentos. En estos casos, los adolescentes deben recibir un firme mensaje de que eso no es el sexo auténtico.

Esta clase de pornografía es especialmente peligrosa para la moralidad en desarrollo de los adolescentes. Les da una falsa impresión de la forma normal y civilizada en que hombres y mujeres practican la actividad sexual. Además, puede obstaculizar la capacidad del joven de adquirir una actitud sexual saludable, porque presenta a individuos con desviaciones sexuales como modelos de conducta, y subraya la perversidad y la crueldad como normas. Si los padres descubren que sus hijos tienen esta clase de material pornográfico, deben decirles con toda claridad que eso no es normal ni aceptable.

Cuando usted oiga hablar de esta clase de pornografía en las noticias o en vídeos o cintas musicales, aproveche la oportunidad para hablar de ella. Sin mostrar enojo ni condenar a nadie, sino con una actitud clara de absoluta seriedad, diga a sus hijos que esa clase de pornografía es basura pura. Dígales que es producto de mentes desequilibradas, que disfrutan haciendo daño a los demás. Diga a sus hijos adolescentes algo como esto:

"Ése no es un modo saludable de expresar sentimientos sexuales. No creo que ésta sea la clase de actividad sexual en la que tú participes jamás; por eso, no debes perder tiempo viendo semejante porquería."

Si descubre que sus hijos tienen esta clase de pornografía, no debe dejarse llevar por un arrebato explosivo. Hable del asunto, asegurándoles que no está enojado con ellos por eso. Si nunca les ha hablado del tema, no puede castigarlos por su curiosidad natural (aun cuando los jóvenes hayan tenido cierta idea de que ése no es un material gráfico que usted apruebe). Pero que sepan que, si en un futuro vuelven a perder tiempo con material pornográfico, causarán a usted un grave enojo y con toda seguridad serán castigados por su desobediencia.

CONSERVAR EL HOGAR LIBRE DE PORNOGRAFÍA

El doctor C. Everett Koop, antiguo director de salubridad nacional, declaró que la pornografía es un "problema devastador de la salud pública", "un peligro claro y actual" y algo "manifiestamente inhumano". "Debemos oponernos a ella –afirma– del mismo modo que nos oponemos a cualquier violencia o prejuicio". Si usted está de acuerdo con estos criterios, puede controlar hasta cierto punto el material pornográfico que llega a su casa. Puede empezar comprando una llave para el acceso a los canales de cable en su televisor. Esta llave, que muchas compañías de cable rentan mensualmente, permite a los padres aislar una estación de cable, para que nadie pueda verla sin permiso.

También puede cerciorarse de que nadie en su casa use los servicios de "pornografía telefónica". Llame a quien presta el servicio de teléfono y pídale que suspenda por completo esa clase de líneas. También es posible obtener la colaboración de los servicios postales. Haga con ellos un arreglo para que no entreguen correspondencia pornográfica en su casa. En Estados Unidos, si después de haber convenido oficialmente en que no se entregue en su casa esa clase de envíos postales, algún remitente se las ingenia para hacer llegar material pornográfico, se le impone una multa de varios miles de dólares o se le castiga con varios años de cárcel.

No olvide imponer también una forma de control para que no ingrese pornografía por medio de la computadora. Existen muchas formas de bloquear el acceso a cierta clase de material en la computadora. Algunos proveedores de servicios de Internet, como America Online o CompuServe, permiten a los dueños de computadoras imponer restricciones en cuanto al acceso a sitios de la Red. (Vea "Peligros en la Red electrónica mundial", para más información.)

La experiencia de ver material pornográfico sin la explicación de los padres puede causar en los adolescentes un gran daño físico y emocional. Para protegerlos de esta experiencia, las familias necesitan hacer un esfuerzo conjunto para que cualquier forma de pornografía se mantenga lejos de los hogares, y ayudar a los hijos a entender que esa clase de material es una exposición anormal y desviada de la auténtica sexualidad humana.

LECTURAS ADICIONALES

Especialmente para adolescentes

GOTTFRIED, TED, *Pornography: Debating the Issues*. ("Discusiones en torno a la pornografía"), Enslow, Springfield, N.J., 1997.

Los prejuicios

La familia Anderson vive en una población pequeña, muy unida, en la que todos se conocen y son bienvenidos en las casas de los vecinos. Peg y Ron han enseñado a sus dos hijos a ser amables y caritativos con los demás, y creían haber hecho en este sentido una buena labor, hasta que un sábado en la tarde alcanzaron a oír esta conversación entre sus dos hijos adolescentes:

–A mí no me caen nada bien los extranjeros, en especial los judíos –dijo Sherry.

–Tienes toda la razón –convino su hermano Luis– Cualquier extranjero, sobre todo los judíos, se sienten superiores a nosotros y, como tienen dinero, nos quitan oportunidades de entrar a las mejores universidades.

Peg y Ron no podían imaginarse dónde habían adquirido sus hijos semejantes ideas y juicios sobre grupos humanos. Lo más grave era comprobar que en su propia casa existían semejantes prejuicios. ¿Sería ése el modo de hablar de sus amigos? ¿Lo habrían aprendido en los programas de televisión o en las películas? ¿Qué podrían hacer ellos?

PREJUICIOS

En nuestras funciones de padres de familia, a menudo nos sentimos impotentes para cambiar el mundo en el que viven y crecen nuestros hijos. Sin embargo, el problema del prejuicio nos da la excelente oportunidad de producir un efecto duradero en nuestros hijos y su mundo, con tal que tomemos la decisión de hablar claro, de afrontar el problema y de dar a nuestros hijos la información que necesitan para entenderlo y resolverlo.

Apenas comenzamos a tener una idea clara de las consecuencias de los prejuicios en la sociedad. Por ejemplo, en la *Hate Crimes Statistics Act* ("Ley de Estadísticas sobre Crímenes de Odio) aprobada en 1990, se exige al procurador general reunir datos sobre esta clase de crímenes. Las estadísticas obtenidas son perturbadoras, no sólo por su volumen en sí, sino porque los crímenes aumentan de año en año y muchos son cometidos por adolescentes. De las personas arrestadas por estos delitos en un año en la ciudad de Nueva York, el 70 por ciento eran jóvenes de menos de diecinueve años.

A pesar de que la *Civil Rights Act* ("Ley de Derechos Humanos") declaró que todos los ciudadanos son iguales ante la ley, cualquiera que sea su sexo, raza, color, religión, edad, o nacionalidad, hay todavía mucha gente que concentra la atención en las diferencias y las usa para ridiculizar, herir y aun atacar a los demás. Es muy triste que en las familias estas actitudes pasen de una a otra generación. En los años de la adolescencia, cuando los jóvenes son tan susceptibles a las influencias de sus compañeros, los hijos de familias con prejuicios transmiten a sus amigos y amigas las inclinaciones que han heredado. Por eso es tan importante transmitir a nuestros hijos un sólido cimiento de tolerancia e inculcarles que las ideas y las acciones basadas en prejuicios son inaceptables en una sociedad democrática.

EL VOCABULARIO DEL ODIO

Cuando los padres de familia hablen de prejuicios con sus adolescentes, han de procurar aclararles el sentido de las palabras que circulan cuando se habla de este tema. Las siguientes definiciones les ofrecen un buen punto de partida.

Incidente tendencioso. Cualquier acto de una persona en contra de otra por tener un prejuicio o por prejuzgarla basándose en su raza u origen étnico, sexo o inclinación sexual, en su religión, edad, ocupación, clase social o cualquier otra clasificación de esta índole.
Ejemplo: Golpear a alguien sólo por su orientación sexual o su origen étnico es un incidente tendencioso.

Intolerancia. Aferrarse a creencias y opiniones a pesar de las pruebas en contra de ellas.
Ejemplo: La persona que insiste en que todas las mujeres son intelectualmente inferiores a los hombres y se niega a escuchar hechos y opiniones contrarias, actúa en forma intolerante. A este individuo se le puede llamar fanático o intolerante.

Discriminación Acto o norma de tratar a alguien en forma diferente, o bien negarle algo a lo que tiene derecho simplemente porque pertenece a determinado grupo de la población.
Ejemplo: Una compañía que contrata sólo empleados de determinada raza practica la discriminación en contra de las demás razas y grupos étnicos. Esto es contrario a la ley.

Prejuicio. Como su nombre lo indica, consiste en "prejuzgar" y formarse una opinión sin tener la información o los datos válidos, infundiendo así temores e intolerancia hacia los que no pertenecen al mismo grupo étnico, o practican la misma religión, o son del mismo género, etcétera. *Ejemplo:* Si alguien va caminando por la acera y se pasa al otro lado de la calle sólo porque ve que se le acerca un individuo de determinada raza, demuestra tener prejuicios.

Estereotipo. Idea especializada y simplista sobre un grupo de población.
Ejemplo: Todos los homosexuales de pelo largo son drogadictos.

Buscar un "chivo expiatorio". Culpar a un individuo o a un grupo sabiendo que el culpable es otro.
Ejemplo: Creer que toda una raza es responsable de los altos niveles en las universidades o de todas las calamidades que aquejan a la sociedad.

DAR EJEMPLOS CONCRETOS DE PREJUICIO

Los prejuicios raciales son un tipo de prejuicio muy conocido por los adolescentes, quienes son sumamente sensibles a él. Sin embargo, sus hijos necesitan saber que hay muchas otras clases de prejuicios que también hay que entender y evitar. En las conversaciones familiares, dé a sus hijos ejemplos concretos de esta variedad en diversas partes del mundo.

Raciales

Ejemplos extremos: Antes de las leyes sobre derechos civiles de la década de 1960, a los afroamericanos no se les permitía beber agua de fuentes donde bebían los "blancos", y los jugadores de béisbol de esa raza no podían alojarse en el mismo hotel que sus compañeros de juego de raza blanca. En 1997, una guía para la capacitación de pilotos de American Airlines caracterizaba a los pasajeros latinoamericanos como frecuentemente borrachos e indisciplinados. El Ku Klux Klan y otros grupos que abogan por la supremacía blanca se oponen en forma violenta a todos los que no son de raza blanca.

Ejemplos cotidianos. La gente que se niega a vender una casa a personas de otra raza, y la que se rehúsa a comprar artículos en una tienda que es propiedad y está administrada por gente de determinada raza.

Culturales

Ejemplos extremos: El haber expulsado a los indígenas nativos de sus tierras porque colonizadores u otra clase de individuos quieren instalarse a vivir en ese lugar.

Ejemplos cotidianos: Presentar a todos los nativos como guerreros salvajes e ignorantes, burlarse del acento y de las costumbres que tienen familias de inmigrantes, y ridiculizar el modo de vestir o los modales de los extranjeros es un prejuicio cultural.

Religioso

Ejemplos extremos: El Holocausto, durante la segunda guerra mundial, que dio muerte a miles de individuos del pueblo judío, es un ejemplo muy conocido de prejuicio religioso.

Ejemplos cotidianos: Ridiculizar los tocados religiosos que se ponen los jóvenes judíos o las chicas musulmanas en la escuela demuestra ignorancia y prejuicio religioso.

Sexismo

Ejemplos extremos: Negar a las mujeres el derecho al voto y rehusarse a permitirles ser miembros de ciertos clubes exclusivamente masculinos.

Ejemplos diarios: Decirle a un varón atleta que "corre como las mujeres", o utilizar términos en masculino para referirse a hombres y mujeres.

Orientación sexual

Ejemplos extremos: Las calcomanías en defensas de automóviles que son ofensivas para los homosexuales o quitar el empleo, sin ningún otro motivo, a alguien que profesa abiertamente su homosexualidad. Un caso flagrante fue la bomba que se hizo estallar en 1997 en un bar de homosexuales y lesbianas en Atlanta, Georgia.

Ejemplos cotidianos: Los homosexuales y las lesbianas pierden sus empleos, se les aísla en sus comunidades, se les ridiculiza en público y son objeto de rechazo por parte de sus familias.

Discapacidades

Ejemplo extremo: Hay tiendas y compañías que no obedecen la ley, la cual les exige proporcionar servicios convenientes para que las personas en silla de ruedas entren y salgan de los edificios y puedan tomar agua en los bebederos, pagar los teléfonos y usar los baños.

Ejemplos cotidianos: Gente que se burla de los que usan audífonos protésicos, aparatos ortopédicos en las piernas o anteojos demasiado gruesos. A los niños con discapacidad se les aísla y ridiculiza.

Otras formas

- La discriminación por razón de edad o de belleza física

avergüenza y apena a muchos, mientras qu
impide encontrar empleo.

- Los prejuicios por razón del peso son mot
las personas gruesas u obesas se les ridiculice y se les trate como si fueran perezosas o torpes.
- Las enfermedades como el SIDA son causa frecuente de discriminación.

CÓMO ADQUIEREN PREJUICIOS LOS ADOLESCENTES

La mayoría de los adolescentes (al igual que casi todas las personas) negarán tener prejuicios. Las conversaciones de los padres de familia al respecto nunca deben incluir acusaciones ni obligar a los jóvenes a defenderse. A menos que los padres estén hablando de un acto específico de este tipo en sus hijos adolescentes, deben mantener la conversación en un nivel cordial y hablar del problema en general. Los padres deben explicar las situaciones en términos como éstos:

"Todos estamos expuestos al prejuicio, por el simple hecho de observar y vivir en una sociedad en la que existen los prejuicios. Al crecer, muchas cosas influyen en nuestro modo de ser: la TV, la música, las películas, los periódicos, los programas que se ven por diversión, las amistades y aun la misma familia. A veces, aun sin darnos cuenta, adoptamos creencias que no se fundan en la realidad. Aprendemos a juzgar a los demás en forma ciega, sin siquiera conocerlos. Se nos olvida que debemos ser sensibles a los sentimientos de otros individuos. Si no ponemos empeño en defendernos de estas influencias, podemos caer en prejuicios."

ESTAR PENDIENTES DE PREJUICIOS PERSONALES

El mejor modo de transmitir una actitud no tendenciosa a los adolescentes es darse tiempo para adquirir una clara conciencia de los propios prejuicios. A decir verdad, la mayoría de las personas sufren de prejuicios en cierto grado. Con toda sinceridad, ¿piensa usted que ciertos grupos étnicos son torpes y otros son más inteligentes? ¿O que algunos son buenos deportistas por naturaleza? ¿O que los hay que son culpables de las calamidades sociales? El prejuicio es tan contagioso que debemos estar muy pendientes de nuestras palabras y de nuestro modo de actuar. Piense bien en sus creencias personales antes de hablar con sus hijos.

No identificar a los demás por su raza

Si su hijo adolescente quiere invitar a un amigo o amiga a su casa, pero usted no está seguro de qué clase de amistad se trata, no le pregunte: "¿Es la niña china?" Busque otra manera de identificar a las personas, como: "¿Se trata de la chica de cabello largo y negro que jugó en tu equipo de futbol el año pasado?"

No centre la conversación en las diferencias raciales

Cuando hable de personas que ha conocido en el trabajo o en la comunidad, no deje que sus comentarios se enfoquen a atributos personales. Por ejemplo, si tiene algún problema con una familia de su vecindario, no atribuya el conflicto a factores raciales, étnicos, religiosos o de clase. Hable de la dificultad que tiene con ese individuo, de modo por completo independiente de su árbol genealógico.

Evite las bromas de carácter étnico

El sentido del humor étnico estereotípico es
inmediato tradicional de la comedia. Aquí el ejemplo de usted es de la máxima importancia para sus hijos. A ellos les será muy difícil entender por qué está bien divertirse a costa de un grupo étnico "torpe", pero no es aceptable ridiculizar a un compañero de clase, perteneciente a ese grupo, por ser tonto. Los adolescentes son muy sensibles a cualquier indicio de hipocresía que ven en sus padres. No se exponga a esta acusación.

No presente estereotipos de grupos

Tenga mucho cuidado en el modo como explica por qué determinadas personas tienen ciertas habilidades, talentos o costumbres. Si, por ejemplo, un amigo destaca como jugador de futbol, tenga cuidado de no atribuirlo a su raza o a su nacionalidad. Si su hijo quiere saber por qué una familia vecina tiene a menudo reuniones familiares muy numerosas, no lo explique basándose en la manera como usted entiende el origen étnico familiar de esa familia. Prefiera siempre relacionar las cualidades o circunstancias excepcionales con el individuo, no con su raza.

Ejerza la imparcialidad

Lo que usted hace es más elocuente que todo lo que pueda decir a sus adolescentes; por eso, transmita sus convicciones por medio de sus actos:

- Siéntese al lado de una familia de raza diferente en el restaurante de servicio rápido.
- Invite a su casa a personas de diferente raza de su vecindario o de su escuela.
- Mantenga un tono de voz y modales agradables cuando interactúe con extraños de otras razas en la tienda, en el autobús o en otros lugares públicos.

- Empéñese en demostrar a sus hijos que el modo como usted actúa con la gente no tiene nada que ver con su aspecto físico.

PROMUEVA LA AUTOESTIMA

La baja autoestima desempeña un papel decisivo en la formación de prejuicios. Los adolescentes que no se sienten seguros en cuanto a su identidad tratarán de consolidarse poniéndose por encima de otros. El reverso de la medalla son los adolescentes que tienen una imagen deficiente de sí mismos y cuyas defensas psicológicas están bajas ante los prejuicios de los demás. Fomentar el orgullo por los logros y habilidades de sus hijos adolescentes los ayudará a resistir la tentación de actuar con prejuicios, así como a prevenirlos contra el riesgo de sentirse heridos por ser víctimas del prejuicio ajeno.

¡Diga cumplidos!

Esto puede ser un verdadero reto, pero los padres deben encontrar al menos una cosa buena en sus hijos todos los días. Haga comentarios positivos cuando su hijo adolescente se ponga ropa de buen gusto (o al menos de bonito color). Elógielo por cualquier trabajo, o intento del mismo, hecho con sentido de responsabilidad e independencia. Dígale: "Me da mucho gusto verte trabajar con tanto ahínco en el cumplimiento de tu tarea". Refuerce lo bueno que hay en su raza, carácter étnico, sexo, edad, etcétera. Dígale: "Somos muy afortunados como [grupo étnico] por tener un historial tan largo y tan rico". Dígale: "En la actualidad tú, como mujer, tienes más oportunidades y ventajas que nunca en la historia del mundo", y así por el estilo.

Tenga presente que la meta para fomentar la estima de un adolescente es cimentarla en su persona, sin promover un espíritu de superioridad. Sería en contra de la tolerancia y la aceptación si usted le dijera: "No permitas que ese muchacho (negro, rico, americano, judío, etcétera) te diga lo que debes hacer. Lo único que quiere es someterte". Tampoco le hable en este tono: "Si estudias con ahínco, puedes ser más inteligente que esa chica (grupo racial) de tu clase"; ni: "Tú puedes jugar baloncesto tan bien como cualquier atleta negro". Prefiera elogiar a sus jóvenes y alentarlos en todo lo que hacen como individuos, sin compararlos con gente de otras razas.

Que sus hijos sepan que usted los ama

Una persona es capaz de interesarse por las necesidades de otros sólo cuando sus propias necesidades de afecto y aceptación están satisfechas Diga a sus hijos adolescentes que los ama. Déles muchos abrazos (les guste o no). No pierda la ocasión de sonreírles, guiñarles un ojo o aplaudir sus triunfos.

RECONOZCA Y COMENTE LAS DIFERENCIAS

Los adolescentes no están ciegos a los colores. No podemos pedirles que pretendan que los demás no son diferentes de ellos. *Todos somos* diferentes en color, figura, creencias y experiencias; aproveche estas diferencias para inculcar sensibilidad y aceptación.

Válgase de las experiencias de la vida

Todo en torno a usted son oportunidades diarias de enseñar a sus hijos a aceptar y disfrutar las diferencias entre la gente. Búsquelas y aprovéchelas. Por ejemplo, si usted no es de ascendencia hindú, no pase por alto al hindú que lleva un turbante o a la mujer que tiene un punto de color en el centro de la frente (pensando que su silencio demuestra aceptación), cuando los vea caminando por la calle. Hable de lo que ven usted y su hijo. Pregúntele si sabe los nombres hindúes del turbante y del punto de color. ¿Sabe por qué los usan? Si no lo sabe, dígale: "Creo que esta semana iré a la biblioteca y pediré un libro sobre India. Vamos a ver si el turbante y el punto en la frente tienen algún significado específico en su cultura".

Cambie los papeles

Usted también puede enseñar tolerancia en las situaciones diarias cambiando los papeles con sus hijos. Los adolescentes son famosos por sus quejas en el sentido de que los adultos los juzgan basándose en su aspecto más que en su carácter y habilidades. Devuélvales el argumento y ayúdelos a entender por qué es injusto que *cualquier individuo* juzgue a los demás basándose en estereotipos que se aprenden en la vida social.

Pregúnteles: "Si los adolescentes quieren que aceptemos sus excéntricas cabelleras, sus perforaciones en el cuerpo, su ropa y su música, ¿no deberían también ellos tolerar la diversidad?" *Dígales:* "Si tienes siempre presente lo mucho que te disgusta que te juzguen personas que en realidad ni te conocen, te será más fácil resistir la tentación de prejuzgar a los demás".

Aproveche las noticias y la TV

Las noticias y los programas de televisión nos dan muchas enseñanzas sobre los prejuicios. Muy a menudo se escucha el informe de un funcionario gubernamental, de un alto ejecutivo o de un individuo célebre, que hace un comentario basado en prejuicios (como le sucedió a la dueña del equipo de béisbol de los Rojos de Cincinnati, que se hizo famosa por sus insinuaciones raciales y étnicas). Veremos en la pantalla tumultos raciales (como el de Los Ángeles después de que se pronunció el veredicto de Rodney King) o algún crimen cometido por odio (como cuando un grupo de adolescentes profanó cementerios judíos, pintando suásticas en las lápidas sepulcrales), o algún caso de discriminación (como las quejas de las azafatas de líneas aéreas en cuanto a que las limitaciones por edad o por el peso del cuerpo eran discriminatorias). Aproveche esas oportunidades para hablar. Dé su opinión y pregunte a sus hijos adolescentes qué piensan de lo sucedido. Pregúnteles en qué apoyan su punto de vista. Que expliquen cómo se sienten al respecto.

La televisión ofrece oportunidades diarias de hablar de prejuicios y de estereotipos. No es raro que los programas de televisión presenten a latinoamericanos como narcotraficantes, a adolescentes afroamericanos como matones y a nativos norteamericanos como salvajes sanguinarios. Cuando aparezcan estos estereotipos en TV, no pierda la ocasión de señalarlos, de calificarlos como estereotipos y de hablar de esto con sus hijos.

RESPONDER A LAS OBSERVACIONES INTOLERANTES O PREJUICIOSAS

Una oportunidad inmejorable para hablar de prejuicios y de tolerancia es la que se presenta cuando usted oye a alguien (quizá incluso a uno de sus hijos) hacer un comentario derogatorio de corte racial o humillar a otra persona por motivos de religión, sexo o aspecto físico. Siempre hay algo que usted pueda decir si oye a su hijo adolescente o algún amigo suyo hacer comentarios como éstos:

"¡Qué facha! Es todo un tonel y encima trae puesto el audífono para sordos."

"Que no vaya a venir ella a la fiesta. Las muchachas (grupo étnico o racial) son unas pesadas".

"No importa lo que digan las maestras. Yo no voy a sentarme junto a esa (insulto racial)."

Usted puede reaccionar de muchas maneras, pero tenga esto presente: no se enoje ni lo ignore. La ira pone a los hijos a la defensiva y hace que se cierren a la oportunidad de aprender algo; en cambio, pasar por alto el percance supone la aceptación. Lo que hay que hacer es conservar un tono tranquilo y preguntar a los hijos por qué piensan que una persona de diferente raza, religión o aspecto físico no puede ser una buena amistad. Luego, debe escucharse con atención la respuesta.

Usted podría decir: "Hablas como si conocieras a todos los que son (nombre del grupo) y no tuvieras simpatía por uno solo de ellos. No se puede querer o dejar de querer más que a la gente que uno conoce. Si no conoces a alguien, no puedes tener una buena razón para tenerle afecto o antipatía".
Luego, reconozca: "Es posible que haya muchachos con los que no te guste andar".
Por fin, enseñe: "Pero la razón no debe ser ni su aspecto físico ni el color de su piel".

CÓMO MANEJAR LA DISCRIMINACIÓN

Es muy duro para cualquier padre o madre oír que su hijo ha sido víctima de un prejuicio. ¿Qué se le dice a un adolescente que regresa a la casa llorando porque alguien en el autobús lo ha ofendido con insultos raciales? La respuesta que usted dé será una enseñanza muy importante para sus hijos. Puede aprovechar esta circunstancia para guiarlos a una postura de valía personal, o puede responder con su marca personal de odio y la promesa de venganza. La mejor opción está clara, pero no siempre es fácil. Es probable que usted se sienta tan enojado o molesto como su hijo, pero procure recordar que tiene delante una valiosa oportunidad: aprovéchela en forma inteligente.

No reaccione con violencia

Los adolescentes pueden ser crueles. En todo momento se oyen burlas y amenazas. Un incidente de corte tendencioso puede en realidad ser un intento de ridiculizar más que un acto consciente de prejuicio. Antes de reaccionar, cerciórese de conocer con precisión los hechos. Trate de conservar su propia indignación interna en un nivel mínimo, para poder concentrarse en ayudar a su hijo. Es perfectamente justo mostrar desprecio y repulsión hacia esa clase de conducta, pero no se debe caer en el pánico ni contribuir a atizar el fuego del miedo y la ansiedad. Las referencias exaltadas a las luchas de su pueblo contra las atrocidades del pasado no servirán más que para aumentar los temores de sus hijos. Dirija su atención a los sentimientos de su hijo y a lo que él y usted pueden hacer respecto a ese incidente.

Sea honesto

Si su hijo es diferente de la mayoría de los niños de su comunidad, en cuanto a religión, color de la piel o antecedentes culturales, nada se gana con decirle que no es distinto de nadie o que todas las personas son iguales. Si no se hace frente a los problemas causados por las diferencias, éstas acabarán por reforzar molestas ansiedades y dudas sobre sí mismo. Diga a su hijo adolescente:

"Sí, eres diferente. Las apariencias de los seres humanos varían de unos a otros, lo mismo que su modo de rendir culto a Dios, de vestirse, de bailar, de cantar o de hablar. Estas diferencias son naturales y deseables. Ningún ser humano tiene por qué disculparse por el hecho de ser diferente."

Sin embargo, como usted sabe, vivimos en una sociedad imperfecta en la que existe la injusticia y las personas pueden ser insensibles e hirientes. Su hijo también es consciente de esto. Usted podría tratar de explicarle el prejuicio en esta forma:

"Es lamentable que a la gente *se le trate* en forma diferente, a menudo por razones sin importancia. Puede ser porque su origen étnico es distinto o porque no tienen tanto dinero como otros, o porque van a una iglesia diferente; o también porque hablan con un acento peculiar, o por cualquier otra razón. Muchos, antes de ti, han tenido que enfrentarse a esta clase de prejuicio y discriminación y saben lo doloroso que es."

Hable de sentimientos

Antes de comenzar a exponer el modo de habérselas en estas situaciones, dedique tiempo a reconocer el valor que tienen los sentimientos de dolor y a hablar de ellos. Un ataque tendencioso puede indignar mucho a cualquiera; cerciórese de que su hijo sepa que eso es normal. Luego ubique el ataque en la debida perspectiva. Dígale:

"Estoy seguro de que eso te ha dolido mucho. Sin embargo, es muy importante que nunca permitas que lo que otros dicen cambie lo que tú sientes de ti mismo. Tú no tienes culpa alguna de que otros no te quieran o te rechacen por razones sobre las que no tienes control. El que tiene un problema en ese caso no eres tú, que sigues siendo una persona especial y con mucha bondad. Es la gente con prejuicios y odio la que tiene el problema. La persona que odia a otros sin siquiera conocerlos es víctima de ignorancia y de juicios torcidos. A veces necesitan humillar a otros sólo para sentirse superiores. No permitas que eso suceda. No dejes que te hagan sentir inferior."

Actúe contra el prejuicio

El prejuicio es malo e injusto, y usted necesita ayudar a su hijo adolescente a decidir cómo manejar esa situación si volviera a presentarse en el futuro. Al encontrarse frente a situaciones difíciles como éstas, la gente tiende a reaccionar sin pensar. La respuesta natural es devolver golpe por golpe (verbal o físicamente), pero a menudo esto no hace sino empeorar la situación. Otra reacción natural es generalizar sentimientos de antipatía étnica o racial contra el atacante. Su hijo debe saber que estas reacciones son comprensibles pero que no contribuyen en nada a resolver el problema ni a reducir los prejuicios en el mundo. Dígale que la venganza no es la respuesta, y luego demuéstrele cómo puede ser parte de la solución.

Anime a sus hijos adolescentes a convertir la ira en una acción positiva. No permita que se queden con la rabia contenida o se depriman; impúlselos a *hacer* algo. Hable con ellos sobre lo que hay que hacer cuando se es víctima de un ataque por prejuicios. Saber que hay cosas que pueden hacerse ayudará a disipar esa sensación de impotencia:

Habla del asunto con alguien. "Hablar de lo sucedido con una persona comprensiva y decirle lo mucho que te dolió, hará que te sientas mejor. Los ataques por prejuicios no son algo que debas tratar de ocultar o de lo que debas avergonzarte. Elige a un amigo, a una maestra, a un consejero o ven conmigo a hablar de tus sentimientos sin tardanza."

No te dejes abatir por una humillación. "Sé dueño de ti mismo, y ponte por encima de la situación. Es posible que los prejuicios de otros te atemoricen, te hagan sentirte aislado y rechazado. Pero nunca olvides que tú no has cometido nada indebido y, por lo tanto, no actúes como si lo hubieras hecho." (Por más evidente que a usted le parezca, su hijo necesita oír que no hay nada cierto en lo que ha dicho el atacante.)

Sé asertivo, no agresivo. "Una respuesta agresiva devuelve la ofensa y la estupidez del prejuicio. Pero una respuesta asertiva te ayuda a sentirte orgulloso de ti mismo y contribuye a cambiar la situación. La meta que persigues es evitar un pleito, detener el círculo vicioso del prejuicio y preservar el sentido de tu dignidad personal. Si alguien te aplica un nombre insultante, no le devuelvas otro equivalente ni empieces un pleito. Una respuesta digna sería contestar con toda serenidad: 'Soy afroamericano (o algún otro nombre propio) y me siento orgulloso de serlo'."

Pide ayuda. "Si la persona con prejuicios no te deja en paz o amenaza con hacerte daño, pide ayuda. Recurrir a un adulto no es señal de debilidad ni de ser chismoso, sino de inteligencia. Los ataques por prejuicios son un asunto serio y contrario a la ley. Permite que las personas que pueden ayudarte sepan lo que está pasando."

Mantén la cabeza en alto. "No permitas que la estrechez de mente de otro te impida lograr tus metas. Cuando alguien te acose o insulte, no dejes que eso te convenza de que eres una persona sin valor. Aprovecha el enojo que te provoca para forzarte más aún a elevarte al máximo nivel de que seas capaz."

Desempeño de papeles

Si el adolescente tiene dificultades para afrontar los prejuicios, ármelo con un sentido de confianza en sí mismo que procede de saber de antemano lo que hay que hacer y decir.

Simule diversas escenas:

- Imagínate que al estar comiendo oyes a alguien que hace una observación derogatoria por razón de tu sexo, discapacidad o raza, en voz bastante alta para estar seguro de que lo oigas.
- Imagínate que alguien se tropieza contigo intencionalmente y luego, con enojo, te insulta ridiculizando tu raza.
- Imagínate que alguien garabatea en tu gaveta de la escuela un símbolo prejuicioso u ofensivo.
- Imagínate que alguien está tratando de volver contra ti a todos tus amigos.

Ayude a su hijo a discurrir formas de hacer frente a esta clase de situaciones. No existe una respuesta perfecta o correcta a todo esto; su hijo tiene que decidir lo que lo hace sentirse fuerte y a gusto consigo mismo. Pregúntele:

"¿Qué pasaría si respondieras con enojo y odio?" (Recuérdele que esa opción puede ratificar la convicción de la gente de criterio estrecho, de que tienen razón en humillarlo.)

"¿Qué pasaría si respondieras con un silencio iracundo?" (Explique el peligro de atizar el fuego del propio arsenal de odio y de contraer uno mismo el prejuicio correspondiente.)

"¿Qué pasaría si respondieras ignorando por completo al fanático agresor?"

"¿Qué pasaría si tu reacción fuera la de responder con

toda calma y explicar que no quieres volver a oír esas alusiones ofensivas?"

"¿Qué pasaría si simplemente te alejaras del sitio?"

"¿Qué pasaría si relataras lo sucedido a un maestro o maestra?"

Pensar en las consecuencias de cada respuesta ayudará a su hijo a decidir el modo de actuar que prefiere si llega a ser víctima en alguna otra ocasión. Esta disposición de ánimo por sí sola hará que el joven hijo se sienta menos impotente.

INFÚNDALE UN ORGULLO SANO

Cerciórese de que sus hijos adolescentes conozcan bien su patrimonio cultural. Hable de los fracasos y los triunfos de sus antepasados. Dígales que está orgulloso de sus raíces y de sus antepasados. Dedique un tiempo a explorar el árbol genealógico. Use enciclopedias. Visite museos. Haga recorridos en Internet por su tierra natal. Disfrute viendo las viejas fotos de familia. Si sus hijos se dan clara cuenta de sus orígenes y adquieren un sentido de orgullo por su procedencia, estarán mejor provistos intelectual y emocionalmente para enfrentarse al ataque virulento del prejuicio y la discriminación.

RECURSOS

National Hate Hotline ("Línea Telefónica Nacional de emergencia")
(800) 347-HATE
Dé aviso de los crímenes producto del odio en este número.

Anti-Defamation League of B'nai B'rith ("Liga de B'nai B'rith Antidifamación")
823 United Nations Plaza
Nueva York, NY 10017
Sitio en la Red: http://www.adl.org

National Institute Against Prejudice and Violence (Instituto Nacional Contra el Prejuicio y la Violencia)
31 South Greene Street
Baltimore, MD 21201
(410) 328-5170

LECTURAS ADICIONALES

National PTA and the Anti-Defamation League of B'nai B'rith, *What to Tell Your Child About Prejudice and Discrimination* ("Qué decir a su hijo acerca del prejuicio y la discriminación"), National PTA y Anti-Defamation League of B'nai B'rith, Nueva York, 1997.

Especialmente para adolescentes

Duvall, Lynn, *Respecting Our Differences* ("Respetar nuestras diferencias"), Free Spirit, Minneapolis, Minn., 1994.

Edwards, Gabrielle, *Coping with Discrimination* ("Enfrentar la discriminación), Rosen Publishing Group, Nueva York, 1992.

Kranz, Rachel, *Straight Talk About Prejudice* ("Hablar con libertad acerca de los prejuicios"), Datos de archivo, Nueva York, 1992.

La pubertad

Los primeros indicios de la pubertad muy pronto congestionan la alcoba de un joven adolescente. La madre de familia no tardará en ver a su hija haciendo experimentos con sostenes deportivos, maquillaje y alhajas, e interesándose en revistas sobre ídolos juveniles. Los varones guardarán con celo la barra de desodorante deportivo, la loción para después de afeitarse, los peines y la revista Playboy. *Todas estas posesiones son indicios exteriores de lo que está pasando en el interior del organismo de un joven adolescente. Es el periodo en el que el mundo cambia, lo mismo que el aspecto del cuerpo. Se trata de una etapa de la vida en la que el adolescente definitivamente necesita hablar con sus padres.*

¿QUÉ ES EXACTAMENTE LA PUBERTAD?

La pubertad es la etapa de la vida en la que un niño llega a la madurez de su desarrollo genital y adquiere la capacidad de reproducirse. El inicio de la pubertad no lo dicta una edad específica, sino más bien ciertos cambios físicos y emocionales que pueden producirse durante el curso de varios años. El proceso es único en cada niño o niña. En las niñas, el primer indicio físico de la pubertad suele aparecer entre las edades de nueve y trece años. Sin embargo, nadie puede afirmar, por ejemplo, que todas las niñas deban tener vellosidad axilar a los quince años, o que todos los varones deban tener barba a los diecisiete. Hay adolescentes en los que todas las características de su sexo se desarrollan a temprana edad y con rapidez; otros maduran después y con mayor lentitud. Una y otra forma de crecimiento –y todas las intermedias– son perfectamente normales.

¿QUIÉN DEBE HABLAR DE LA PUBERTAD?

Lo tradicional es que las madres hablen con las hijas y los padres con los hijos. Sin embargo, en el mundo actual esto no es lo que necesariamente sucede, o lo que debe suceder. En las familias en las que están presentes ambos progenitores, es posible que uno de ellos se sienta más dispuesto a hablar del crecimiento y el desarrollo humanos que el otro. Ése es el progenitor que debe hablar del tema con los hijos, cualquiera que sea su sexo. En los hogares en que hay un solo progenitor, la tarea queda en manos del único disponible, de algún abuelo o abuela, o de un tío o tía favoritos. Lo importante no es tanto quién da la información, sino el modo como la da. Los adolescentes aprenderán a sentirse tranquilos con su cuerpo en desarrollo si reciben la información que necesitan de parte de un adulto honesto, que les muestre interés y comprensión sinceros.

¿CUÁNDO HABLAR DE LA PUBERTAD?

Lo ideal es que usted haya hablado ya con sus hijos adolescentes de los cambios experimentados durante la pubertad (porque es probable que los cambios hayan comenzado hace unos años). Si lo ha hecho, tal vez quiera continuar a medida que surgen nuevos sentimientos y cambios físicos a través de los años de la adolescencia. Pero si su hijo tiene ya dieciséis años o más y usted aún no ha mencionado el tema de la pubertad, lo más probable es que sea ya demasiado tarde para empezar. Vaya directamente al capítulo "Sexo, anticoncepción y embarazo", para obtener información sobre estos temas. Si el adolescente tiene menos de dieciséis años, no es demasiado tarde para mencionar la pubertad: todavía están sucediendo muchas cosas que usted puede explicar y con las que puede brindar apoyo.

No existe un momento ideal para hablar de la pubertad. De hecho, es preferible que usted no se siente exprofeso a dar al adolescente toda una cátedra. Los cambios y las preocupaciones sobre la pubertad se producen a lo largo de varios años. Propóngase hablar con su hijo en muchas ocasiones durante los primeros años de la adolescencia.

Pueden aprovecharse como punto de partida los cambios físicos evidentes que se producen durante este tiempo. Si el adolescente tiene un amigo o amiga que está madurando antes que los demás, hable de ese fenómeno. Podría decir: "Vi a Tom el otro día, y me sorprendió lo mucho que ha madurado; ya le está creciendo el bigote. ¿Te has fijado en eso?" A su hija podría decirle: "Observé que Cata está poniéndose ya un sostén. ¿Crees que tú vayas a necesitar uno en poco tiempo?" Estos comentarios sencillos y espontáneos hacen ver al adolescente que sus padres son conscientes de que se trata de una etapa de cambio para todos los jóvenes.

¿CÓMO HABLAR DE LA PUBERTAD?

Cuando hable de la pubertad con sus hijos adolescentes, tenga presentes estas sugerencias:

Hágalo con sinceridad. Si le resulta difícil o penoso hablar de la pubertad, no se sorprenda: es natural. Simplemente exprese este sentimiento; reconózcalo al hablar con su hijo: "Me da pena hablarte de esto, pero creo que es importante".

Hable de ella con la mayor naturalidad. Usted puede transmitir al adolescente el mensaje de que la pubertad es parte de un desarrollo normal y saludable, si habla con frecuencia y con toda naturalidad de los cambios físicos y emocionales que suelen acompañarla: "Hoy te compré un desodorante. Ahora que empiezas a convertirte en adulto, vas a sudar más y a necesitar este artículo".

Hable en tono positivo. Tenga cuidado de pintar un panorama muy positivo de la pubertad. El adolescente debe saber que tiene motivos para sentirse feliz y orgulloso de haber llegado a esta etapa del crecimiento: "Es un periodo muy emocionante para ti. Son muchas las cosas que van a cambiar y a suceder en cuanto a tu aspecto y a tus sentimientos".

Hable con toda seriedad. Puede sentir la tentación de usar el humor para exponer los cambios físicos y emocionales de su hijo o hija, pero no suele ser benéfico y puede resultar ofensivo. En la etapa de la pubertad los adolescentes son muy sensibles y a menudo se sienten ofendidos con la broma más inocente.

Hable en tono comprensivo. Una buena idea es preguntar a su hijo adolescente "¿Tienes alguna pregunta que hacer acerca de la pubertad?" Aunque lo más probable es que la respuesta sea "No". Puede obtener una mejor respuesta (a la larga) si insiste discretamente, agregando una anécdota de sus experiencias personales, que demuestre a su joven hijo que también usted pasó por esa etapa y sufrió numerosas vergüenzas y temores.

No es preciso compartir experiencias profundamente

personales, pero se ha visto que se abren las puertas de la comunicación cuando, por ejemplo, una madre no tiene reparos en contar a su hija que en su adolescencia padeció meses enteros una infección vaginal por la enorme vergüenza que le causaba decir la palabra *vagina*; o cuando un padre describe su confusión y sorpresa después de tener por vez primera la experiencia de una eyaculación nocturna. El solo hecho de saber que los padres conocen estas cosas, es muy reconfortante y puede ayudar al adolescente a compartir preocupaciones que le inquietan.

Hable con paciencia. Cuando hable de los cambios de la pubertad, puede esperar que el adolescente se ruborice, se ponga lívido, musite entre dientes unas cuantas palabras y se dé vuelta para alejarse. No por eso se dé usted por vencido, levantando los brazos al cielo en un ademán de desesperación. Todavía puede promover futuros diálogos, diciendo algo como esto: "Sé que puede ser vergonzoso hablar de ciertos aspectos de la pubertad, porque son indicios de la sexualidad creciente, pero lo único que deseo es que sepas que también yo pasé por la pubertad, y recuerdo haberme sentido confuso muchas veces, al no saber si lo que me sucedía era normal o no. Me gustaría que habláramos de estos cambios a medida que vayan presentándose, para que no tengas que guardarte la preocupación".

DE QUÉ DEBE HABLARSE

Cuando toque el tema de la pubertad, no lo mezcle con el sexo. Los diálogos sobre la pubertad deben enfocarse a los cambios físicos y emocionales que se producen a medida que su hijo avanza hacia la edad adulta. Del "sexo adolescente" se habló en el capítulo de "Sexo, anticoncepción y embarazo". Sin embargo, antes de abordar el tema del coito y la anticoncepción, los adolescentes deben tener la oportunidad de entender los cambios de su cuerpo y de sus emociones. Necesitan saber que pueden decir la palabra *pene* o *vagina* sin avergonzar a sus padres ni a sí mismos, para poder luego hablarles del coito, la promiscuidad, la anticoncepción y todo lo demás.

HABLAR CON JÓVENES VARONES SOBRE LA PUBERTAD

El ingreso a la pubertad entre los varones empieza con cambios lentos pero seguros que afectan su tamaño y apariencia. Hay que hablarles primero de aquellos que los impresionarán más, como los siguientes:

- *La piel.* Durante la pubertad pueden empezar a aparecer en la cara, y a menudo en la espalda, las molestas pustulitas amarillentas. El acné se vuelve un problema para un total aproximado del 70 por ciento de los adolescentes (en especial muchachos).
- *El pecho.* El pecho del joven varón puede hincharse ligeramente y estar sensible durante un tiempo. Asegure a su hijo que si esto le sucede, es perfectamente normal y no tardará en pasar.
- *La voz.* La voz del varón se hace grave durante la pubertad, pero durante la transición es posible que se oiga quebradiza o produzca repentinos sonidos agudos desagradables de cuando en cuando. Su hijo debe saber que esto es de esperar y que no debe sentir vergüenza si le sucede.
- *Vello corporal.* Advierta a su hijo que pronto le aparecerá pelo en la región genital, en las axilas, quizá en el pecho y finamente en la cara.

- *Glándulas sudoríparas.* Éste es el momento de insistir en los hábitos higiénicos y hablar del desodorante, porque los jóvenes hombres van a empezar a sudar más copiosamente.
- *Tamaño.* Como su hijo va a crecer con rapidez en tamaño y en peso durante la pubertad, puede sucederle que pierda temporalmente cierta coordinación física y que a veces se sienta torpe en sus movimientos. Es necesario que sepa también que algunos crecen a edad temprana y con rapidez, mientras que otros tardan más y crecen con lentitud, y que ambas situaciones son perfectamente normales.
- *Genitales.* A medida que el cuerpo del varón se desarrolla sexualmente, le crecen primero el escroto y después los testículos. Después aumenta también el tamaño del pene.

Cerca de un año después de haberse iniciado estos cambios, los jóvenes adquieren también la capacidad de producir y eyacular semen. Lo típico es que esta experiencia ocurra como una sorpresa durante una masturbación o un sueño erótico. Su hijo aceptará en forma positiva los cambios somáticos de la pubertad si usted lo instruye *con anticipación* respecto al hecho de que no tardará en ser capaz de producir y eyacular semen.

Es posible que a su hijo lo avergüence el diálogo sobre la eyaculación, pero será para él un alivio saber que puede hablarle de cualquier cosa durante este tiempo de cambios. Las siguientes son preguntas que usted puede esperar, y algunas sugerencias de respuestas:

Pregunta del adolescente: "¿Cómo se produce una erección?"
La respuesta de usted: "Las erecciones se producen cuando el pene aumenta de tamaño, se pone firme y se mantiene

rígido. Lo mismo que los bostezos, las erecciones son muy normales y a menudo involuntarias. Son parte natural del hecho de ser varón. Durante los años de la adolescencia, aumenta la sensibilidad del pene y las erecciones se producen con más frecuencia, a veces sin razón aparente. Aunque esto pueda ser un tanto vergonzoso, es normal. En general, las erecciones ocurren de tres maneras: 1) cuando hay excitación sexual en el varón, la sangre llena los tejidos esponjosos del pene y esto lo hace crecer; 2) cuando el hombre está dormido, puede experimentar una acumulación de semen que le produce una erección, o bien 3) la vejiga llena de orina puede ejercer presión sobre los órganos reproductores y hacer que el pene se yerga. Por eso los varones, desde la infancia hasta la edad adulta despiertan a menudo, en las mañanas, con una erección".

Pregunta del adolescente: "¿Qué significa 'venirse'?"
La respuesta de usted: "Cuando un hombre está sexualmente excitado, puede llegar a un punto culminante que termine en un orgasmo. Tener un orgasmo es lo que se llama 'venirse'. Cuando el hombre tiene un orgasmo, los músculos del pene se contraen y relajan mientras un fluido blanquecino y pegajoso llamado semen se dispara por la punta en breves chorritos. Esto es lo que se llama eyaculación, que puede ser el resultado de una estimulación sexual, como la masturbación o el coito. Después de la eyaculación, el pene regresa a su tamaño normal".

Pregunta del adolescente: "¿Por qué el pene de algunos es grande y el de otros pequeño?"
La respuesta de usted: "No existe lo que pueda llamarse un pene 'normal'. El tamaño y el aspecto de los órganos sexuales externos son distintos en cada persona. El tamaño y la forma no tienen nada que ver con el placer sexual ni con la masculinidad".

Pregunta del adolescente: "Si no me vengo cuando tengo una erección, ¿me enfermaré o lastimaré el pene?"
La respuesta de usted: "No. Si la erección dura mucho, es posible que experimentes una sensación de hinchazón sorda y sensible (sobre todo en los testículos) cuando el pene vuelva a su estado de flaccidez. Esta sensación dura poco, no es nociva y no te enfermará ni te dañará el pene".

Pregunta del adolescente: "¿Qué se quiere decir con 'sueños húmedos'?"
La respuesta de usted: "Los sueños húmedos ocurren cuando eyaculas mientras duermes. Es un modo como el cuerpo del varón se deshace del exceso de semen, y es un fenómeno muy normal. Si al despertar en la mañana te das cuenta de que mojaste la cama, simplemente quita las sábanas y déjalas con la pijama en el cesto de la ropa sucia (o en la lavadora, o donde sea). Que no te dé pena. Tu mamá y yo esperamos que esto suceda, porque estás en esta etapa del crecimiento".

HABLAR CON ADOLESCENTES MUJERES SOBRE LA PUBERTAD

Aunque los órganos reproductores de la mujer están principalmente ocultos dentro del cuerpo, hay ciertos cambios físicos externos que sus hijas notarán durante la pubertad:

- Primero, las caderas empiezan a ensancharse y los pechos a desarrollarse. (Advierta a sus hijas que es normal que un pecho crezca más pronto que el otro.)
- Luego aparecerá pelo bajo las axilas y en la región genital.
- La estatura del cuerpo aumentará unos ocho centímetros; las manos y los pies pueden parecer demasiado

grandes, porque crecen con más rapidez que el resto del cuerpo. (Éste es el tiempo en que sus hijas pueden empezar a tratar de encogerse para disimular el hecho de que son más altas que los varones.)

- La piel se engrosa, se hace más aceitosa y a veces muestra pequeños granos; aumenta el sudor. (Es un buen momento para insistir en buenos hábitos de higiene personal.)
- Finalmente, unos dos años o dos años y medio después del principio del desarrollo de los pechos, comenzará la menstruación.

Hablar de la menstruación

Antes que su hija tenga una menstruación o "regla", explíquele lo que pasa en el cuerpo de una mujer cada mes, y por qué. A menos que las amigas de su hija hablen ya sobre la regla, las jóvenes adolescentes no harán preguntas sobre este fenómeno, así que usted tendrá que mencionarlo en un momento en que las dos estén solas y dispongan de tiempo. Ése no es el momento de dar una conferencia, sino sólo de abrir la puerta a diálogos frecuentes y sobre hechos concretos.

La clave para crear una actitud positiva de aceptación hacia la regla es el modo como usted prepare a su hija con anticipación. Poco después de que note el desarrollo de las caderas y de los senos, es hora de hablar de la inevitable regla mensual.

En vez de comenzar su conversación con una explicación sobre los ovarios y los óvulos, es mejor hacerlo a partir del aspecto de la regla que afecta a su hija más abiertamente: el sangrado mensual. Hay jovencitas que ya están enteradas de los periodos mensuales por lo que han oído de sus amigas en la escuela; sin embargo, usted querrá cerciorarse de que su información es clara y precisa.

Enséñele tampones y toallas femeninas y explíquele: "Estos productos absorben la sangre que sale cada mes del útero de la mujer a través de la vagina. Este sangrado mensual se llama menstruación, y más comúnmente regla. No tardarás en empezar a tenerla, y no quiero que te asustes cuando veas sangre, sino que sepas que es perfectamente normal y un buen indicio de que estás convirtiéndote en una mujer saludable".

La madre puede ponerse a sí misma como modelo (si es el padre quien lo explica, que hable de las mujeres en general). "Cada mes, yo tengo un sangrado por la vagina que dura de cuatro a cinco días. Me pongo un tampón en la vagina para absorber la sangre, y una toalla sanitaria en la ropa interior para recoger cualquier residuo de sangre que pueda escurrir. El tampón lo cambio al cabo de pocas horas".

Al llegar aquí, es probable que su hija le pregunte por qué sucede esto, o que le diga que ya tenía noticia de la regla. En uno u otro caso, prosiga:

"Como vas a tener tu regla mensual en un futuro cercano, creo que es importante que sepas por qué las mujeres sangran en esta forma."

Ése es el momento de proporcionarle los datos. Si lo desea, puede remitirla a uno de los libros sugeridos al final de este capítulo, o darle una explicación personal basada en sus propios conocimientos. En pocas palabras, acuérdese de mencionar estos detalles:

Las mujeres nacen con una provisión de óvulos (huevos) en los ovarios. Durante la pubertad, uno de los ovarios libera un óvulo aproximadamente cada veintiocho días. Este óvulo pasa a través de las trompas, desde el ovario hasta el útero. El útero se prepara para recibirlo creando un forro compuesto de sangre y otros fluidos y sustancias. Si el óvulo es fertilizado a consecuencia de una relación sexual, se incrusta en ese forro y empieza a desarrollarse lo que será un bebé. Si el óvulo no es fertilizado, el forro se desprende y sale en forma de flujo menstrual a través de la vagina.

Lo más importante es que le diga a su hija lo que ha de hacer cuando empiece a tener la regla. Asegúrele que cuando vea por primera vez algo de sangre, no tiene por qué preocuparse. Si está fuera de casa, debe ir con la enfermera escolar o al baño más cercano, y buscar una toalla sanitaria o hacerse un tampón con papel sanitario.

Ponga el acento en el aspecto normal de la menstruación y aliente a su hija a decirle si nota algunas manchitas de sangre o de color café en su ropa interior o en el papel del excusado cuando se limpia después de orinar.

Aquí presentamos algunas preguntas que puede hacer su hija, y las sugerencias de respuesta a cada una:

Pregunta de la adolescente: "¿Cúanta sangre sale?"
Respuesta de usted: "La descarga menstrual es más densa durante los primeros días, y el total de ella viene siendo una media taza, pero no hay más que entre cuatro y seis cucharadas soperas de sangre propiamente dicha. El resto es sobre todo forro extrauterino, y por eso la descarga tiene a menudo un color que tiende al café".

Pregunta de la adolescente: "¿Podré ir al gimnasio y hacer deportes?"
Respuesta de usted: "La regla es parte normal de la vida de toda mujer, y no hay razón para cambiar nada de tu horario diario en esos días. Puedes bañarte, bailar, correr, hacer ejercicio, nadar y jugar sin preocupación alguna".

Pregunta de la adolescente: "¿Me sentiré enferma?"
Respuesta de usted: "La mayoría de las mujeres se sienten perfectamente bien durante la regla. Algunas experimen-

tan cólicos abdominales, pero un ejercicio ligero o una compresa caliente suele aliviar esas molestias. Otras mujeres experimentan algunos cambios en el humor, o se sienten tensas inmediatamente antes de que se presente la regla. La razón de esto es sencilla: las hormonas femeninas (estrógeno y progesterona) que hacen que el forro del útero se engrose, suelen también contribuir a que la mujer se sienta tranquila y animosa. Inmediatamente antes de comenzar la regla, se reduce la producción de estas hormonas, dando por resultado una sensación de desaliento. Esta sensación es estrictamente pasajera y desaparece en cuanto empieza la regla. Algunos le llaman SPM, que significa 'síndrome premenstrual'".

Pregunta de la adolescente: "¿Voy a tener la regla durante toda la vida?"
Respuesta de usted: "Las mujeres no tienen regla durante el embarazo, pero fuera de él, en general tienen la regla cada mes hasta que llegan alrededor de los cincuenta años. El final de la regla, que se llama menopausia, suele ocurrir entre los cuarenta y cinco y los cincuenta y cinco años de edad.

"Hay factores, como la tensión excesiva o la dieta o ejercicio exagerado, que pueden interrumpir el ciclo menstrual normal. Si algún mes no te baja la regla, dímelo, para ayudarte a buscar la causa".

EL LADO EMOCIONAL DE LA PUBERTAD

El impulso hormonal que ocasiona los cambios físicos durante la pubertad es también la causa de muchos cambios emocionales perfectamente normales, que pueden confundir a los jóvenes adolescentes y ser un motivo de distracción para los padres de familia. Tenga esto presente cuando su hijo se vuelva demasiado consciente de su aspecto exterior y se sienta a disgusto por detalles insignificantes del cabello y la ropa. Procure conservar la calma cuando la opinión de sus compañeros y compañeras pese más que la de usted. Relájese cuando los compañeros del sexo opuesto empiecen a congestionar sus líneas telefónicas. Sea comprensivo cuando su hijo adolescente empiece a retraerse y a volverse un tanto misterioso o explosivo, expresando en voz alta sus quejas. Todas estas circunstancias le brindan la oportunidad de hablar con sus hijos. No dude en decirles: "Entiendo cómo te estás sintiendo, y quiero que sepas que aun cuando yo no esté de acuerdo, te amo exactamente igual". Durante esta etapa de cambios y transición, es muy importante esforzarse porque los adolescentes sepan que usted comprende las intensas emociones que experimentan y quiere encontrar un modo de ayudarlos a sentirse a gusto consigo mismos.

LECTURAS ADICIONALES

Especialmente para adolescentes

BOURGEOIS, PAULETTE y MARTIN WOLFISH, *Changes in You and Me: A Book About Puberty, Mostly for Boys* ("Cambios en ti y en mí: un libro sobre la pubertad, principalmente para varones"), Andrews & McMeel, Kansas City, Mo., 1994.

MADARAS, LYNDA y AREA MADARAS, *My Body My Self for Boys* ("Mi cuerpo y yo, para varones"), Newmarket Press, Nueva York, 1995.

MADARAS, LYNDA y AREA MADARAS, *My Feelings, My Self: A Growing-Up Guide for Girls* ("Mis sentimientos y yo: guía de crecimiento para jovencitas"), Newmarket Press, Nueva York, 1993.

La violencia

En 1998, todos los periódicos y canales de televisión de Estados Unidos proclamaron a voz en cuello los horrendos detalles del tumulto estudiantil en Jonesboro, Arkansas. Renee, a la sazón una jovencita de dieciséis años, vio cómo el jefe de la policía rompía a llorar mientras explicaba que un niño de trece años y su primo de once habían hecho sonar la alarma contra incendios para luego tender una emboscada a sus compañeros en una colina cercana a la escuela, mientras los estudiantes salían ordenadamente hacia el estacionamiento. Se llegó a la conclusión de que los dos jovencitos, con rifles de caza provistos de mira telescópica, habían lesionado a cuatro de sus compañeros de clase y a un maestro. Al día siguiente, en la escuela de Renee se hizo un simulacro de incendio y –con una cara llena de horror– la chica confesó a su mamá:

–Cuando salimos al estacionamiento, yo iba temblando de miedo y buscando a mi alrededor a alguien armado con un rifle.

Al tener noticia de esta historia, nuestro corazón se enterneció por los niños y jóvenes como Renee, que vi-

vían con un miedo semejante al experimentado por los estudiantes de países desgarrados por la guerra. Tal vez nosotros también estamos *en medio de una guerra. Cualquiera que tenga un radio, un televisor, un videojuego, un tocadiscos o el boleto para ver una película, sabe perfectamente que vivimos en una sociedad violenta. Quizá sea ya tiempo de que todos nosotros tomemos partido: estamos en pro o en contra de la violencia. Entablar un diálogo abierto con los adolescentes sobre los efectos de la violencia puede servirles a ellos y a nosotros para tomar decisiones inteligentes.*

POR QUÉ HABLAR SOBRE LA VIOLENCIA

Necesitamos hablar de la violencia con nuestros hijos adolescentes, porque desgraciadamente ellos y los jóvenes adultos son las víctimas más probables de crímenes violentos, mucho más que ningún otro grupo de edades de la población. Esta realidad afecta a todos los adolescentes, debido a que la violencia no es ya un problema del interior de las ciudades, que pueda justificarse culpando a los crueles efectos de la pobreza y a familias mal avenidas. La pobreza moral, que conduce a la violencia entre adolescentes, se ha vuelto ya un problema para todos y cada uno en todas las poblaciones de Estados Unidos. Las estadísticas son aterradoras:

- En 1996, cerca de la tercera parte de todas las víctimas de crímenes violentos eran jóvenes entre doce y diecinueve años.
- Casi la mitad de todas las víctimas de la violencia tenían menos de veinticinco años (si bien es cierto que este grupo forma menos de la cuarta parte de la población estadounidense de doce años o más).

- Como promedio, cada año, de 1992 a 1994, aproximadamente una de cada cincuenta personas fue víctima de un grave crimen de violencia. Entre las personas de doce a veinticuatro años, ese número se elevó a una persona por cada veintitrés.
- El grupo de edades entre catorce y diecisiete años ha superado al grupo comprendido entre los dieciocho y los veinticuatro, como el más propenso a sucumbir al crimen.

Los encabezados de los periódicos certifican que jóvenes, cada vez de menor edad, cometen crímenes cada vez más graves de violencia, y parecen mostrar mayor crueldad y sin remordimiento alguno. Éste es un problema que vaticina una sociedad futura brutal, que no será nada placentera para nuestros hijos, si esta tendencia continúa.

Creemos que la solución no está en un mayor número de patrullas de la policía ni en penas más severas. La respuesta a largo plazo está en nuestros hogares: todos nosotros tenemos un papel que desempeñar, enseñando a nuestros hijos que la violencia es algo negativo, y para hacerlo debemos hablarles de violencia. Necesitamos ayudar a nuestros hijos a reconocer que la violencia no es diversión (por más que los medios la aprovechen en ese sentido). Debemos hablar de soluciones no violentas a los problemas de todos los días. Necesitamos hablar de la realidad de nuestra sociedad violenta y del modo de evitar convertirnos en víctimas. Hay mucho que decir.

QUÉ HACER ANTES DE HABLAR

Los adolescentes aborrecen la hipocresía. Si los padres de familia esperan convencer a sus hijos de que la violencia no es una solución aceptable para los problemas de la vida, es preciso que examinen el modo como resuelven sus propios conflictos. Los jóvenes necesitan crecer viendo cómo controlan su enojo los demás. Necesitan aprender que, si bien la ira es natural, puede controlarse. Cuando usted se enoja, ¿a menudo se expresa a gritos o emplea la fuerza física? Si alguien se le atraviesa cuando conduce su auto, ¿le grita o le hace gestos obscenos? Si llega cansado o fastidiado del trabajo, ¿trata a puntapiés a su perro o se muestra irritable con los hijos? Si quiere que éstos se abstengan de la violencia y aprendan formas pacíficas de resolver conflictos, lo primero que tiene que hacer es darles el ejemplo. Permita que sus hijos recurran a otras posibles soluciones, no a los insultos o los golpes, para resolver sus diferencias.

QUÉ DECIR SOBRE LA VIOLENCIA EN NUESTRO MUNDO

Cuando quiera hablar de la violencia, no tendrá que esperar el momento didáctico. Es lamentable ver que todos los días se presentan ejemplos de violencia a nuestro alrededor. Las siguientes situaciones le darán una idea de cómo aprovechar el mundo en que vivimos para hablar de la violencia con sus hijos adolescentes.

Hable de los programas de TV y de las películas violentas

Los medios de comunicación populares son violentos. La *American Psychological Association* ("Asociación Psicológica Estadounidense") nos dice que, antes de que un adolescente típico termine la escuela primaria, habrá contemplado ya unos ocho mil asesinatos y cien mil actos violentos en la pantalla del televisor. Para el final de su preparatoria, habrá podido ya ver en los medios otros diez mil asesinatos. Estos derroches de violencia en la televisión fueron el tema de un estudio nacional financiado por la *National Cable Television Association* ("Asociación Nacional de Televisión por Cable"). Este estudio, de 3.5 millones de dólares, sobre más de seis mil horas de televisión en veintitrés canales, comprobó que una tercera parte de todos los programas violentos presentaban personajes perversos que no recibían castigo alguno; en el 71 por ciento de las escenas violentas no había ni remordimiento ni crítica, y más o menos en la mitad de los programas violentos no se mostraba ninguna lesión física ni dolor de parte de las víctimas. Cerca del 40 por ciento de esta violencia era provocada por personajes que parecían buenos.

Cuando la violencia se reviste de cierto ropaje atractivo, y de ese modo se pretende sanearla, se vuelve peligrosamente seductora y engendra tres problemas en los adolescentes:

La imitación: "¡Cállate, majadero, o te corto la cabeza!"
La violencia de la TV y de las películas enseña que es el modo preferido de resolver conflictos. Las escenas violentas ofrecen, paso a paso, guiones que enseñan a nuestros hijos cómo reaccionar contra la ira. La investigación ha encontrado que los niños y jóvenes que ven demasiados problemas violentos son los que tienen más probabilidades de discutir, desobedecer e involucrarse en trifulcas. Además, se les nota una tendencia a tener habilidades muy deficientes para resolver problemas. Ésta es la gente con la que nuestros adolescentes comparten el mundo.

Pérdida de sensibilidad: "¡Oye!, fíjate en el chorro de sangre que le sale de la cabeza. ¡Qué magnífica escena!"
La violencia de la TV y de las películas da la impresión de

que la agresión y los actos hostiles son un lugar común y aceptable. Cuando esto sucede, dejamos de sentir compasión por el dolor de los demás. No procuramos prevenir los actos de violencia y somos lentos para reaccionar al sufrimiento ajeno. La violencia ya no nos hace mella.

Miedo exagerado: "Me da miedo sacar de noche el bote de la basura. Alguien podría saltarme encima".
En la TV y en las películas, el mundo es un lugar hostil e inseguro. Esta perspectiva de la vida puede dar por resultado lo que el doctor George Gerbner, de la Universidad de Pensilvania, llama el *síndrome del mundo perverso*, que es la creencia de que el crimen y la violencia se han convertido en elementos integrantes de nuestro mundo. Gerbner piensa que los jóvenes no tienen suficiente información sobre el mundo real para colocar en la perspectiva adecuada lo que ven en la TV y en las películas. Es probable que sobreestimen el peligro de tropezar con la violencia y de creer que en sus vecindarios no hay seguridad, aun cuando de hecho la haya.

Los padres de familia pueden reducir el efecto de la violencia de los medios sobre sus hijos adolescentes a partir de hoy mismo, en su propia casa. Examinen con detenimiento lo que se ha vuelto una diversión aceptable en su hogar. La violencia en la televisión y en otros medios se encuentra por todas partes, pero eso no significa que hemos de dejarnos arrastrar con la muchedumbre y acogerla con los brazos abiertos. Los padres siguen teniendo el derecho de supervisar las dosis de violencia que sus hijos reciben.

A los adolescentes hay que darles la independencia que necesitan para tomar decisiones responsables. Pero si su hijo está sumergido en las diversiones de carácter violento, va a tomar decisiones equivocadas, y toca a los padres decirle: "No; no quiero que veas ese programa", o "No; no quiero que veas esa película". Por supuesto, el joven protestará en todos los tonos, pero eso brindará a los padres nuevos momentos didácticos para hablar de la violencia en la sociedad en general.

Si los padres conocen los hechos antes de adoptar una postura firme, estarán mejor preparados para mostrar a los hijos por qué quieren limitarles la dosis diaria de violencia.

Si el adolescente dice: "Las películas violentas no son nada nuevo. Tú las veías cuando eras joven".
Usted contesta: "La violencia de *Bonnie and Clyde* es moderada en comparación con la de las películas actuales. En su libro *Violence and the Media* ("La violencia y los medios"), Victoria Sherrow presenta estas cifras: *Total Recall* (81 muertos), *Robocop 2* (106 muertos), *Rambo III* (264 muertos), *Die Hard 2* (64 muertos) y *Natural Born Killers* (50 muertos). Ver semejante miseria humana por diversión nos dificulta el sentir horror por el sufrimiento humano real".

Si el adolescente dice: "Eso no es violento".
Usted contesta: "Vamos a definir lo que es 'violento'. Yo digo que se aplica a toda fuerza física destinada a hacer daño o dar muerte a otra persona, o a averiar o destruir la propiedad. Tú, ¿a qué le llamas violencia?"

Ante esta definición basada en hechos, es posible que su hijo adolescente tenga que darle esta misma, pero no necesariamente. Quizá tiene su propia definición, lo cual le dará una idea de lo que constituye la discrepancia entre ustedes dos sobre la violencia en los medios.

Si el adolescente dice: "Los programas de TV y las películas de violencia no hacen que la gente sea violenta".

Usted contesta: "Eso no es lo que los hechos demuestran. Un ejemplo evidente ocurrió en 1991, cuando la película *Boyz N the Hood* empezó a exhibirse en todo Estados Unidos. Los incidentes de violencia que siguieron fueron éstos:

En una zona suburbana de Chicago dispararon a matar a un hombre, después de la función de medianoche.
Cinco personas fueron heridas en un gran conjunto de cines, en Universal City, California.
En Sacramento, una joven de diecinueve años recibió seis balazos durante una pelea al salir de un cine.
En un teatro de Tuscaloosa, Alabama, tres adolescentes recibieron disparos durante una pelea entre pandillas.
En Commack, Nueva York, dos sujetos apuñalaron a un adolescente a la entrada de un cine.

"Pueden verse otros ejemplos en todos los noticiarios: en la ciudad de Nueva York, un grupo de adolescentes que prendió fuego a un hombre sin hogar, explicaron que habían visto hacer eso en la televisión. Durante una entrevista nacional de la radio pública, en 1993, un pandillero adolescente dijo que después de ver varias veces *The Terminator*, él y sus amigos se sintieron 'estimulados' y muy dispuestos a convertirse en esa invencible 'máquina futurista para dar muerte', que aparece en la película.

"Los programas de TV y las películas violentos sí impelen a los espectadores a cometer actos de violencia."

Es posible que alguna vez haya una película excepcional que absolutamente "todos" van a ver, y negar a su hijo adolescente la posibilidad de verla lo expondrá al ridículo o a otras burlas de sus amigos. Usted necesita usar su buen criterio y tomar decisiones en cada caso particular. Pero que sus hijos sepan que, como regla general, la violencia no es diversión.

Cuando su hijo adolescente vea un programa de TV o una película violentos, aproveche la situación como oportunidad para hablar de la violencia y de lo que son la fantasía y la realidad. Para iniciar un diálogo, podría servirse de invitaciones al diálogo como éstas:

"¿Te gusta ver programas de violencia?"
"¿Puedes decirme en qué se distingue la violencia presentada como diversión de la violencia que hay en el mundo?"
"¿Crees que ver violencia en las películas es causa de que una persona tenga más probabilidad de volverse violenta?"
"¿Crees que el objetivo de la violencia en esta película es probar algo, o es simplemente gratuita?"

A los padres de familia les queda también el recurso de aprovechar los episodios violentos para promover en sus hijos el desarrollo de habilidades de espectador crítico. Estas habilidades ayudan a separar lo real de lo irreal. Los padres pueden hacer preguntas como éstas:

"¿Será posible que eso suceda?"
"¿Cuánto tiempo crees que tardó el maquillador en aplicar semejante cantidad de sangre a ese actor?"
"Si tú fueras el autor del guión, ¿habrías escrito una escena diferente?"
"¿Crees que es bueno hacer que las escenas violentas parezcan reales?"

Esta clase de preguntas recuerdan a sus hijos que lo que están viendo no es la realidad.

Hable de la violencia en los videojuegos

Muchos expertos opinan que ocuparse en videojuegos violentos produce un efecto mucho mayor en la reacción desprovista de sensibilidad a la violencia, que el acto pasivo de ver un programa de TV o una película. Los jóvenes que se distraen con videojuegos desempeñan un papel activo al representar la violencia en escenas y situaciones muy realistas y semejantes a la vida real. Se esfuerzan positiva y activamente por lesionar, matar, herir, decapitar, etcétera, a sus protagonistas. Y esta clase de actos no tiene consecuencias, la historia no tiene moraleja y no hay más hombre bueno que el héroe. No hay respeto a la vida humana. Es cierto que ha habido juegos de policías y ladrones desde que los hoy padres eran niños, pero esos juegos eran muy diferentes. Las gráficas muy elaboradas de las computadoras actuales hacen que cada disparo parezca real. Los gritos de dolor y horror, la sangre y las entrañas desgarradas son mucho más reales de lo que jamás hubiéramos podido imaginar.

No deje de observar los videojuegos de sus hijos. Si no le gusta lo que ve, deshágase de ellos. Arroje a la basura los juegos que convierten a los asesinos en héroes, y reemplácelos con juegos estimulantes y de competencia. Sin duda alguna, sus hijos protestarán a gritos y seguirán gozando de los viejos juegos en casa de sus amigos, pero el propósito general de usted es adoptar una postura definida, hacer una protesta formal contra la violencia y reducir el tiempo que sus hijos dedican a perder la sensibilidad natural.

Antes de tomar por asalto la gaveta de videojuegos, hable con sus hijos. Pídales su opinión. Aunque esté muy seguro de que le dirán que los juegan "sólo por diversión", que "en realidad no son violentos" y que "todos juegan con ellos", deles la oportunidad de hablar. Hablar en voz alta de la violencia en presencia de ellos puede abrirles los ojos al hecho de que la violencia no debe ser una diversión.

Si el adolescente dice: "¿Por qué no puedo divertirme con estos juegos?"
Usted contesta: "Sé que estos juegos son muy populares y que todos los juegan; por eso entiendo bien que tú te sientas con el derecho de jugarlos también. Sin embargo, eso no cambia en nada el hecho de que la violencia gráfica no debe considerarse diversión. Yo no esperaría encontrar a nadie con estos juegos en la escuela ni en la biblioteca, porque son violentos e inaceptables. ¡Ciertamente no los quiero en mi propia casa tampoco!"

Si el adolescente dice: "Pero, ¿por qué?"
Usted contesta: "No me gusta el mensaje que transmite ese juego. Hace que la violencia parezca una diversión. Sé que los padres de otros jóvenes les permiten jugarlo, pero yo no quiero que esto se haga en mi casa".

Hable de las letras de canciones violentas en el campo de la música

Un porcentaje increíblemente grande de la música popular actual contiene mensajes de suicido, asesinato, asalto, muerte, satisfacción personal, búsqueda de excitación y consumo de drogas ilegales. El propósito definido de muchas videocintas musicales (específicamente algunas de música rap) es glorificar la violencia armada y la criminalidad. Algunas humillan a las mujeres o describen detallados actos de violencia en contra de ellas. Y todo esto en nombre de la diversión. Los padres no pueden impedir que los hijos oigan música popular o vean videocintas musicales: son parte inevitable de su mundo. Sin embargo, no deben darse por vencidos del todo. Les queda aún cierto margen de influencia.

Estén pendientes. Presten atención a la clase de música que les gusta a sus hijos y escuchen la letra. Necesitan conocer a los grupos que se distinguen por su carácter sanguinario y su violencia. (Pregúntenlo a sus hijos; es probable que ellos mismos les digan, porque una parte de su diversión consiste en saber que sus padres aborrecen esta clase de música.) Cuando compren regalos de cumpleaños o de días festivos niéguense a escoger música objetable y expliquen por qué. Digan a sus hijos adolescentes:

"Sé que te gusta esto, pero la verdad es que a mí me disgusta. Espero que el mundo en el que crezcas sea apacible y amable contigo. Esta clase de música hace pensar a muchos jóvenes que la violencia y el abuso son formas aceptables de obtener lo que se desea o de arreglar diferencias. Yo no voy a darte dinero para apoyar esta clase de mensaje. Espero que lo pienses dos veces antes de hacer esta clase de compras."

Si empiezan a oírse canciones objetables en el radio cuando usted se encuentre en la cocina o conduciendo el auto, apague el aparato. Cuando sus hijos se quejen, usted tendrá otra oportunidad de explicar su punto de vista sobre las letras violentas en las canciones. Diga a sus hijos adolescentes:

"En mi auto (o en mi casa) no voy a escuchar música que glorifique la violencia. Si tu generación piensa que la violencia es divertida, nunca podrás caminar sin temor por las calles."

Cuando sus hijos protesten y le digan que está perdiendo el juicio (y lo harán), invítelos a que lo convenzan de que lo que quieren oír es bueno. Pregúnteles:

"¿Cuál es el mensaje de esta canción?"
"¿Qué hay de bueno en eso?"
"Defiéndelo. Convénceme."

Es muy poco probable que estas conversaciones terminen con la aceptación por parte de su hijo: "Tienes razón. No volveré a escuchar ese conjunto musical". Sin embargo, hablar de la violencia en la letra de las canciones ayudará al adolescente a distinguir lo que es bueno y correcto de lo que es indebido y malo. Esto es precisamente lo que muy a menudo parece faltar a los adolescentes: una visión clara de lo bueno y lo malo. La letra repugnante de esta clase de música le da la oportunidad ideal para hablar de temas que tal vez de otro modo nunca se habrían presentado.

Hable de la violencia en las noticias

La violencia no está sólo en el mundo fantástico de programas de TV, películas, música y videocintas. Es parte real de la vida diaria. Esto se hace evidente cada vez que se lee un periódico o una revista, o que se enciende el radio o el televisor en el programa noticioso. Asesinatos, secuestros, abuso a la niñez, violaciones, asaltos, violencia doméstica, crímenes relacionados con el alcohol y las drogas, crímenes perpetrados por odio, atracos, toma de rehenes, tumultos, bombas, matanzas, tiroteos, violencia de pandillas y violencia en las escuelas y por motivos étnicos o de raza, forman parte de la vida diaria en las sociedades modernas, como puede serlo el hábito de cepillarse los dientes. Como si esto no bastara para hacer de nuestro mundo un lugar aterrador, se tienen además los programas televisivos de "espectáculos de la realidad" (*talk shows*), que hacen un circo con la violencia del mundo real. Se eligen temas escandalosos que a menudo incluyen sexo y violencia, para presentar al público víctimas de asalto, violación, abuso de la niñez o del cónyuge, y otros crímenes por el estilo. Las víctimas y los atacantes cuentan sus historias a voz en cuello, con lenguaje obsceno que a veces termina en asaltos físicos. ¿Qué se supone que debe pensar su hijo adolescente? ¿Que la violencia es inevitable? ¿Que es divertida? ¿Que la violencia desenfrenada define el espíritu humano?

Pensamos que la violencia de la vida real produce un efecto todavía más fuerte en nuestro modo de ver el mundo que las mismas películas y programas de TV, porque la gente está más dispuesta a interpretarla como imagen auténtica del mundo actual. Después de una hora de noticiarios vespertinos, el adolescente no puede decir: "¡Ay, mamá, eso no sucede en la realidad!" Tanto él como usted saben que sí sucede. El problema clave de esta dura realidad es que el torrente continuo de imágenes y relatos violentos acaba con la sensibilidad de los espectadores. Los sentimientos de conmoción e indignación disminuyen a medida que la violencia se vuelve una rutina. Los reportajes criminales empiezan a adquirir la calidad de diversión fílmica distante e irreal.

Siempre que sea posible, no vea las noticias vespertinas mientras sus hijos rondan frente al televisor. Válgase de los periódicos y la radio para dialogar sobre los sucesos de actualidad, pero procure limitar la dosis diaria de imágenes. Cuando oiga noticiarios en compañía de sus hijos, aproveche ese momento para hablarles de la violencia. Cuando oiga un relato por radio mientras viaja en el auto o mientras toma el café de la mañana, hable del suceso y de su modo personal de reaccionar ante él. Podría hacer comentarios iniciales como los siguientes:

"¿Oíste eso? ¿Qué crees que sienta esa gente?"
"¿Por qué alguien querría hacer semejante cosa?"
"¿Crees que algo como eso podría pasar en nuestro vecindario? ¿Qué sientes al respecto?"
"¿Por qué crees que la población está tan indignada?"
"¿No te impacta una noticia como ésa?"
"¿No crees que la gente acaba por perder el sentido de

conmoción y de horror cuando lee un reportaje sobre la violencia porque ve tanta violencia disfrazada de 'diversión'?"

Es posible que no logremos convencer a los productores de noticiarios de TV de que pueden concentrarse en el aspecto positivo de la vida (¡que sin duda se encuentra ahí!); pero, por lo menos, las noticias negativas nos dan la oportunidad de hablar con nuestros hijos adolescentes de una realidad de la vida.

Hable de la violencia en la escuela

Las escuelas no son ya un refugio seguro. La racha de muertes en masa dentro de las escuelas durante el año escolar 1997-98 lo demostró a todos los ciudadanos estadounidenses. En un periodo de cinco meses, a un niño de catorce años se le acusó de haber disparado y matado a tres estudiantes en una escuela de West Paducah, Kentucky; a otro niño de catorce años se le acusó de haber hecho disparos desde un bosque cercano y haber herido a dos estudiantes en una escuela de Stamps, Arkansas; a un adolescente de dieciséis años de Mississippi se le acusó de haber dado muerte a su madre y haber abierto fuego sobre nueve estudiantes; y, como se dijo al principio de este capítulo, un niño de trece años, en compañía de su primo de once, tendieron una emboscada en la escuela media Westside, en Jonesboro, Arkansas, matando a cuatro jovencitas y a un maestro. Esta clase de actos execrables no es la única forma de violencia en nuestras escuelas. Muchos estudiantes portan –por costumbre– armas de fuego, cuchillos, manoplas metálicas y hojas de afeitar para protegerse. Muchas escuelas tienen ya detectores de metales en las puertas y guardias de seguridad que patrullan los pasillos. Todo esto influye en lo que los estudiantes sienten acerca de su mundo.

Ayude a su hijo adolescente a hablar de lo que siente sobre la violencia en las escuelas.

Pregunte al adolescente: "Leí en el periódico que algunos alumnos llevan armas de fuego a la escuela porque temen necesitar protección. ¿Crees que eso sea cierto?"

Pregunte al adolescente: "¿Te sientes seguro en la escuela?" *Si la respuesta es no:* "¿Qué tendría que suceder para que te sintieras seguro?"

Pregunte al adolescente: "¿Crees que la mayoría de los estudiantes piensan que la violencia resuelve los problemas?" *Si la respuesta es sí:* "¿Por qué crees que piensan así?"

Pregunte al adolescente: "¿Qué harías si alguien te amenazara con violencia en la escuela?"

Hable de las armas de fuego

Los reportes sobre crímenes nos dicen que cada día catorce jóvenes de diecinueve años o menos mueren en accidentes con armas de fuego, suicidios y homicidios. Muchos más sufren heridas. Se afirma también que cien mil estudiantes llevan armas de fuego a la escuela todos los días. Es evidente que los jóvenes con armas de fuego son un problema creciente que no puede soslayarse.

Muchos adolescentes tienen la sensación de que portar armas de fuego es necesario para protegerse en un mundo que ven como hostil y peligroso. La presión de los compañeros y la curiosidad también influyen. Buena parte de la culpa radica asimismo en la fácil disponibilidad de armas de fuego y de la aceptación de ellas en nuestra sociedad, que se difunde mediante mensajes dirigidos a nuestra cultura, sobre todo en películas y en la televisión. Los chicos piensan que portar un arma de fuego infundirá a los demás temor hacia ellos y les dará una ventaja. Si se combinan estos factores con la naturaleza impulsiva de los adolescentes, el aumento en la violencia que éstos practican no es nada sorprendente.

Es necesario que los padres adopten una postura firme en contra del uso de armas de fuego por parte de los adolescentes. Deben cerciorarse de que sus hijos sepan que jamás van a portar armas ni a jugar con las de otros compañeros. Díganles:

"Mantente lejos de las armas de fuego. Es algo contrario a la ley."

La mayoría de los estados tiene leyes que prohíben la venta de armas de fuego a cualquiera que sea menor de dieciocho años. Las leyes prohíben también que alguien, a cualquier edad, lleve consigo un arma de fuego oculta sin el debido permiso.

No sería descabellado imaginarse a su hijo adolescente en una situación en la que un amigo le revela súbitamente que trae una pistola. Antes de que eso suceda, diga a su hijo:

"Quiero que tú y yo hablemos de lo que necesitas hacer para estar protegido, en caso de que algún amigo o amiga te enseñe un arma de fuego. Es frecuente que estas armas se disparen cuando se alardea de ellas. Tienes dos opciones: (1) alejarte, o (2) insistir a tu amigo o amiga que guarde el arma en un lugar seguro inmediatamente."

Si el adolescente pregunta: "¿Por qué tanta preocupación?"
Usted contesta: "La principal causa de muerte entre los adolescentes son heridas de armas de fuego".

Si el adolescente pregunta: "¿Por qué no debo llevar una pistola a la escuela, cuando todos los demás lo hacen?"
Usted contesta: "Por principio de cuentas, es contrario a la ley que alguien de tu edad sea portador de un arma de fuego. Además, llevar consigo un arma de fuego te pone en un peligro muy real. Hay otras maneras más inteligentes de impresionar a tus amigos y de protegerte, que portar armas de fuego que no tienen más que un verdadero propósito: matar".

Si usted tiene un arma de fuego en la casa, no dé por hecho que su hijo sabe que le está prohibido el acceso a ella. Dígalo de modo claro y definitivo, y guarde con llave y descargadas toda clase de armas de fuego. Guarde con llave el parque en un sitio aparte.

Hable de relaciones amorosas violentas

Eso que los psicólogos llaman agresión física de bajo nivel o no atentatoria de la integridad física entre parejas no es nada gracioso. Las parejas que intercambian insultos, levantan puños amenazadores y dan empellones o bofetadas en la cara comprueban a menudo que la situación se agrava hasta convertirse en serias golpizas. Un artículo reciente, publicado por la *American Psychological Association* ("Asociación Psicológica Estadounidense"), menciona que la conducta agresiva de bajo nivel predomina entre los estudiantes de educación media y superior. Se encontró que entre el 20 y el 50 por ciento de los adolescentes experimenta alguna forma de conducta violenta de parte de su pareja en una cita amistosa, antes de cumplir quince años. Pero a los investigadores les impresionó sobremanera el ver que muchas parejas consideran esos actos como inocuos y hasta normales en cualquier relación amorosa.

Usted puede ayudar a sus hijos adolescentes a entender que las acciones violentas no son parte de una relación amorosa. Simplemente hablar de este tema puede reducir la aceptación de la violencia en una cita y la tolerancia al abuso físico en las disputas románticas. A menos que haya muestras evidentes de que el adolescente fue víctima de abuso físico en una relación, quizá sea mejor hablar de esto en términos generales. De lo contrario, usted estará dando por supuesto que su pareja es violenta, lo que sería contraproducente para futuras conversaciones. Dígale:

"Leí hace poco que muchas parejas de adolescentes se abofetean y se dan empellones cuando se enojan. ¿Has visto que esto suceda entre tus amigos o amigas?"

"Creo que todos los adolescentes necesitan saber que el amor no debe ser jamás motivo de agresiones físicas. La conducta dominante y celosa no es indicio de amor."

"Cualquier persona –adolescente o adulta– que sea abofeteada por el ser amado está en una situación que fácilmente puede convertirse en una golpiza. Quienes se vean envueltos en eventos de esta clase deben dar por terminada la relación y buscar a otra persona capaz de profesarles amor con respeto."

Los padres de familia pueden conseguir un folleto gratuito titulado: "Love Doesn't Have to Hurt Teens" El amor no tiene que herir a los adolescentes", de la *American Psychological Association*, llamando al (202) 336-6046. Este folleto contiene útiles sugerencias sobre el modo de prevenir los actos y las actitudes violentos, antes de que se conviertan en un hábito.

QUÉ DECIR SOBRE LA SOLUCIÓN DE CONFLICTOS

La disminución de la violencia en la sociedad se logra con el diálogo. Comience por ayudar a su hijo adolescente a aprender a resolver conflictos sin recurrir a la violencia. Por supuesto que el ejemplo es el maestro más efectivo, pero también deben inculcarse en casa habilidades para la resolución de conflictos.

Defina límites firmes en cuanto a los actos de sus hijos entre sí. Si usted tolera que se griten como una forma de desahogo, o que golpeen a otros para resolver problemas, el mensaje que transmite es que la violencia es el modo de conseguir lo que uno desea. Este mensaje es la razón por la que tantos jóvenes se sienten libres de usar navajas y armas de fuego para posesionarse de una chaqueta que les gusta, arrancándola directamente de la espalda del dueño. Éste no es un ejemplo extremo. Los jóvenes de ambos sexos aprenden en casa el modo de obtener lo que desean. Los padres deben decir a sus hijos algo como esto:

> "En esta casa no resolvemos problemas mediante la violencia. Puedes resolver los tuyos por ti mismo, hablando con claridad, o puedes pedirme que te sirva como un intermediario que sabrá escuchar ambas partes y tomar una decisión. Si prefieres provocar una pelea, tú y tu oponente recibirán un castigo." (Cerciórese de que el castigo no sea violento: no poder salir a jugar o pasear, o tener que asear la cochera debe ser suficiente.)

Cuando los adolescentes se ven envueltos en un conflicto que lleva trazas de crecer sin freno, pídales que piensen: "¿Qué puede pasar si tratan de llegar a una solución con base en el diálogo? O ¿qué pasaría si uno de ustedes sencillamente se retirara?"

Comente que estas soluciones dan buen resultado en la vida diaria. Hable del mundo de los adultos, donde los problemas no pueden resolverse mediante golpes con el jefe o con el cónyuge. ¿Cómo se resuelven entonces? Eso es lo que los adolescentes necesitan aprender a hacer también.

Es posible que el adolescente pregunte: "¿Qué hago si el otro me golpea primero?"
Ésta es una pregunta de difícil respuesta, porque nadie quiere que se maltrate a sus hijos. Sin embargo, su respuesta confirmará su convicción de que ha de recurrirse a soluciones no violentas.
Usted podría decir: "Si alguien te da un primer golpe, yo entiendo que te enojará tanto que querrás devolvérselo, pero conviene que pienses que un golpe no resuelve nada. Tú lo golpeas y él vuelve a golpearte y así sucesivamente, pero el problema continúa. La violencia no hace sino causar más violencia. Tú puedes romper ese círculo vicioso, alejándote. Se necesita mucho más valor para hacer eso que para devolver un golpe recibido. Si te alejas, tendrás tiempo para serenarte y pensar en una solución no violenta".

Si su hijo necesita alguna prueba de que este método obtiene resultados, usted puede entablar una conversación sobre Martin Luther King o Mahatma Gandhi. Ambos dirigieron revoluciones no violentas y su causa triunfó.

QUÉ PUEDE DECIRSE ACERCA DE EVITAR LA VIOLENCIA

En parte, preservar la seguridad en medio de una sociedad violenta implica ser consciente de los peligros y saber evitarlos. Repase con sus hijos la siguiente lista, para cerciorarse de que saben mantenerse lejos de los peligros.

- No buscar atajos en los callejones.
- No vagar por zonas aisladas.
- No salir solo después del anochecer.
- No actuar como víctima.

- Caminar siempre con confianza en sí mismo, con un paso sereno pero rápido.
- Si alguien te ataca o se te enfrenta, grita "¡fuego!"; esto llamará la atención de otras personas. Gritar "¡socorro!" hace a menudo que la gente se aleje corriendo.
- Si alguien te ataca, defiéndete. Apunta a partes vulnerables del cuerpo, como los ojos, la ingle o la garganta, y usa cualquier arma de que puedas echar mano.
- Si temes que vayan siguiéndote, ve a la casa más cercana, donde haya luz encendida, o entra a algún comercio abierto.
- Cuando conduzcas de noche, lleva las portezuelas del auto cerradas con seguro y las ventanillas cerradas.
- Antes de entrar a tu auto, revísalo por dentro y por debajo si ha estado estacionado un rato.
- Si vas conduciendo y alguien te sigue, no vayas a tu casa; dirígete a la estación de policía más cercana.
- Evita las pandillas, y aun los grupos no muy unidos pero que parecen no tener nada que hacer. Muchas veces estos grupos se forman espontáneamente por puro aburrimiento y empiezan a vagar y a molestar a la gente por diversión (*wilding* en inglés). Este término se acuñó para definir el modo de actuar de siete muchachos adolescentes a los que se arrestó por haber asaltado y violado a una joven en Nueva York, en 1989. Estos jóvenes deambulaban sin rumbo, sin nada que hacer y cometieron ese acto de violencia sólo para entretenerse. Holgazanear así puede volverse peligroso.
- Si sabes que alguien está pensando en usar la violencia, dirígete a una persona que pueda prestarte ayuda. Es más fácil evitar una situación peligrosa que sobrevivir a ella. El joven de Alabama que disparó y mató a sus compañeros de clase durante un ensayo de incendio, había dicho a unos amigos lo que pensaba hacer.

Quizá si uno de éstos lo hubiera compartido con algún adulto, el resultado habría sido muy diferente.

QUÉ DECIR CUANDO SE ES VICTIMA DE LA VIOLENCIA

Si su hijo adolescente ha intervenido en forma directa en una acción violenta, ya como víctima, ya como testigo, necesita el apoyo profundo de un amor perseverante y reconfortante, y que se le restaure la confianza en sí mismo; además, necesita tiempo para hablar de lo sucedido. Hablar es a menudo la mejor medicina para el trauma psicológico de la violencia; por eso, aliente a su hijo a narrar el incidente. Luego, escuche. Préstele toda su atención, sin expresar opiniones ni enojo. Limítese a decir: "Explícame cómo te sientes al respecto", y luego deje que él ponga en palabras los temores que pueden inquietarlo y acorralarlo como en un callejón sin salida.

Que no le preocupe la idea de que hablar de un episodio violento es como volver a vivirlo. Hablar proporciona un alivio emocional y aligera el llevar a cuestas solo el miedo a la violencia.

Si el adolescente se niega a hablar, de momento dele tiempo, pero siga brindándole oportunidades de abrirse cuando se presente la oportunidad.

Cualquier forma de violencia requiere un diálogo que es único y para el que no puede redactarse aquí un guión común. Pero si usted siente que no sabe qué decir a su hijo, no vacile en pedir ayuda para él y para usted. Cuando los estudiantes experimentan la muerte de un compañero de clase o un incidente de violencia en los terrenos de la escuela, la mayoría de los planteles se apresuran a llevar consejeros que los ayuden a manejar sus sentimientos de congoja.

La ayuda profesional es una opción inteligente. Podría empezar con el consejero del plantel, o pedir que los remita con un psicólogo de su región, especializado en traumas.

Los padres deben pensar también en la asesoría profesional si observan en su hijo alguna de estas formas de conducta:

Ataques de ansiedad.
Depresión crónica.
Dificultad para concentrarse.
Ausencia de respuesta emocional.
Pesadillas nocturnas.
Fobias.

La asesoría profesional puede ayudar a los adolescentes a evitar el síndrome de la tensión postraumática, que casi imposibilita el dejar atrás el incidente y continuar con una vida normal.

QUÉ DECIR CUANDO SU ADOLESCENTE ES QUIEN COMETE EL ACTO DE VIOLENCIA

Es importante hablar con nuestros hijos de los efectos de la violencia en su vida, pero, ¿qué decir cuando averigua que en su hijo quien ha cometido la acción violenta? ¿Qué dice usted cuando recibe una llamada telefónica de la escuela para informarle que su hijo ha iniciado una pelea o ha hecho sonar la alarma contra incendios, o que ha amenazado con causar daños corporales a un estudiante o a un maestro? La reacción de usted debe darse en cuatro etapas:

1. *Averigüe qué sucedió*. Aunque es posible que usted se sienta muy enojado, siempre dé a su adolescente la

oportunidad de explicar la situación. Averigüe qué pasó y por qué.

2. *Ponga énfasis en la comprensión*. Hable con su hijo del efecto de sus actos sobre los demás. Pregúntele: "¿Qué crees que haya sentido la otra persona cuando hiciste eso? Trata de ponerte en su lugar. ¿Cómo reaccionarías tú mismo a eso que hiciste?" Infundir un interés y comprensión sinceros en la mente del adolescente puede ayudarlo a ver por qué la violencia no es una solución.
3. *Explique las consecuencias*. Cualquiera que sea el motivo de una acción violenta, su hijo tiene que oírlo decir, sin el menor titubeo, que ninguna forma de violencia es aceptable. Punto. Aclare bien que esta clase de conducta tiene serias consecuencias. No soslaye cualquier acción violenta con una débil advertencia. Haga entender a su hijo que la violencia nunca es una solución aceptable, y que siempre habrá que pagar el precio de la misma. Cualquiera que sea el código de disciplina familiar (suspensión de permisos para salir, trabajo en el jardín o restricción total de videojuegos y uso de la computadora), cerciórese de que el castigo corresponda a la gravedad del delito. Diga a su hijo: "En esta vida, todos somos responsables de nuestros actos. Tú tienes que aceptar la responsabilidad de lo que has hecho y afrontar las consecuencias".
4. *Remediar el mal*. Una parte de asumir la responsabilidad de los errores cometidos es aprender a reparar el daño. Ayude a su hijo a decidir qué remedio puede tener la situación. Pregúntele:

"¿Crees que sea apropiado pedir una disculpa?"
"¿Puedes pensar en algún modo de reparar el daño causado?"
"¿Hay algo que puedas hacer ahora para compensar el perjuicio causado por tu conducta?"

LA DIFÍCIL TAREA

El gobierno y los medios de comunicación han dado pequeños pasos para reducir la presencia de la violencia en la vida diaria. Están procurando clasificar la programación, insertar dispositivos protectores de seguridad, dictar reglas y celebrar audiencias en el Congreso. Es indudable que todo esto es mejor que nada, pero a pesar de ello la violencia continúa.

Muchos dicen que es responsabilidad de los padres vigilar los hábitos de ver televisión de los jóvenes. La pregunta que les hacemos es: ¿Sería acaso posible seleccionar y excluir prácticamente todos los aspectos negativos que tienen los medios? Podemos estar pendientes de las clasificaciones de películas y leer los membretes de los discos compactos, pero ¿hay acaso manera de averiguar si los canales de MTV y de videojuegos violentos se permiten en los hogares vecinos?

¿Cómo podríamos estar siempre presentes cuando la programación regular se interrumpe para mostrar un reportaje en vivo de alguna desequilibrada mental que trata de suicidarse desnuda en medio de una calle principal? (Esto precisamente sucedió con un hombre en una autopista de Los Ángeles, que se dio un balazo en la cabeza en esas condiciones.)

La tarea es difícil. Sin embargo, al hablar con nuestros hijos adolescentes de los efectos negativos de cualquier clase de violencia, damos un primer paso sumamente importante. El mundo está diciéndoles que la violencia es una diversión y que es normal; necesitan oír decir a sus padres que no es así. El mundo les dice que esto es lo único que hay; los jóvenes necesitan oír de sus padres que no tienen por qué aceptar lo que se les ofrece. Dígales: "Tú votas por la clase de mundo en el que quieres vivir cada vez que vas a la taquilla o enciendes el televisor o el radio, o bien haces alguna compra en la tienda de música. Elige con cautela".

El segundo paso importante lo damos cada vez que hablamos a nuestros hijos con respeto. Dígales palabras que transmitan un mensaje de aceptación, aprecio, aprobación, admiración y afecto. Los jóvenes que reciben estos mensajes de sus padres no están cegados por la ira que asuela a la sociedad.

RECURSOS

Center for Conflict Resolution ("Centro para la Resolución de Conflictos")
200 N. Michigan Avenue, Suite 500
Chicago, IL 60601
(312) 372-6420

Institute for Mental Health Iniciatives Channeling Children's Anger ("Instituto para Iniciativas de Salud Mental que Canalicen la Ira Juvenil")
4545 42nd Street N.W., Suite 311
Washington, DC 20016
(202) 364-7111

National Crime Prevention Council ("Consejo Nacional para la Prevención del Crimen")
1700 K Street, 2nd floor
Washington, DC 20006
(202) 466-6272

National School Safety Center ("Centro Nacional para la Seguridad Escolar")
4165 Thousand Oaks Boulevard, Suite 290
Westlake Village, CA 91362
(805) 373-9977

Center to Prevent Handgun Violence
("Centro para Prevenir la Violencia
con Armas de Fuego)
1400 K Street N.W., Suite 500
Washington, DC 20005

The Family Violence and Sexual Assault
(Instituto contra la Violencia Familiar y el Asalto
Sexual) (FVSAI)
1310 Clinic Drive
Tyler, TX 75701
(903) 595-6600

LECTURAS ADICIONALES

SHERROW, VICTORIA. *Violence and the Media* ("La violencia y los medios"), Millbrook Press, Brookfield, Conn., 1996.

Especialmente para adolescentes

HYDE, MARGARET y ELIZABETH FORSYTH, *The Violent Mind* ("La mente violenta"), Franklin Watts, Nueva York, 1991.

LEONE, BRUNO, (ed.) *Youth Violence*, ("Violencia juvenil"), Greenhaven Press, San Diego, Calif., 1992.

MILLER, MARYANN, *Coping with Weapons and Violence in Your School and on Your Streets* ("Enfrentar las armas y la violencia en la escuela y en las calles"), Rosen Publishing Group, Nueva York, 1993.

Referencias bibliográficas por temas

Introducción

GOODSTEIN, LAURIE y MARJORIE CONNELLY, "Teen-Age Poll Finds a Turn to the Traditional" ("Encuesta entre adolescentes encuentra un giro que se desvía de lo tradicional"). *New York Times*, 30 de abril de 1998, p. A20.

RHULE, PATTY, "Teens Tackle Their Identity Crisis" ("Los adolescentes hacen frente a su crisis de identidad"). *USA Weekend*, 1º de mayo de 1998, pp. 6-7.

PRIMERA PARTE

La muerte de un ser querido

KÜBLER-ROSS, ELISABETH, *Death: The Final Stage of Growth* ("La muerte: etapa final del crecimiento"), Simon & Schuster, Nueva York, 1986.

La violación en la cita

GIARRUSSO, R., y otros, "Adolescent Cues and Signals: Sex and Sexual Assault" ("Indicios y señales de los adolescentes: sexo y asalto sexual"). Artículo presentado en un simposio de la reunión de la Western Psychological Association, San Diego, Calif., abril de 1979.

HUGHES, JEAN y BERNICE RESNICK SANDLER, *"Friends" Raping Friends* ("'Amigos' que violan a amigos"), Center for Women Policy Studies, Washington, D.C., 1991.

SEGUNDA PARTE

El consumo de alcohol y conducir ebrio

MOTHERS AGAINST DRUNK DRIVING, *Public Policy Statistics: Research on Youth* ("Estadísticas de políticas públicas: investigación sobre la juventud").
[http://www.madd.org/stats/stat_youth.shtml].

———, *Public Policy Statistics: The Impaired Driving Problem* ("Estadísticas de las políticas públicas: el problema de conducir en mal estado").
[http://www.madd.org/stats/default.shtml].

———, "Under 21: Drinking and Driving". "Menos de 21: conducir y beber").
[http://www.madd.org/UNDER 21/youth_issues.shtml].

U.S. Department of Health and Human Services, *Tips for Teens About Alcohol* ("Sugerencias para los adolescentes respecto del alcohol"), Department of Health and Human Services, Washington, D.C., s/f.

Los peligros en la Red electrónica mundial

"Is your kid Caught Up in the Web?" ("¿Está su hijo atrapado en la Red?"), *Consumer Reports*, mayo de 1997, pp. 27-31.

TREBILOCK, BOB, "Child Molesters and the Internet" ("Pederastas en Internet"), *Redbook*, abril de 1997, pp. 101-102, 136-137.

El abuso de drogas

MANATT, MARSHA, *Parents, Peers and Pot* ("Los padres, los compañeros y la mota"), DHHS, publicación no. (ADM) 80-812, National Institute on Drug Abuse, Rockville, MD., 1980.

NATIONAL INSTITUTE ON DRUG ABUSE, *Peer Pressure: It's OK to Say No* ("Ante la presión de los compañeros es bueno decir que no"), DHHS, publicación nº (ADM) 83-1271, National Institute on Drug Abuse, Rockville, MD., 1983.

NATIONAL CLEARINGHOUSE FOR ALCOHOL AND DRUG INFORMATION, *Just the Facts* ("Sólo los hechos"), publicación no. RP0884, National Clearinghouse for Alcohol and Drug Information, Rockville, MD., s/f.

REGENTS OF THE UNIVERSITY OF WISCONSIN AND THE NATIONAL PTA, *Young Children and Drugs: What Parents Can Do* ("Los niños pequeños y las drogas: lo que los padres pueden hacer"), Wisconsin Clearinghouse, Madison, 1984.

U.S. DEPARTMENT OF EDUCATION, *Growing Up Drug Free: A Parent's Guide to Prevention* ("Crecer libre: guía de prevención para los padres"), Departament of Education, Washington, D.C., s/f.

U.S. DEPARTMENT OF HEALTH AND HUMAN SERVICES, *Tips for Teens About Marijuana* ("Sugerencias para adolescentes acerca de la marihuana"), Departament of Health and Human Services, Washington, D.C., s/f.

U.S. DEPARTAMENT OF HEALTH AND HUMAN SERVICES, *Tips for Teens About Smoking* ("Sugerencias para adolescentes acerca del hábito de fumar"), Departament of Health and Human Services, Washington, D.C., s/f.

Sexo, anticoncepción y embarazo

GREYDANUS, DONALD, *Caring for your Adolescent: Ages 12 to 21* ("Cuidado del adolescente: edades de 12 a 21"), Bantam Books, Nueva York, 1991.

PADAWER, RUTH, "Survey: Teens Want More Sex Information-they Say They Learn Some Facts Too Late" ("Encuesta: los adolescentes quieren más información sobre el sexo. Dicen que aprenden ciertas cosas demasiado tarde"), *Bergen Record*, 25 de junio de 1996, p. A-19.

WARZAK, WILLIAM y otros, "Enhancing Refusal skills: Identifying Contents That Place Adolescents at Risk for Unwanted Sexual Activity". ("Reforzar la habilidad para rechazar: discernir los contextos que ponen a los adolescentes en peligro de una actividad sexual no deseada"), *Journal of Developmental and Behavioral Pediatrics*, abril de 1995, pp. 98-100.

Las enfermedades de transmisión sexual

BRODMAN, MICHAEL y otros, *Straight Talk About Sexually Transmitted Diseases* ("Hablar con sinceridad acerca de enfermedades sexualmente transmitidas"), Datos de archivo, Nueva York, 1993.

ELKIND, DAVID, *Parenting Your Teenager* ("Protección de los padres al adolescente"), Ballantine, Nueva York, 1993.

U.S. DEPARTAMENT OF HEALTH AND HUMAN SERVICES, *Condoms and Sexually Transmitted Disease... Especially AIDS* ("Los condones y las enfermedades sexualmente transmitidas... especialmente el SIDA"), publicación HHS no. FDA 90-4239, U.S. Departament of Health and Human Services, Washington, D.C., s/f.

Los tatuajes y perforaciones del cuerpo

BOUDREAU, JOHN, "Teens' Penchant for Body Piercing Makes Parents, Lawmakers See Red" ("La inclinación de los adolescentes a perforarse el cuerpo hace que los padres y los legisladores vean señales de alerta"), *Knight-Ridder/Tribune News Service*, 10 de febrero de 1997, p. 210K3666.

REYBOLD, LAURA, *Everything You Need to Know About the Dangers of Tatooing and Body Piercing* ("Todo lo que necesitas saber sobre los peligros de los tatuajes y las perforaciones corporales"), Rosen Publishing Group, Nueva York, 1996.

TESHIMA-MILLER, LANI, "Getting a Tattoo" ("Hacerse un tatuaje"). [rec.arts.bodyart: Tattoo FAQ 2/9].

TERCERA PARTE

La competencia

AVELLA, DOUGLAS y THERESA FOY DIGERONIMO, *Raising a Healthy Athlete* ("Llegar a ser un atleta saludable"), British American Publishing, Nueva York, 1990.

BUCKLEY, W.E.R., E. E. YESALIS y K. K. FRIEDL, "Estimated Prevalence of Anabolic Steroid Use Among Male High School Seniors" ("Estimación del predominio del uso de esteroides anabólicos entre estudiantes varones del último año de escuela preparatoria"), *Journal of the American Medical Association*, 1988, 260, 3441.

CAMPBELL, LAURIE, "It's Only a Game" ("Es sólo un juego"), *Parent Paper*, mar. 1996, p. 12.

GLEICK, ELIZABETH, "Every Kid a Star" ("Cada chica, una estrella"), *Time*, 22 de abril de 1996, pp. 39-40.

WOMEN SPORT FUNDATION, "Myth Busting: What Every Female Athlete Should Know" ("Descubrir los mitos: ¡lo que toda atleta mujer debe saber!"). [http://www.lifetimetv.com/WoSport/stage/RESLIB/mythbusting.html].

Las sectas

LANGONE, MICHAEL, "Clinical Update on Cults" ("Actualización clínica sobre las sectas"), *Psychiatric Times*, julio de 1996, pp. 14, 16.

PENNSYLVANIA MEDICAL SOCIETY, "What is a Cult?" ("¿Qué es un culto?"), *Pennsylvania Medicine*, julio de 1995.

La depresión

NATIONAL CENTER FOR HEALTH STATISTICS, *Mortality Statistics* ("Estadísticas sobre mortalidad"), National Center for Health Statistics, Hyattsville, MD., 1993.

NATIONAL INSTITUTE OF MENTAL HEALTH, *Helpful Facts About Depressive Illnesses* ("Información útil acerca de las enfermedades depresivas"), publicación DHHS no. (ADM) 89-1536, Alcohol, Drug Abuse, and Mental Health Administration, U.S. Departament of Health and Human Services, Washington, D.C., 1987.

SMITH, TONY y ELIZABETH RENWICK, *Adolescence: The Survival Guide for Parents and Teenagers* ("Adolescencia: guía de supervivencia para padres y adolescentes"), DK Publishing, Nueva York, 1996.

La ética, los valores morales y la religión

DOSICK, WAYNE, *Golden Rules* ("Reglas de oro"), Harper San Francisco, San Francisco, 1995.

MOSEDALE, LAURA, "Making Religion Relevant" ("Dar significado a la religión"), *Child*, enero de 1995, pp. 142-144, 172-175.

SEGAL, JULIUS, *Winning Life's Toughest Battles* ("Ganar las batallas más difíciles de la vida"), Ivi Books, Nueva York, 1987.

SELIGMAN, MARTIN E. P., *Learned Optimism* ("Optimismo aprendido"), Knopf, Nueva York, 1991.

SELIGMAN, MARTIN E. P. y otros, *The Optimistic Child* ("El niño optimista), Houghton Mifflin, Boston, 1995.

WRIGHT, LOYD S. y otros, "Church Attendance, Meaning fulness of Religion, and Depressive Symptomatology Among Adolescents" ("Asistencia a la iglesia, significado de la religión y sintomatología depresiva entre los adolescentes"), *Journal of Youth and Adolescence*, 1993, 22, 559-568.

Las pandillas

CHANDLER, KATHRYN y otros, *Students' Reports of School Crime, 1989 and 1995* ("Informes de estudiantes sobre crímenes escolares"), Informe No. 98241 de la encuesta NCES, Washington, D.C., 1998.

NATIONAL CRIME PREVENTION COUNCIL, *A Parent's Guide for Preventing Gangs* ("Guía para los padres acerca de la prevención de pandillas"), National Crime Prevention Council, Washington, D.C., s/f.

______, *Tools to Involve Parents in Gang Prevention* ("Herramientas para involucrar a los padres en la prevención de pandillas"), National Crime Prevention Council, Washington, D.C., 1992.

———, *What's a Parent to Do About Gangs?* ("¿Qué pueden hacer los padres acerca de las pandillas?"), National Crime Prevention Council, Washington, D.C., s/f.

La homosexualidad

BAILEY, J.M. y R. PILLARD, "A Genetic Study of Male Sexual Orientation" ("Estudio genético de la orientación sexual del varón"), *Archives of General Psychology*, 1991, 48, 1089-1096.

BAILEY J.M. y otros, "Heritable Factors Influence Sexual Orientation in Woman" ("Los factores hereditarios influyen en la orientación sexual de las mujeres"), *Archives of General Psychology*, 1993, 50, 217-223.

BELL, A.P. y otros, *Sexual Preference: Its Development in Men and Women* ("Preferencia sexual: su desarrollo en hombres y mujeres"), Indiana University Press, Bloomington, 1981.

Fighting the Myths: Lesbians, Gay Men-and Youth ("Luchas contra los mitos: las lesbianas, los gays y la juventud"), Hetrick-Martin Institute, Nueva York, 1993.

GAROFALO, ROBERT y otros, "The Association Between Health Risk Behaviors and Sexual Orientation Among a School-Based Sample of Adolescents" ("La asociación entre formas de conducta peligrosas para la salud y la orientación sexual en una muestra de adolescentes basada en la escuela"), *Pediatrics*, 1998, *101*, 895-902.

GIBSON, P., "Gay Male and Lesbian Youth Suicide" ("El suicidio entre la juventud homosexual masculina y lesbiana"), *Report of the Secretary's Task Force on Youth Suicide*, U.S. Departament of Health and Human Services, Washington, D.C., 1989.

HETRICK, E.S. y A. D. MARTIN, "Developmental Issues and Their Resolution for Gay and Lesbian Adolescents" ("Problemas del desarrollo y su resolución para adolescentes homosexuales y lesbianas"), *Journal of Homosexuality*, 1987, *14*, 25-43.

Kinsey, A. C., W. B. Pomeroy y C. E. Martin, *Sexual Behavior in the Human Female* ("Comportamiento sexual en la mujer"), Saunders, Filadelfia, 1953.

Klein R., "Pride and Prejudice" ("Orgullo y prejuicio"), *Times of London*, Suplemento educacional, 6 de junio de 1987, *79*, *326-330*.

La pornografía

Osanda, Franklin Mark y Sara Lee Johann, *Sourcebook on Pornography* ("Libro de consulta sobre pornografía"), New Lexington Press, San Francisco, 1989.

Reisman, Judith, *"Soft Porn" Plays Hardball* ("La 'pornografía ligera' juega a la pelota"), Huntington House, Lafayette, La., 1991.

Los prejuicios

Edwards, Gabrielle, *Coping with Discrimination* ("Enfrentar la discrimianción"), Rosen Publishing Group, Nueva York, 1992.

National PTA and Anti-Defamation League of B'nai B'rith, *What to Tell Your Child About Prejudice and Discrimination* ("Qué decir a su hijo acerca del prejuicio y la discriminación"), National PTA and Anti-Defamation League of B'nai B'rith, Nueva York, 1994.

La violencia

American Psychological Association, *Violence and Youth: Psychology's Response: Summary Report of the American Psychological Association Commission on Violence and Youth* ("Respuesta de la psicología: resumen de la Comisión sobre Violencia y Juventud de la Asociación Psicológica Estadounidense"), American Psychological Association, Washington, D.C., 1993.

Bureau of Justice Statistics, u.s. Departament of Justice, "Criminal Victimization, 1996: Changes 1995-96 with trends 1993-96" ("Victimación criminal, 1996: Cambios 1995-96 con tendencias 1993-96").

http://www.ojp.usdoj.gov/bjs/abstract/cv96.htm].

MALLOY, RICHARD, "Media Violations" ("Violaciones en los medios"), *America*, 6 de febrero de 1993, p.4.

MOODY, KATE, *Growing Up on Television: The TV Effect* ("Crecer con la televisión: el efecto de la TV"), Times Books, Nueva York, 1980; McGraw-Hill, Nueva York, 1986.

PERKINS, CRAIG, "Age Patterns of Victims of Serious Violent Crime" ("Patrones de edades de las víctimas de crímenes violentos graves"), Bureau of Justice Statitics, U.S. Departament of Justice, publicación no. NCJ-162031.
[http://www.ojp.usdoj.gov/bjs/abstract/cv96.htm], septiembre de 1997.

SHERROW, VICTORIA, *Violence and the Media* ("La violencia y los medios"), Millbrook Press, Brookfield, Conn., 1996.

SLEEK, SCOTT, "'Innocuous' Violence Triggers the Real Thing" ("La 'violencia inocua' desencadena la real"), *APA Monitor*, abril de 1998, 29, 1, 31.

SMITH, STACY L. y otros, *National Television Violence Study* ("Estudio sobre la violencia en la televisión nacional"), vol. 3, National Cable Television Association, Washington, D.C., abril de 1998.

Acerca de los autores

El **Dr. Charles E. Schaefer** es profesor de Psicología y director del Centro de Servicios Psicológicos de la Universidad Fairleigh Dickinson. Es autor de innumerables libros sobre la paternidad, entre ellos *Cómo hablar con los adolescentes de los temas verdaderamente importantes* (con Theresa Foy DiGeronimo). Schaefer dicta conferencias por todo el país sobre temas relacionados con el arte de ser padres y se ha presentado en muchos programas de TV, en su calidad de experto en desarrollo infantil.

Theresa Foy DiGeronimo, con Maestría en Educación, es profesora adjunta de inglés y comunicaciones en la Universidad William Paterson de Nueva Jersey, y tiene tres hijos. Ha escrito diversos libros para los padres, entre ellos el éxito de ventas *Raising a Thinking Child* ("Cómo formar a hijos que piensan"), junto con Myrna Shure.